つなぐ世界史

3 近現代／SDGsの歴史的文脈を探る

責任編集
井野瀬 久美恵

清水書院

はじめに

太古の昔から，人は時を超え，海や山を越え，つながってきた。日本各地に連綿と伝わる伝統芸能や伝統産業は，この列島が遥か昔からユーラシアや南太平洋とつながってきたことを物語っている。

「つなぐ」ことは，偶然であれ，人の思いや行為から始まる。自分の所にないものを求めて交易が始まり，その結果として地域がつながったり，結社などの形で思いを共有する人々が集団を形成して，大きな社会変化を促すうねりとなったりしたこともある。歴史とは様々な事象の相互結合によって生じた過去のことであり，いかなる現象も単独では存在しない。ここに今いる自分の存在さえも，様々な過去の出来事や出会いが互いにつながり，幾重にも積み重なった結果である。

一般の人が最も長く歴史を学ぶのは，学校教育の課程であろう。とはいえ，歴史学習の時間は多くの生徒にとっては自分たちとは関係のないことを学ぶ，よそよそしいものになっている。どこの教室でも「歴史は暗記の強要」「自分の人生とは関係がないから，興味がない」といった言葉が聞かれる。それはひとえに，歴史の授業で学ぶ内容が，生徒たちの日々の生活とつながっておらず，現実感に乏しいためであると考える。

おそらく後世には，この3年間（2020～2022）に起きたことは世界史の転換点であったと言われるようになるであろう。今，現実に世界で起きている重大な事象が，歴史的な背景や前例を持つものであると教えた教師がどれくらいいただろうか。たとえばロシアのウクライナ侵攻は，今はないソ連という国の成り立ちや第一次・第二次世界大戦との関わりを再考するのに絶好のチャンスであったし，COVID-19の流行とその影響を受けた世界の動きを，人類と感染症の戦いや20世紀前半のいわゆる「スペイン風邪」と関連づけて取り上げることもできたはずである。「充実した授業をしたくても，受験準備のカリキュラムをこなすので精一杯。入試に直結しないことに生徒は関心を持たない」などと言うのは，不可抗力を言い訳にした逃げの言葉でもある。

大学入試のための学校教育。それを当たり前のように考えてきた結果が，2006年秋の世界史未履修問題であった。日本全国の学校で，必履修科目の世界史の授業を削って他の科目の補習時間に宛がっていたことが発覚したのである。それを契機に歴史学界や地理学界から歴史教育改革の声が上がり，日本と世界の近現代史を「つなぐ」科目として「歴史総合」が誕生した。その最大のコンセプトとして，高等学校学習指導要領にある最初の大項目「歴史の扉」には「私たちに関する諸事象が，日本や日本周辺の地域及び世界の歴史とつながっていることを理解する」と掲げられた。子どもたちにとって馴染みのない言葉の羅列と化した歴史の授業を「自分事」として再認識させようという狙いが伝わってきた。

2022年4月，「歴史総合」の授業が満を持して始まった。ところが，いざ始まってみると，教師は生徒たちが求める「受験のための学習」と軋轢が生じないよう苦慮を強いられることになった。その結果，授業の内容を以前のものから大きく変えることができず，受験者が多い日本の近現代史だけを教えてみたり，週2時間の内，日本史と世界史を別々に1時間ずつ教えてみたりと，その場しのぎの混乱が起きたとも聞く。その背景には，主体的に歴史を理解することを目的としていたはずの「つながり」を学習する意義が，十分に理解されていなかったことがあるのではないだろうか。指導要領の意を汲んで，日本史と世界史をつなげる工夫に努める教師も多く存在するはずである。そこで私は，日本よりもさらにミクロな世界，すなわち彼らが生きる「地域」につながる世界史を題材に選ぶことで，歴史をもっと「自分事」に感じられる機会を増やそうではないか，と提案してみたい。

身の回りの地域と世界がつながっていることに私が気づかされたのは，2001年11月6日，山口県防府市郊外の公民館で開催されていた地域の文化祭で，戦前にアフガニスタンへ農業指導員として渡った，尾崎三雄という人が撮影した写真を見たことがきっかけだった。その年の9月11日に同時多発テロが起き，アフガニスタンが注目される中で，尾崎氏の遺族が遺品を公民館の文化祭へ出品したのだった。当時，私は山口大学の大学院に通学し，偶然から教育学部におられたイスラーム研究者の中田考氏の学生と知り合い，連れ立って公民館へ出かけた。私が尾崎三雄のことを，教え子を通じて一橋大学の加藤博氏に伝えると，日本中東学会の目に留まり，本格的な調査研究が始まった。その結果，5年後の2006年に，同学会が研究成果を公開することになり，その際，山口県内の高校生にも県内在住のムスリムや中東滞在経験者に聞き取り調査をして発表させることになった。徳山，下関南，山口，宇部の4校の生徒が自分の住んでいる地域で調査を行い，夏休みには，酒井啓子氏，臼杵陽氏，加藤博氏，三浦徹氏，鈴木均氏などの研究者が来山して，セミナーを実施した。全国初の高校生による中東・イスラーム世界の研究であったと言える。こうして迎えた秋の公開講演会では，日本中東学会会員の飯塚正人氏から「君たち高校生が行った聞き取り調査は，自分たち研究者も同様のことを行っている。違いがあるとすれば，その調査結果の解釈力の違いだけだ。」と，生徒たちの半年にわたる活動を賞賛していただいた。生徒は，「中東・

イスラーム世界は，自分たちが思っていた以上に多様であり，日本の生活様式だけがすべてではないことを知ることができた」と，日本の文化をも相対化する視点を持てたことを述べていた。尾崎三雄という人物の掘り起こしは，まさに一地方の埋もれてしまいそうな史実が，中東研究者に見出され，さらに高校生の研究にまで広がった出来事であった。

日本の歴史が世界の歴史とつながっていたことは，言葉で説明すればある程度は理解できる。しかしながらそのつながりをさらに身近に感じるためには，やはり生徒自身が生きる地域と世界がつながる事例を体感できることに勝るものはない。

本書の内容からは多岐にわたる日本の地域が古代から世界とつながっていたことが一目瞭然である。教科書でもよく知られた話を深掘りしたものもあれば，ほとんど一般には知られていない話もある。授業などでも補助教材として使いやすいように，総じてコンパクトかつ俯瞰的な視野から描かれている。

本書で自然に「つながる」ことよりも「つなぐ」という視点を重視したのは，執筆を依頼した方々に，より主体的に何と何をつなげて歴史を紡ごうとしているのかを示していただくためであった。すでに歴史を「つなぐ」ことには優れた実績のある方々に依頼することにしたが，それでも原稿の依頼時には，次のような視点を各自意識していただくようお願いした。

1　地域をつなぐ
2　過去と現在をつなぐ
3　歴史への様々な「思い」をつなぐ
4　最新の研究成果と市民をつなぐ
5　次世代の未来につなぐ

私たちの生きる現代世界が，どのようなつながりによって形成されてきたのかを，本書を通して感じていただければ嬉しく思う。私たち編集委員も執筆者も読者の皆様とのつながりを大切にして，過去と現在，現在と未来をつなぐ役割を本書によって果たしたい。

編集委員を代表して
藤村　泰夫

第３巻　序

シリーズ最後となる第３巻は，19世紀半ば以降，21世紀の現代までを２部構成でお届けする。対象となる200年ほどの時間は，それよりずっと長いタイムスパンを扱う第1，２巻以上に，さまざまな「つながり」が速度を上げて形を変え，可視化される時代であった。

たとえば，1851年，世界初とされるロンドン万国博覧会の立役者であるヴィクトリア女王の夫君アルバート公は，開催の１年前に設置された特別委員会の席上，万博の意義をこう語っている。「産業革命の成果を通じて，地球全体，各国各地域の間の距離感が縮まり，あらゆるものが大変な速さで変化しつつある。これまでの進歩の姿を捉え直し，新たな出発点を見出して，今後努力すべき未来を見つめたい。」――「近代化」の先陣を切った19世紀半ばのイギリスは，地球規模での人やモノ，情報の動き，すなわち「グローバル化」をすでに感じていたのである。

アルバート公のこの認識は，「歴史総合」の３本柱，近代化，国際秩序の変化や大衆化，グローバル化が別々の動きではないことを物語っている。この３つは緩やかに連なりながら，時代と地域，時間と空間を結びつけ，「今」を創ってきた。ただ，わたしたちの関心はもはや，欧米諸国にそのモデルを見つけることにではなく，世界がどのようにつながって現在の姿になったのか，そのつながりにわたしたちが暮らすこの島国はどう位置するのか，などに向けられている。

本書第１部では，近代化を東アジアという空間のなかに置き直し，２つの世界大戦が変えた国際秩序とそのなかで生きた人びとの喜怒哀楽を探り，「国民」の内と外をめぐるさまざまな葛藤を取り上げている。故郷をあとにした移民や難民の希望と絶望，戦争と平和をめぐる試行錯誤，人種や民族・ジェンダーなど自分ではどうしようもない理由で襲いかかる理不尽な差別――。なかには論争を呼ぶ用語もあるが，そこは執筆者の意志を尊重した。

これらをめぐり，読者の皆さんと共に考えたいことが２つある。

ひとつは，自分の足元，たとえば家族の姿を思い浮かべ，自分事として歴史を捉える想像力についてである。21世紀の今，ここにわたしをつないでいるものはいったい何なのか。両親の出会い（お父さん，お母さんにも青春があった！）だけでなく，どんな人たちが自分とつながり，何が彼らを動かし，生かして自分につなげたのか，などに思いをめぐらせていただきたい。

もうひとつは，過去を自分事として感じるための方法についてである。興味深い事例を紹介しておこう。

2019年5月，ハンガリー生まれの13歳のユダヤ人，エヴァ・ハイマン（1931～44）が残した実際の日記を忠実に再現する制作動画がインスタグラム（@eva.stories）にアップされ，あっという間に再生回数は1億を超えた。1944年2月13日に始まる「投稿動画」は，以後，エヴァが家族とともにアウシュヴィッツ絶滅収容所へと送られる5月31日まで続き，その数は30本余りに上る。このインスタは，ホロコーストの記憶の風化を危惧したイスラエルの大富豪が数百万ドルを投じ，娘と共に作ったものだが，迫りくるナチスドイツの恐怖を（当時なかった）スマホの自撮り映像でアップするという設定自体が賛否両論を呼んだ。若い世代が身近なSNSを使って歴史を疑似体験することは不適切なことなのだろうか。

続く第2部では，現在学校教育の現場で盛んに取り上げられているSDGs，「持続可能な開発目標」の歴史的文脈を探る。2015年9月，150余りの国連加盟国首脳が集まり，全会一致で採択されたSDGsは，17の課題目標（ゴール）と課題ごとに設定された169の達成基準（ターゲット）から構成される。本書では目標のすべてを取り上げた。

SDGsはすべての国を対象に，「誰ひとり取り残さない」をモットーとする。そこには，たとえば21世紀のイギリスで数を増すフードバンク利用者も含まれる。生活費の高騰で拡大した貧困により，利用者は当初（2008～09年）の2.5万人から昨今では約299万人（2022～23年）へと激増した（イギリス大手フードバンク「トラッセル・トラスト」HP)。こうした格差社会の実態を加味することで，子ども（18歳未満）の7人に1人が貧困という日本の現状も視野に入ってくる。

それに何より，貧困のみならず，飢餓，紛争や戦争，気候変動や環境，エネルギーなど，SDGsに掲げられた「現代の課題」はいずれも，21世紀に入って突然降ってきたわけではない。17の課題目標すべてに歴史が，とりわけ19世紀後半以降の帝国主義，植民地主義がもたらした文脈が関わっている。よってSDGs自体が「過去と現在との対話」に他ならない。にもかかわらず，日本の教育現場では，「取組みの実践」が中心であり，「なぜそれがわたしたちの課題なのか」への考察は少ないように思われる。

こうした事態に鑑みて，本書第2部では，ある課題の解決が別の目標とどうつながっているか，歴史的な射程のなかで考えた。つながりに目配りすれば，問いの立て方自体が変わる。それが歴史を知る醍醐味でもある。

井野瀬　久美惠

目次

[凡例]

- 年代は，陰暦の月日を示したり，史料の条文を示したりする場合を除き，西暦を主体とし，元号を(　)で示しました。
- 漢字は，史料の引用文も含め，常用漢字を用いました。ただし，常用漢字がその旧字体とは本来別字である場合や，存命の方の人名，現在も継承されている名跡などについてはその限りではありません。
- 用語は主に高等学校の歴史科目で用いられる表記に準じ，全体を通して統一しました。ただし，学問上の立場や観点の違いをふまえ，統一しなかった場合もあります。
- 主な人名には生没年や在位年を示しました。
- 文中に，現在では不適切と思われる表現がありますが，史料原文や当時の時代性に鑑み，そのままの表現で掲載しました。
- 参考文献は，執筆時に特に参照したもののほか，一般読者が入手しやすいもの・読みやすいものを中心に挙げました。煩瑣を避けるため，学説の典拠や文献を逐一示していませんが，諸氏の研究成果に負うところは多く，その学恩に感謝申し上げます。

第1部

近現代

第1章

近代化

19世紀後半
アメリカ領
アラスカ
カナダ
イギリス
ロンドン
フランス
ポルトガル
スペ
ニューヨーク
アメリカ合衆国
サンフランシスコ
ワシントン
太平洋
メキシコ
ハイチ
大西洋
ハワイ諸島
コロンビア
ブラジル
150°
120°
90°
60°
30°
0°
1884年
イギリス領(英)
フランス領
スペイン領
ポルトガル領
オランダ領

ビスマルク

伊藤博文

シベリア
スウェーデン
ロシア帝国
サンクトペテルブルク
ドイツ
パリ
イスタンブル
イン
ローマ
オスマン帝国
カージャール朝
清
北京
朝鮮
日本
東京
上海
チベット
カイロ
インド
カルカッタ
ボンベイ
香港（英）
フィリピン
タイ
ナイル川
ニジェール川
マラッカ
シンガポール（英）
オランダ領東インド
インド洋
太平洋
オーストラリア
ケープタウン
ドイツ領南西アフリカ
60°
30°
0°
30°
30°
60°
90°
120°
150°

概説

明治以後の近代化と東アジア

岡本 隆司

19 世紀の後半を「近代」という。その当時，日本は明治維新であり，周知のとおり「文明」開化が合い言葉だった。いわゆる「近代」「文明」が世界に普及してゆく過程を「近代化」という。その過程はもちろん世界各地，「文明」を創造し強要した列強との関係によって，まちまちに進行した。欧米列強からみて極東（ファー・イースト）だった東アジアは，やはりそうした「近代化」の歴史の一つの典型をなす。

「近代」の「文明」

「近代」は漢語の字面だけの意味なら，近い時代，現代をさかのぼって直近の過去を指すにすぎない。しかしながら歴史学では，世界史上の一定の時代範疇とみなすのが通例で，おおむね 19 世紀後半以後を世界全体の規模で「近代」と呼ぶ。

その時代の中核をなすのは，数世紀前の西洋に始まり，商業革命・軍事革命・産業革命を通じてできた「文明」である。具体的な様相をあげていけば，経済的には，資本主義すなわち商品生産にもとづく世界市場・国民経済，政治的には，国家主義すなわち市民革命・民族闘争をもたらした万国併存と国民国家，さらに文化的には，科学主義すなわち普遍的な客観知識と国民教育による全体的な知的水準向上などが，特徴にほかならない。

この「文明」は西洋に起源し，非西洋地域に波及した。西洋諸国は自ら生み出した「文明」の利器，とりわけ軍事力・経済力の圧倒的な優越に乗じ，非西洋地域を「植民地」などの形態で支配することで，世界を「一体化」「構造化」した。

こうして元来多様だった各地が，西洋で生まれた文明の特性を共有し，かつまたその境遇から脱却して，独立の国民国家をつくりあげることが，非西洋地域それぞれの「近代」の主な内容をなした。とりわけ東アジアはしかり，その新しい秩序が一方的な支配と従属をともなって進行し，またその新秩序を変革しようとの動きも顕著だった。

「近代化」とは

そうした事象は，かつては発展段階論，先進・後進を評価基準とする「世界史の法則」で解釈するのが普通であった。しかし世界システム論以降，近年の理解はおよそ異なる。

たとえば「東アジアの近代」といっても，それは従前のように，西洋の近代という発展段階の水準から立ち後れた，落伍したことを必ずしも意味しない。東アジア各地に時を同じくして，それぞれの「近代」のありようがあって，のみならず相互に関係し合って全体の「近代」を形づくっていった，とみる。

いまや，そうした共時性を前提として在来世界の存在を認識し，なおかつ強調するのが通例となった。けだし「グローバル」時代・多様性尊重の時代の産物であろう。

西洋・「文明」の参入という事象じたいは，どこも共通し，おおむね共時的ではありながら，その具体的な時期やありようは各地さまざま，多様性を有した。在地在来の社会・体制が存続し，多かれ少なかれその規制・影響をまぬかれなかったからである。それをたとえば「伝統」と呼んできた。

逆にいえば，「近代」がなくてはいわゆる「伝統」も存在せず，「伝統」を見なくては各地の「近代」は理解できない。その程度・ありようをみきわめるのが，おそらくアジアの「近代」をみるポイントであろう。

そうした「伝統」を含む「近代」の第一段階を「近世」という。近年は early modern の対訳語としてほぼ定着した。「近代」の初期・準備期というくらいの意味で，すでに共時性それじたいは，ここから始まっている。その意味でも，非ヨーロッパ世界の「伝統＝近世」は，「近代」と表裏一体にとらえる必要がある。

それでも「近代」じたいは，やはり 19 世紀以降に特有の「文明」の作用が少なくない。その典型がグローバル化を強要した，「文明」の発展形態としての帝国主義であろう。その波及が「伝統＝近世」との関連で各地に顕在化・本格化・構造化する過程を，19 世紀の「近代化」だと考えればよい。

本シリーズ第 2 巻の記述で，「近世」「伝統」の一斑も，すでに明らかである。その「伝統」をうけて幕末維新の日本は「文明」を身につけ，東アジアの清末中国，およびその周辺がそれに対峙した。世界史上の「近代化」の典型例とみてもよい。

明治維新

明治維新の日本は，いわばそんな東アジアの「近代化」を牽引した。「文明」開化という近代西洋の模倣に邁進（まいしん）し，殖産興業などその具体的な様相の一端は，本巻でもとりあげる。

ただしそうした明治日本は，一つの典型ないし特例，部分にすぎない。それを

概説

あたりまえ，普遍的，スタンダードな歴史展開とみるのが日本人（ヨーロッパ人）の視座，つまり日本史・西洋史の悪いクセである。東洋史・アジア史の立場からすれば，決してそうみることはできない。西洋が「近代」「文明」を創造，達成し，日本がそれをただちに模倣でき，ほかがそうなりえなかったのは，そこまでの世界史の展開がしからしめたものである。それ以上でもそれ以下でもない。

その第一の条件はやはり「近世」日本の「伝統」を形づくった「鎖国」である。ここでは知的学的な活動の一点のみ，一瞥（いちべつ）を加えておこう。

「鎖国」の列島社会は，200 年のあいだ上下こぞって，中国と西洋を学んだ。漢学と蘭学である。それまで学問教育といえば，僧侶・公家などごく一部の支配エリートの専有物で，大多数・下層の武士・庶民には無縁だった。従前のそうした社会情況を，「鎖国」の泰平は一変させたのである。

まずとりくんだのは，中国の儒教，朱子学を中心とする漢学であった。「一衣帯水」の「同文同種」，関係も近しく久しく，なじみも深かったから，当然ではある。しかしそんな漢学にとどまらなかったのが，当時の日本の本領だった。

やがて漢学を深めるにつれ，その義理道徳（モラル）を偏重して事理実証（ファクト）を軽んじる側面に拒絶反応（アレルギー）を起こす人士もあらわれ，かれらは横文字の蘭学・洋学に目を向ける。やがて全体としても，むしろそちらを得意とするに至った，といっても過言ではない。だからこそ 19 世紀半ば以降の「開国」も，欧米との「国交」樹立も，穏便に受け入れることができた。

日本と東アジア

こうしてみると，日本の「近代化」は「近世」「伝統」の達した結論であり，新たに始まった発展でもあった。西洋の「文明」を選択的に修得したあげくに現代まで至っているのは，けだし日本が体制の成り立ちや社会の性質として，多元的な中国・ユーラシア世界より一元的求心的な西洋に近似していたからである。

そうした歴史過程に，中国と西洋のはざまにあって先進的な文化を摂取してきた日本のありようをみるべきだろう。そのように考えて，視野を広げてみると，さらに異なる光景が横たわっている。

幕末維新は激動の戦乱を経た時代だった。とはいえ，アヘン戦争以後の中国，あるいはほかのアジア諸国の「開国」の過程と比較すれば，日本は西洋・「文明」との摩擦，軋轢（あつれき）がはるかに少なかった。

本章はたとえば「江戸無血開城」をとりあげる。「御一新」を生み出したこのような政権交代はじめ，その後の版籍奉還・廃藩置県などは，「内乱」をともないながらも，他のアジア諸国では考えられないほど円滑に進んだ。革命的な旧体制変革だったといえよう。

ほかの東アジアでは，そうした「文明」の体得，殖産興業の直輸入は，その意思・意欲をもつことまで含めて難しかった。そこに作用していたのは，日本列島とは異なる自らの「伝統」「近世」のありようだった。

図1　「内国勧業博覧会開場御式の図」（楊州橋本直義画，国立国会図書館蔵）　内国勧業博覧会は1873年のウィーン万国博覧会を参考に，初代内務卿大久保利通が推し進め，1877年に初めて開催された。いわゆる殖産興業の一環ながら，天皇が開場式に出御するなど挙国一致・官民一体のとりくみだった点，同時期の東アジアでは希有の局面である。

逆にいえば，そこに日本の特質をみるべきである。東アジアが「近代化」に失敗したのではない。「近代化」実践を意識的にめざし，またそれが可能だった日本が，突出してヘンなのである。

しかもそれは単なる成否の並列・対比だけですまない。列島・半島・大陸は近隣に所在し，相互に影響を免れなかったからである。他と対極にある日本の「文明」体得・「近代化」の進展は，それらを欠く近隣との摩擦・相剋をひきおこした。

ともあれ「東アジア」の「近代化」いかんが，日本じたいの近代（化）の運命を決定づける。逆もまた真であって，つまり明治日本とあわせて，対峙した東アジア諸国の「伝統」と「近代化」のいかんも把握しなくては，日本の「近代化」も十分に理解できない。相互作用のなかで「東アジアの近代」を把握する必要がある。

■ ■ ■

19世紀後半にはじまる日本の明治維新は，「近代化」を生み出した。しかしそれは多分に日本特有の現象であって，まずそのいきさつを知る必要がある。そのうえで，足並みを同じくしなかった東アジアとの関係が，相互にとって重要な問題になった。「文明」を体得したか否かは，単なる「近代化」の成否にとどまらず，東アジア全体の運命を左右したのである。

■参考文献

岡本隆司『増補　中国「反日」の源流』ちくま学芸文庫，2019
岡本隆司『中国史とつなげて学ぶ日本全史』東洋経済新報社，2021
鈴木董・岡本隆司『歴史とはなにか―新しい「世界史」を求めて』山川出版社，2021

「江戸無血開城」と明治維新

岩下 哲典

明治維新は，19世紀における西欧列強の世界進出の中で日本が国家存立の危機に立たされ，そこから脱出するための重要な一連の事件である。「政権奉帰（大政奉還）」から「王政復古」「版籍奉還」「廃藩置県」あたりを指す。その中で「江戸無血開城」の意義は，これまでさほど強調されてこなかった。しかしながら，将軍が専制的に支配していた江戸社会から天皇中心の近代国家への劇的な変化の中で，万を超える軍事力を有していた徳川将軍家がすんなりと江戸城を開城したこと自体，世界史に類例を見つけるのが難しい，奇跡的な出来事であったといえる。ここではその意義を見直してみたい。

静岡と江戸・田町——何が話し合われたのか

静岡駅の北口から出て，あたりを探すと静岡市指定史跡「西郷・山岡会見の地」の碑（図1）がある。1868年4月1日（慶応4年3月9日），碑の場所松崎屋源兵衛方で，新政府軍参謀西郷隆盛と，徳川慶喜から派遣された旧幕臣山岡鉄舟（1836～1888，図2）が会見した。山岡は，多摩川近辺まで迫った新政府軍の中を静岡まで至り，西郷に会見を申し込んだ。西郷は驚いた。2m近い大男山岡が，慶喜の使者として，たった一人でやって来たのだから。

会談では，西郷は山岡から慶喜の謹慎の実態，旧幕臣らの動向を詳細に聴取し，山岡の言うことなら大丈夫と確信して大総督宮に報告。徳川家救解の五か条（江戸城明渡し，城内の武士の向島移動，兵器・軍艦の引渡し，慶喜の備前池田家お預け）を山岡に提示した。救解条件が徳川方に示されたのはこれが初めてである。山岡以前に14代将軍家茂夫人和宮や13代家定夫人天璋院，上野輪王寺宮の使者や手紙が西郷のもとにもたらされたが，新政

図1　「西郷・山岡会見の地」の碑（静岡市）

図2　山岡鉄舟（国立国会図書館「近代日本人の肖像」）

府側からの条件明示はなかった。山岡は，慶喜の池田家お預け以外は認めた。預けは決して認めなかった。他家預けは罪人と認めることであり，死を待つに等しいからだ。山岡が食い下がるのを，西郷は天皇の命令だと突っぱねた。しかし，山岡の説得により西郷も折れて，江戸での継続交渉となった。西郷は使者山岡の人物にほれ込んだ。

継続交渉の跡地が，東京田町駅前である。「江戸開城　西郷南洲勝海舟会見之地」の碑（図3）が立つ。4月5・6日（旧暦3月13・14日）の江戸会談で，田町・高輪の薩摩藩邸で行われた。両日とも，西郷・山岡・勝海舟の三者会談によって，慶喜の謹慎先が水戸に決まる。西郷・山岡の静岡会談で「江戸無血開城」が決まり，三者の江戸会談で慶喜の処遇が決まった。慶喜が江戸を離れる前日の5月2日（4月10日）夜のことである。慶喜は山岡に徳川家救解の「一番槍」は山岡だと声をかけ，「来国俊（らいくにとし）」の短刀を下賜した。山岡が徳川家救解の最大の功労者と慶喜が認めた歴史的瞬間である。

5月3日（4月11日）早朝，慶喜は上野寛永寺子院大慈院を出発し水戸に向かう。同日江戸城が幕臣から新政府軍尾張藩に引渡された。こうして鳥羽伏見戦争後の戊辰内乱前半の戦後処理でもある江戸無血開城が，新政府西郷と旧幕府山岡・勝の交渉の結果，断行された。攻城の戦争前に交渉

図3 「江戸開城　西郷南洲勝海舟会見之地」の碑
（東京都港区） 2023年6月現在，周辺の工事に伴い一時的に撤去されている。写真は撤去前のもの。／Pixta

が行われ，戦わずして平和裏に城郭・武器・軍艦等が引渡されて，政権交代が円滑に行われたのは世界的にも珍しい。

西洋的な，戦争と政治の論理でいえば，政治の延長が戦争であり，戦争と政治は不可分の関係にある。したがって，交渉による政治的な決着がつかない場合に戦闘・戦争を行い，勝敗が決したのちに政治的な交渉を行うのが通例だ。つまり戦ってこそ交渉が行える，交渉権獲得のための戦争なのである。

江戸無血開城の場合，江戸城を枕に戦う前から，慶喜は恭順・謹慎していたので，最高司令官には戦う意志がほとんどなかった。有栖川（ありすがわ）宮出身の母をもつ慶喜本人は，鳥羽伏見の戦いで朝敵になってしまったのは大いにショックだった。江戸に戻ってからすぐに自分の周囲から抗戦派を退け，恭順派の幕臣高橋泥舟（でいしゅう）（山岡の義兄）や勝海舟を重用した。

ところで，新政府側も大きな犠牲を伴う攻城戦は避けたいところであった。ましてや江戸城は日本最大の城郭であり，ほとんどの大名が江戸を去ったといっても，戦闘員たる旗本・御家人（旧幕臣）が１万人以上いることは大きな脅威であった。旧幕府は最新鋭の軍艦も保有している。海舟は，ナポレオンのモスクワ遠征の際の，ロシア軍の戦術であるモスクワ焦土作戦を模した江戸焦土作戦も想定していた（但し，実行するには用意した金員はわずかであった)。新政府としては帰国した会津藩主・藩士の動向や越後の長岡藩，また出羽米沢藩，陸奥仙台藩をはじめとする東北諸藩，また北関東や房総諸藩の動静も気がかりであった。かつ日本を虎視眈々と狙う西洋列強の強力な軍艦が日本周辺にいつでも出動できる状態にあることは認識していた。こうした状況から，江戸無血開城が，新政府・旧幕府双方の政治的な決断によって選択された。

それでも「戦争」は起きた

江戸城が明渡され，慶喜が水戸に去った後，江戸には多くの旧幕臣がいた。かつ，徳川の世の終わりを信じられない諸藩の藩士や徳川にシンパシーをもった者たちも加わって，彰義隊として上野寛永寺に立て籠もった。おりしも，新政府軍の兵士らが闇討ちに倒れ，江戸の治安が極度に悪化していた。7月3日（5月14日)，新政府軍は動員をかけ，かつ戦闘が開始された場合，医療設備や技術が高い横浜軍陣病院に負傷兵を輸送できる廻船の準備を早急に整えた。翌日，上野戦争が勃発し，新政府軍の最新兵器によって即日彰義隊は壊滅。上野周辺は焼け野原となり徳川の権威的な祈禱寺にして菩提寺である寛永寺等は戦争で悉く焼失した。同寺の跡地，現在の上野公園では，1877年内務省主導の内国勧業博覧会が開かれ，のちに博物館（1871年内幸町(うちさいわいちょう)に設置)，動物園などが建設された。上野は新しい文化文明の展示会場に生まれ変わっていく。

1868年9月明治天皇は遷都を決め，京都から東京に10月行幸した。その後，一度京都に戻り，1869年4月東京に行幸し，太政官も東京に移された。公式な法令もなく事実上の遷都となった。京都の民衆は，天皇はいずれ京都に戻ってくると思っていた。禁裏御菓子司虎屋も1879年までは本店は京都にあり，同年東京に本店移転，京都を支店とした。天皇がすぐに京都に戻ってくることは難しいと判断したのだろう。

上野周辺が戦争で焼けたとはいえ，江戸の大半を占める武家屋敷が全く無傷だったのは特筆すべきであった。新政府の役所や役人宿所が十分に確保できた。京都からの公家やその生活を支える者の宿所も容易に確保できた。新政府は財源を実質的な政策に宛てられた。明治維新そのものが，江戸無血開城に負うところ大であった。江戸無血開城がなければ，激烈な内乱となり，西洋列強の植民地化の危機がより高まったであろう。将軍の巨大な「政治空間」江戸城を天皇の「政治空間」皇居・皇城としてすんなりと利用できたのだ。それに尽力したのは，江戸無血開城の一番槍山岡鉄舟である。それ故に，なんと西郷らの推薦を受けた山岡は 1872 年から 1882 年まで宮内省に出仕し，侍従や庶務課長，宮内少輔などを勤め，天皇の成長を見守り，宮内省の制度整備に寄与した。天皇が最高権力者として皇城・東京に君臨することに旧幕臣山岡が腐心したのである。

いずれにしても，明治政府は，1869 年土地と人民を朝廷に返納させる版籍奉還で，藩政への政府の監督を強め諸藩を骨抜きにし，1871 年廃藩置県で藩を廃止した。そこに県を置き，知藩事も廃止して，彼らを東京に集め，ついで中央から県令を派遣して，全国の中央集権化に成功した。そうしたドラスティックな改革を行ったにもかかわらず，旧藩の債務を新政府が継承して，また士族には家禄にかわる金禄公債証書を発行した。これにより大きな混乱は起きなかった。同年には断髪・脱刀は自由，1876 年には廃刀令発布，軍人・警察官以外の帯刀が禁止された。

なお，1873 年には「廃城」か「存城」かを選択する，いわゆる廃城令がだされた。「廃城」となった近世城郭は天守が破却され，堀が埋められた。また建築物が払い下げられ，省県などの財源となり，かつ封建社会の象徴でもあった城郭は急速に社会から消えていった。

国家統一のための戊辰戦争

こうして明治政府は武士の特権的なあり方に大打撃を与え，近代国家へと日本を導いた。比較的平穏のうちに明治維新という社会変革を断行できたのは，江戸時代の軍事政権で最高権威の徳川将軍を大政奉還・王政復古・鳥羽伏見の戦いから江戸無血開城（戊辰内乱前半）に追い込み，旧旗本・御家人という巨大な軍事力を無力化したことが大きかった。越後や東北諸藩，蝦夷地の旧幕府勢力を軍事的に屈服させ，日本全国を占領したことも大きい。そうした上に明治新政府の急激な近代化施策が日本社会に浸透していった。これが可能となったのは，江戸無血開城や戊辰内乱後半部分で薩長土肥の新政府を東国の人士が受け入れたからといえる。その素地となった江戸無血開城の意味は大きく，それによって世の関心はすぐに戊辰内乱の後半，北越戦争・会津戦争・箱館戦争に移っていったが，そもそも江戸無血開城の精神的な意味を十分に考える必要がある。

それ故に西郷・山岡の静岡会談，西郷・山岡・勝の江戸会談の地とその碑は重要だ。静岡駅の碑の名称は正確には「江戸無血開城決定　西郷隆盛・山岡鉄舟静岡会談の地」，田町のは「徳川慶喜処遇決定　西郷隆盛・山岡鉄舟・勝海舟江戸会談の地」とすべきだろう。

■参考文献

岩下哲典『江戸無血開城』吉川弘文館，2018

岩下哲典編『江戸無血開城の史料学』吉川弘文館，2022所収の和田勤，岩下，藤田英昭，樋口雄彦の各論文

篠崎佑太「江戸城・皇城の『政治空間』」『歴史評論』873号，2023

松尾正人『維新政権』吉川弘文館，1995

「文明開化」とアイヌ民族・琉球王国

岩下哲典・濱口裕介・惠谷敏規

「文明開化」とはなにか

文明はcivilizationの訳語　「文明開化」は，福沢諭吉（1835～1901）が，『西洋事情外編』（1867年）で使いはじめた用語である。今日では，封建時代とされる江戸時代よりも人知と社会が進んだとされる明治前期の時代の風潮を指すことばとして定着している。明治前期を文明開化期と呼ぶこともある。同時期は新聞などの大衆メディアが発達したこともあり，文明開化の様相は全国的に流行した。福沢はcivilizationの訳語として「文明」をあて，それが進むことを良しとしたのである。歴史学で「中国文明」や「インダス文明」といった場合は黄河流域やインドの古代文化を指す。

「文化」の英語cultureと文明はどう違うのか。文化はドイツ語Kulturの訳語で明治20年代にドイツ哲学が浸透したことから使われはじめたという。その後，文化は哲学や美術・文学・宗教などの精神的な活動を指し，文明は機械や技術の発達を意味するようになった。大正デモクラシー期には文化の方が多用され，精神的な文化と物質的な文明との違いが強調された。

図1　横河秋濤著『開化乃入口』　開化青年の「開化文明」と「西海英吉」が父親や神官・僧侶などに開化の必要性を説く。(2編上，1873～1874年。国立国会図書館デジタルコレクション)

文明開化は猿真似？　明治政府の，西洋諸制度の模倣的導入である学制，改暦，廃藩置県，徴兵令などの諸政策を「文明開化」ともいう。また天皇・皇后や皇族の洋装化と行幸や祝祭日の制定なども含む。普及に尽力した明六社の学者らの活動も「文明開化」のなかで語られる。明六社は 1873（明治 6）年に米国から帰国した森有礼が西村茂樹らと結成した教育発展のための洋学者の団体で，『明六雑誌』を発行した。加藤弘之，神田孝平，津田仙，津田真道，西周，福沢諭吉などが参加した。彼らは封建制を批判し，進んで西洋の文化・技術を摂取し，国家の完全独立のための国民国家形成を主唱した。

また，洋服や洋食や洋館，鉄道，人力車などの導入が社会全般で行われた。西洋化が日本の目標となり，伝統的な仏教や文化が破却される弊害も生じた。特に明治初年に起きた神仏を分離する廃仏毀釈は，全国仏教寺院の約 6 割が破却される異常事態になった。

封建的な宗教や文化を破却し西洋に追従することが「文明開化」ということばで正当化された観がある。しかしお雇い外国人イサーク・A・リンドからは「猿真似」と揶揄され，また，日本人のなかにも古代以来の日本文化たる仏教を再興しようとした，宮内省官吏山岡鉄舟や初代「博物館」長町田久成などがいた。

外交の文明開化　明治新政府は，幕府が諸外国と結んだ条約は，領事裁判権や居留地が治外法権で，また関税の自主権がないこと，日本側に不利な片務的最恵国待遇を不平等として，条約改正を政策の最重要課題としていた。1871（明治 4）年には条約改正掛を置き，神田孝平・津田真道が改正案を作成した。これを受け，またお雇い外国人フルベッキの助言も容れて，岩倉具視を全権大使とする使節団を欧米に派遣した。

使節団は，①条約改正の予備交渉と②西洋文物の調査・研究，③西洋図書の選定と奉納を目的としたが，交渉国からは交渉を拒否されたので，②③を行い，津田梅子（津田塾大学創立者）など女子留学生ほか 100 人以上が西洋を学び，帰国後各分野で活躍した。

また，新政府が幕府から受け継いだ日本の領土は，蝦夷地は択捉島以南，樺太は日露雑居地，小笠原諸島は未確定，琉球王国は薩摩藩の実効支配を受けているという状態であった。1869（明治元）年開拓使を置き，蝦夷地を北海道と改称，1870（明治 3）年には樺太開拓使を設置した。開拓使長官黒田清隆は，アメリカ人ホーレス・ケプロン（1804～1885）を招き顧問とした。琉球には1872（明治5）年琉球藩を置き国王を藩王とした。以下，明治政府および「文明開化」とアイヌ民族と琉球王国の関係を個別に叙述する。

（岩下哲典）

アイヌ民族政策と「文明」化の問題

アイヌ民族と明治政府　蝦夷地を「北海道」と改称し公式に日本領と位置付けた新政府は，その住民アイヌ民族（以下，アイヌ）を「旧土人」と称しつつ，平民に編入した。そしてアイヌに対して伝統的な風俗慣行や狩猟法を禁止する同化政策を推進し，主食であったサケ・マス漁までも禁じて，農耕民への転換をうながした。特に，毒矢猟の禁止は大きな打撃だったが，これは開拓使顧問・札幌農学校教頭だったケプロンが「惨酷の習」だと断じたことから実施に移されたものという。しかし，屯田兵の場合と異なり十分な農具や食糧の支給もなく，開拓地の割渡しも不十分だったことに加え，自然災害や疫病の流行もあいついだ。そのためアイヌは生活手段を奪われるばかりであり，困窮を極めていった。

アイヌ民族救済　こうした窮状を見て行動を起こした人物に，イギリス聖公会（国教会）のジョン・バチェラー（1854～1944）がいる。有珠・平取などでアイヌへの伝道に取り組んだバチェラーは，1892（明治25）年札幌に居を移し，その後もアイヌに対する福祉事業に身をささげていた。その活動を支援していたのが札幌農学校の関係者たちであり，同校教授でアイヌ救済の必要を訴えていた新渡戸稲造（1862～1933）もそのひとりだった。

図2　ジョン・バチェラーとアイヌの人々

北海道庁でも，アイヌ

保護の必要性がようやく認識されつつあった。新渡戸とともにその方策を模索していた道庁参事官の白仁（しらに）武（1863～1941）は，バチェラーと新渡戸の手を介し，ドーズ法（アメリカ先住民保護のための自営農地の割当法）の原案を入手する。これを基礎として白仁によって起案され，第13回帝国議会に政府から提出されたアイヌ救済法こそが，北海道旧土人保護法であった。全13条から成るこの法律には，アイヌに対する勧農・救済・医療・教育といった保護規定が盛り込まれている。

旧土人保護法と文明開化　旧土人保護法は衆・貴両院を通過し，1899（明治32）年3月2日に公布された。この成立時期については，条約改正問題との関連を指摘する声もある。すなわち同年7月にせまった「内地雑居」(外国人の国内居住・旅行の自由化）に際し，日本の「文明」国たることを示す立法だったとの見方である。

このように，一連の同化政策はアイヌの生活を困窮化させる一因となり，皮肉なことにそれを推進するほどにアイヌを保護の対象として区別する必要にせまられた。また，同化にせよ保護にせよアイヌの伝統や生活を評価しない点では共通しており，その認識は「文明」化の名のもとに正当化されていた点を見逃してはならないだろう。（濱口裕介）

「異国」の琉球王国と日本をつなぐ――琉球処分（琉球併合）

「琉球処分」とはなにか？　幕藩体制下において「異国」とされた琉球王国が明治時代になって近代日本国家の版図に組み込まれた一連の政治過程は，一般的に「琉球処分」と呼ばれている。「琉球処分」という呼称は明治政府の官僚たちが使用したものである。しかし，琉球側にとってみれば強制併合であり，近年では「琉球処分」という呼称を用いることに対しての課題も指摘されており，「琉球併合」とも呼ばれることもある。

「琉球処分」の過程　琉球は，17世紀初頭以来，薩摩藩の支配を受けていた一方で，清国とも朝貢・冊封関係にあり，1866（慶応2）年には最後の国王である尚泰（1843～1901）が同治帝から冊封を受けている。明治政府が1871（明治4）年に廃藩置県を断行した結果，琉球は鹿児島県の管轄下に置かれることになった。

同じ1871年に宮古島の島民が台湾に漂着し，その大部分が現地住民に殺害される事件が生じたことを契機に，明治政府内では琉球の日清両属を解消して日本に帰属させるべきとの議論が起こった。そのため1872(明治5)年に明治政府は琉球藩を設置し，尚泰を琉球藩王に封じて華族に列する旨を宣告した。この頃に琉球藩の管轄が外務省へ移る。

1874（明治7）年には台湾出兵が行われるとともに，琉球藩事務が外務省から内務省に移管された。台湾出兵をめぐる日清間の交渉において，清国側が日本による台湾への出兵を保民の義挙と認めたことから，明治政府は琉球が日本領であることを確認した。しかし，琉球側はこれで清国との朝貢・冊封関係がなくなったとは考えず，なおも朝貢を続けた。そこで明治政府は1875（明治8）年に「処分官」として松田道之（1839～1882。内務大丞，のち内務大書記官）を琉球に派遣し，琉球藩との折衝にあたらせた。松田は対清関係の断絶，明治の年号の使用，尚泰の上京，藩政の改革，那覇への鎮台分営の設置などを命令したが，琉球藩はこれらの命令を拒否した。琉球藩は「日本化」ともいえる日本的「文明開化」を拒絶したのである。

松田は1879（明治12）年1月と3月に再び琉球に派遣され，3月の出張時には軍隊・警察の武力的威圧のもと，琉球藩を廃止して沖縄県を設置する旨を布達した。首里城の接収が行われるとともに，以前より上京を命じられていた尚泰は上京を余儀なくされた。

図3　首里城の門前に並ぶ明治政府の兵士

「脱清人」による清国内での活動　一方,「琉球処分」に不服を唱える琉球士族の一部は，清国に脱出して琉球救国のために清国要路に働きかけた。彼らはのちに「脱清人」と呼ばれ，代表的な人物に幸地朝常（向徳宏，1843～1891）がいる。清国政府は，琉球王国の復活を明治政府に対して申し入れたが，明治政府はこれを聞き入れなかった。また日清間では琉球分割をめぐる交渉も行われたが，結局この交渉は結実せず，日本が琉球の事実上の領有権を得たのであった。

琉球王国の外交権が明治政府に接収され，日本国内の統治機構たる沖縄県が設置された。琉球は近代日本の領土内に組み込まれた。「琉球処分」すなわち「琉球併合」は明治政府によって強行された同化政策であり，「日本化」（日本的「文明開化」）でもあった。その後の歴史的展開によって「日本化」は次第に沖縄にも浸透していく様相を見せ始めた。それは，日清戦争で日本が勝利したことでより一層進展し，その後，太平洋が日本にとって戦略的に重要な勢力圏になっていった時にはなおさらであった。それゆえ琉球言葉にたいする「方言札（ふだ）」罰則とそれへの批判など文化的衝突が先鋭化した。このように言葉や音楽・舞踊や衣装，食事など，琉球独自の文化が保持されており，確かに「文明開化」的な同化政策を行って，琉球・沖縄ではそれは表面的に定着したように見えても実は基層には独自文化が厳然と存在したことを示している。（惠谷敏規）

■参考文献
井上清・旗手勲「沖縄と北海道」『岩波講座日本歴史16（近代3）』岩波書店，1962
岩下哲典編著『「文明開化」と江戸の残像』ミネルヴァ書房，2022
榎森進『アイヌ民族の歴史』草風館，2007
川畑恵『日本史リブレット人080　尚泰』山川出版社，2019
百瀬響「北海道開拓と「旧土人保護法」」荒野泰典・石井正敏・村井章介編『日本の対外関係7　近代化する日本』吉川弘文館，2012
安岡昭男「尚泰と廃藩置県」喜舎場一隆編『琉球・尚氏のすべて』新人物往来社，2000

自由民権運動と帝国憲法

小川原 正道

新政府の発足と五箇条の御誓文

1867 年の大政奉還と王政復古の大号令によって，徳川幕府が幕を閉じて新政府が発足した。新たな時代を，新政府はどのような方針のもとで構築していくのか。その問いに答えるように，翌年，諸侯・公卿などを率いた明治天皇（1852 ～ 1912）は，新政府の基本方針を天地の神々に誓った。この時示されたものが，五箇条の御誓文である。その第一条，「広く会議を興し万機公論に決すべし」は，その後の日本を統治する指針を示すものであり，立憲政体樹立の原点ともなった。明治期の自由民権運動や，政府内で進められた憲法制定構想も，この「会議」と「公論」の制度化をめぐる闘争と

図1　五箇条の御誓文を奉読する三条実美／Alamy

模索にほかならない。

自由民権運動は，「公論」や「公議」が十分に実現していないとして，民撰議院の設立や立憲政体の樹立を訴え，政府もまた，民権運動を受けながら，段階的に立憲政体樹立への歩みを進めていった。その前提には，近代的な憲法こそが，欧米列強に共通する規範であり，これを備えることで，彼らと肩を並べ，彼らに認められたいという意識があった。世界の秩序と日本をつなぐ鍵が，憲法にあったのである。

自由民権運動の開始と広がり

1873年，日本を侮蔑したとする朝鮮に軍隊を派遣すべきだとする征韓論をめぐって政府内が分裂し，征韓論を唱えていた西郷隆盛（1827～1877），板垣退助（1837～1919），副島種臣(そえじまたねおみ)（1828～1905），江藤新平（1834～1874），後藤象二郎（1838～1897），といった参議が政変に敗れて下野した。翌年，西郷を除く元参議等は，政府に民撰議院設立建白書を提出し，自由民権運動の狼煙(のろし)が上がる。

建白書は，政権が「帝室」にも「人民」にもなく，限られた権力者である「有司」に握られていると指摘し，「公議」を実現するためには「民撰議院」を設立するほかなく，それによって「公論」を拡張し，帝国としての日本の発展と人民の幸福・安全を保護することになる，と訴えた。

この建白書を起草したのは，イギリス留学から帰国した古沢滋(しげる)（1847～1911）であった。西欧の政治秩序の中心にある議会制度の導入を，五箇条の御誓文にある「公論」の実現といった角度から訴え，その先に，国家の発展と人民の保護を見据えたのである。

征韓論を葬った張本人は，右大臣の岩倉具視（1825～1883）であるとされ，建白書提出の直前には，高知県士族等によって，岩倉暗殺未遂事件が発生している。同じ頃には，東京府内の各地に放火し，大臣参議を殺戮(さつりく)しようという高知県士族等の計画も試みられている。暴力によって政権を転覆するのか，建白書など，言論を通じて新たな政治体制を目指すのか，その手段は流動的であった。その後，西洋から，まず言論をもって専制政府に抵抗し，それが圧殺された場合は，武力を用いて政権の転覆をはかる権

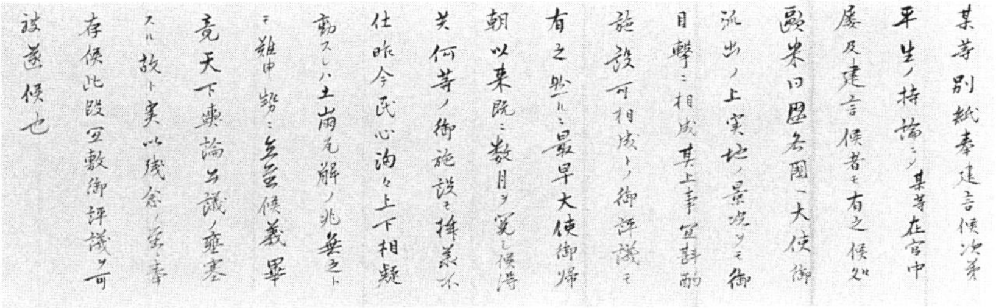

図2　民撰議院設立建白書（国立公文書館蔵）

利が人民にあるという，抵抗権思想が移入され，手段は武力と言論の二段階に整理されていく。

1877 年に西郷隆盛を首領として起きた士族反乱，西南戦争に際しても，板垣退助は第一に言論で，第二に武力で政府に対抗するという姿勢を示し，西郷軍不利の形勢が伝えられると，武力を放棄し，言論による抵抗に徹していく。戦時下で板垣率いる立志社は政府に国会開設の建白書を提出し，士族反乱の原因を「公議」を容れない「専制」に求め，五箇条の御誓文に示された，「公論」を重んじる天皇の「叡旨」がないがしろにされていると批判して，民撰議院の設立と立憲政体の樹立を求めた。

建白書の提出とともに，立志社は演説会を盛り上げ，機関誌を刊行し，学校教育に力を入れ，民権論の高揚や民権家の養成を目指したほか，国会設立の準備として民会（地方議会）の設立・強化を試みた。自由民権運動の方針と手法が，こうして整っていき，組織は全国に拡大，その担い手も士族から豪農へと広がっていく。全国各地で私擬憲法と呼ばれる憲法案が次々と作成され，立志社の私擬憲法である「日本憲法見込案」には，抵抗権が明記された。

国会開設運動の火付け役を自任した福沢諭吉（1834 ～ 1901）は，1881 年刊行の『時事小言』において，立憲政体とは何かについて詳細に説明した上で，今は憲法を制定してイギリス・モデルの政権交代を実現させるべきである，と持論を展開している。福沢が設立した交詢社（こうじゅんしゃ）も，同年に「私擬憲法案」を発表し，イギリス・モデルの憲法構想をあきらかにした。

政府における憲法起草の模索

自由民権運動が高まりをみせはじめた1875年，大久保利通（1830～1878）と，当時在野にあった木戸孝允（1833～1877），板垣退助の間で大阪会議が開かれ，木戸・板垣を参議に復帰させるとともに，漸次立憲政体樹立の詔が渙発された。この詔で明治天皇は，五箇条の御誓文の「意」を拡充して，元老院を設立して「立法の源」を広め，大審院を設けて「審判の権」を固め，地方官（知事）を招集して「公益」を実現し，権力分立を基礎とする立憲政体の樹立をはかることを宣言した。

翌年，明治天皇は元老院に対して憲法を起草させる勅語を発し，元老院内で憲法案起草作業が進められて，「日本国憲按」と題する案などがまとめられたが，伊藤博文（1841～1909）から，欧州の制度を模倣することに熱中しすぎたと批判を受け，頓挫した。太政大臣の三条実美（1837～1891）と岩倉は，参議に立憲政体に関する意見を出させるよう提案して容れられ，すでに意見書を提出していた山県有朋(1838～1922)のほか，黒田清隆(1840～1900)，山田顕義（1844～1892），井上馨（1835～1915），伊藤の各参議が意見書を提出し，岩倉自身も国憲審査局を設立する建議を行っている。

政府内で，岩倉や井上毅（1843～1895）によってプロイセン・モデルの憲法構想がまとめられた1881年，参議である大隈重信（1838～1922）がイギリス・モデルの憲法制定を求めた意見書と北海道開拓使官有物払下事件を契機に，明治十四年の政変が起こった。その結果，大隈や福沢の門下生が政府から一斉に追われるとともに，明治天皇は井上毅の起草による国会開設の勅諭を渙発し，1890年に国会を開設すること，欽定憲法を公布することを約束する。

翌年，政府の最重要人物である伊藤が渡欧し，ドイツやオーストリアなどで，憲法や行政のあり方などについて調査に取り組む。伊藤がもっとも影響を受けたのは，ウィーン大学教授のローレンツ・フォン・シュタイン（1815～1890）であった。伊藤の帰国後，伊藤を中心として，井上毅，伊東巳代治（1857～1934），金子堅太郎（1853～1942）等が，ヘルマン・ロエスレル（1834～1894）やアルベルト・モッセ（1846～1925）といった外国人顧問の助言を受けながら，憲法の起草作業に取り組み，その審議のために枢密院が設けられて，憲法審議が進められていった。

大日本帝国憲法の発布

1889 年に発布された大日本帝国憲法の冒頭で明治天皇は，この憲法が国会開設の勅諭の「履践」であり，翌年に帝国議会を招集すると明示している。憲法は，五箇条の御誓文から漸次立憲政体樹立の詔，そして国会開設の勅諭と積み上げられてきた天皇の「公論」「公議」創出宣言の到達点だったのである。

憲法では，第 1 章で「天皇」について定められ，第 2 章では「臣民権利義務」が規定されている。「公論」の文脈上重要な議会については，第 3 章が「帝国議会」とされ，第 33 条から第 54 条までで，議会を衆議院と貴族院の二院制とすることや，両院の議員選出方法，すべての法律は帝国議会の「協賛」を経なければならない，という規定をはじめとする議会の権限，議会の会期制，などが定められた。第 4 章が「国務大臣及枢密顧問」で，第 55 条で，各国務大臣が天皇を「輔弼」する，とされた。

憲法の準公式的説明書である伊藤博文著の『憲法義解』は，五箇条の御誓文から国会開設の勅諭にいたる「聖詔」を受けて，天皇の大権や大臣の輔弼，議会の翼賛などを定め，その上で，臣民の権利・義務をあきらかに

図3　憲法発布式之図（メトロポリタン美術館蔵）

して，その「幸福」を実現することを目指した旨が記されている。議会については，立法に参加するだけでなく，行政を監視する責任を間接的に有しており，その「協賛」についても，議会の議を経ないものは法律とすることができず，それは「立憲の大則」である，と明言した。

こうして，五箇条の御誓文を起点として歩みはじめた「公論」「公議」制度化への道のりは，憲法の規定をもって，ひとつの結実を得たのである。

■参考文献

板垣退助監修『自由党史』上，岩波文庫，1997
伊藤博文『憲法義解』岩波文庫，2019
大石眞『日本憲法史』講談社学術文庫，2020
小川原正道『福沢諭吉の政治思想』慶應義塾大学出版会，2012
小川原正道『西南戦争と自由民権』慶應義塾大学出版会，2017

動き出した東アジア

岡本 隆司

開国と鎖国

日本の近代史は「開国」にはじまる。あたりまえだというなら，そもそも「開国」とは日本史特有の用語で，ほかの国ではみられない，と知っているだろうか。中国史でも「開国」ということばはある。しかし，国・王朝がはじまる，国を建てる，建国の意味であるから，同義ではない。

「開国」とは「鎖国」の対語である。「鎖国」という史実・用語も，日本史特有の現象・概念であり，近年は「海禁」との共通性を強調するなど，見直しがすすんでいる。だとすれば，「開国」が特殊な用語なのも当然だ。外国史では「鎖国」など稀であるから，「開国」がみあたらないのも納得できる。国を閉ざしたのが「鎖国」，開いたのが「開国」。それなら特殊ではあっても，意味はさして難しくない。

しかしながら，考えてみるべきこともある。閉ざす・開く，とは具体的には，どこに対して，だったのか。

これまた従前はむしろ自明とみなされて，疑問ですらなかったかもしれない。「開国」は黒船・条約締結でもたらされた。それなら開いたのは，欧米に対してである。したがって閉じていた「鎖国」も然り。キリシタンの大弾圧を経て鎖国が完成したのは，誰でも知っている史実である。このように鎖国・開国と欧米との直接の関わりは，ごく常識的な論理・事実だといってもよい。

西洋各国はなるほど17世紀も19世紀も，それだけの勢力を持ち，目立っていた。そして日本人もそうした勢力を目の当たりにして，「近世」では抑圧して閉じ，また「近代」では開いて，西洋化に邁進（まいしん）したのも確かである。

しかし客観的大局的な史実経過からしても，そうだろうか。とかく今昔の日本人は西洋しかみえていないし，またみようとしない。開閉の環境・条件までも，西洋ばかりみていては一面的ではないだろうか。

西洋と中国

西洋とりわけヨーロッパの勢力は圧倒的ながら,「鎖国」でも「開国」でも，むしろ少数派，媒介的な存在だった。だからかえって存在が目立つし，事蹟もわかりやすい。

しかしその背後には，はるかに多数の中国の人々がいた。日本人がみようとしないかれらこそ，実に日本の運命を左右してきた存在である。

16世紀の南蛮渡来もそうだった。来たのは南蛮人であっても，すぐ近くまで南蛮人を招きよせ，シナ海・列島に送り出していたのは，中国である。

それは近現代もかわらない。欧米人は中国の開放をめざして来たのであって，日本は中国のいわば「ついで」でしかなかった。

それなら主観はともかく客観的事態は，おそらく日本にとっても同じである。ヨーロッパ諸国との関係に映る「鎖国」「開国」は，実際にはいずれも中国に対する統制・開放だった。中国・外界との関係を管理貿易に限定純化することが「鎖国」，その否定が「開国」だったともいえる。

図1　長崎の唐人館(「長崎唐館図及蘭館図巻」部分，九州国立博物館蔵／ColBase)

現在，中華街がある長崎・神戸・横浜という大きな港町は，中華会館の残る函館をふくめ，いずれも「開国」のプロセスで，欧米列強に開いた開港場であった。日本の華僑社会発足は，西洋との関係開始と重なっている。

そのため明治日本と西洋，ないし中国との問題は，往々にして他方と連関せざるをえない。とりわけシナ海域・中国大陸の貿易市場をめぐっては，華人商人の存在感・プレゼンスは無視できないほど巨大だった。貿易で日本商人は華商に太刀打ちできない，というのがもっぱらの評判であり，「国益の大部分」を奪われている，とすらいわれたのである。

このように明治日本は，中国ないし華人から大きな商業的圧力を受けていた。日本が産業・通商の西洋化を選んだのは，そうした圧力に対抗する目的もあったのである。機械工業化による低廉な消費財の生産，総合商社の設立による独自の流通網の確立を通じて，ようやく中国貿易市場で優位に立つことができた。

もっと端的にわかる指標は，「円」に転化した貨幣であろうか。江戸時代に銀を高値に設定して物価安定をはかってきた通貨管理は「開国」で崩潰し，そのため金小判が流出，激しいインフレに見舞われた。中国・シナ海域で通用する銀円（＝ドル＝元）が東アジアで為替レートの基準になっていたからである。あらためて「円」をスタンダードにする幣制を構築しなくてはならなかった。

中国との交錯

以上のように日本経済の近代化を推し進めたのは，「西洋の衝撃」であると同時に，「開国」という中国に対する管理統制の消失，そこから生じた「アジアの衝撃」である。つまり流通・金融では華人にかなわないので，工業化・近代化が必要不可欠となった，というのが明治維新の経済的な内実だった。

こうしてとらえなおすと，命題は経済にとどまらない。政治外交的な問題でも，同じ動向だったことがわかる。

単に中国と並存，対峙しているだけでは，東アジアの「伝統」的な秩序体系を克服して，国民国家の形成も，その範囲の確定もできない。そうした課題解決をめざして，清朝と交渉するにあたっては，西洋近代の国際関

図2　日清戦争における豊島（ブンド）沖海戦（「朝鮮豊島沖日清海戦之図」1894年, 国立国会図書館デジタルコレクション）

係に依拠しつつ，また西洋式の軍事力に訴えなくてはならなかった。

どうやらそれが明治日本の行動様式であり，まず問題になったのは，琉球・朝鮮である。前者はいわゆる「琉球処分」で南西の辺境を内地化し，後者は西北で最も近接する隣国の国際的地位を定めることが維新の「近代化」だった。それがとりもなおさず，両者を属国と位置づける清朝中国との直接対立を意味した。

明治維新以後，日本が実際に干戈（かんか）を交えたのは，中国とである。日清・日露・第一次世界大戦・十五年戦争，いずれもそうである。交戦相手は露・独・米だったかもしれない。しかしそれは対中戦争の派生である。日露戦争・第一次大戦でも，戦ったのは中国にいたロシア・ドイツだったし，日中戦争なくして，アメリカとの太平洋戦争もありえなかった。

日中の政治的な関係はこのように，齟齬（そご）・相剋を免れない歴史をたどった。中国の近隣にあって，西洋化を国是とした近代日本の地政学的な宿命でもあり，その結果・帰趨（きすう）がまた日中それぞれの運命を左右して，いまに至っているのである。

日本がつくる「中国」

もちろん中国からの一方通行ではない。「衝撃」に対する日本の「反応」・対応が，今度は中国・東アジアに対する「衝撃」として作用した。

中国は日本の「開国」に先んじて，1840年代にアヘン戦争・欧米諸国との条約で開港していた。それを日本のように「開国」といわないのは，それまで「鎖国」などしていなかったからであり，また以後の文明開化に結びつかないからでもある。中国は「西洋の衝撃」を日本ほど感じなかったし，したがって「反応」も緩慢微弱だった。朝鮮半島でも事情は大同小異である。

ところが単独で「近代化」を果たした日本が，政治外交・経済文化にわたって「東アジア」の大陸・半島に影響を及ぼしはじめた。一大転機は1894年の日清戦争である。日・中の勝・敗とそれに続く列強の外圧に迫られて，さしも「反応」の鈍かった大陸・半島も，近代文明にもとづく国民国家化に舵を切った。

そこで大きな役割を果たしたのは，日本人が西洋語を翻訳して造った漢語概念である。「国民」「憲法」「領土」「主権」など国民国家に欠かせない概念は，この時期に多く日本から中国にもたらされた和製漢語であり，これをテコに中国大陸でも朝鮮半島でも，国土・国民の一体化，つまりナショナリズムの思想が勃興した。

たとえば，中国人が自分の国民国家として「中国」と名乗りはじめるのが典型的な史実であろう。それまで中国の自称は，漢や唐など王朝名しかなかった。しかし現存の清朝に不満を持ち，アイデンティティを見出せない知識人は，「清国人」とか「清人」と呼ばれても違和感しかない。そこで他国と同様の国名が必要だった。

欧米は中国をChinaと呼ぶ。明治日本はそれを漢字で「支那」と呼んでいたので，これに倣って中国人も「支那人」と自称しはじめた。当時はこれが清新，最先端の呼称だったものの，「China＝支那」はあくまでも外来語である。やがてそれを自前の漢語で「中国」と言い換えた。「中国」のオリジナルな意味は，世界の中心を意味する一般名詞だったが，自尊を込めて，それを固有名詞に変えたのである。

こうして中国が「中国」と名乗って「領土主権」を主張するようになるのは，20世紀のはじめ。同じ時期・1905年には，日本はロシアに勝利して，東アジア最強の国家にのし上がり，逆に朝鮮半島は日本の保護国となった。それぞれに境遇は大きく異なりながら，いずれにも共通するのは，明治日本が近代文明を通じて体現したナショナリズムの勃興である。東アジア各国は，以後このナショナリズムの帰趨を軸に「動き出した」のである。

■参考文献
岡本隆司『増補　中国「反日」の源流』ちくま学芸文庫, 2019
岡本隆司『中国史とつなげて学ぶ日本全史』東洋経済新報社, 2021
籠谷直人『アジア国際通商秩序と近代日本』名古屋大学出版会, 2000
狭間直樹『梁啓超―東アジア文明史の転換』岩波現代全書, 2016
梁啓超（岡本隆司・石川禎浩・高嶋航編訳）『梁啓超文集』岩波文庫, 2020

産業の近代化

鈴木 淳

産業革命の波及

1853年，アメリカのペリー（1794～1858）が率いた黒船の来航は，欧米での産業革命の日本への波及であった。それが7年前に軍艦を率いて浦賀に来航したビッドル（1783～1848）と異なる結果をもたらしたのは，産業革命の成果である汽船の登場ゆえであった。ペリーは汽船の時代を迎えたことを強く認識して，アメリカと中国とを結ぶ汽船航路を実現するための寄港地を確保し，また汽走艦隊の存在意義を国内に示すため日本に開国を迫った。一方で，日本側は，蒸気動力によって内海でも独力で自由に運動する汽走軍艦を間近に見て，従来の来航船を小舟で取り囲む対応が無力なのを悟り，要求拒絶の困難と，蒸気動力導入の必要性を感じた。

開国した日本が，自由貿易を原則とする開港を迫られ，1859年以降世界市場に巻き込まれたのは，世界的に原材料や市場を求めた産業革命後の欧米列強の意志によるところが大きかった。一方で，それを受け入れたのは国内に貿易による利益と技術導入とによる「富国強兵」を目指す動向があったゆえである。

開港後の日本には多くの繊維製品が輸入された。毛織物や薄手の綿布など従来国内で生産されていなかった製品が多く，必ずしも機械によって安価に生産された同種の製品に国内生産が圧迫されたわけではない。しかし，輸入織物が用いられたことは，国内の織物供給の中心であった綿業を圧迫した。産業革命期の工場制機械工業の代表として語られる機械制綿紡績は手作業での紡績に比べ圧倒的に生産性が高かった。国内綿織物業は輸入綿糸を用いることで対応できたが，農家では棉作への打撃が大きかった。そ

図1　横須賀造船所(『日仏文化交流写真集 第一集』西堀昭編)

こで，明治政府は棉作地域に地元産の綿花を用いる紡績工場を設けることで近代化を進めようとした。しかし，比較的繊維の短い日本産綿花は機械制紡績に適さず，1883 年開業の大阪紡績以後の民間紡績業は，中国，そして英領インドからの輸入綿花を用いて発展した。機械制生産された綿糸，後には綿布も国内市場を充たすと，中国を主とする東アジア市場に輸出され，英領インドの機械制製品や地域の在来製品を駆逐しながら市場を拡大した。

黒船による刺激から始まったため，汽船の導入への意欲は高く，幕末のうちに幕府によって，オランダとフランスの海軍の指導を受けた造船所が長崎と横浜・横須賀に建設された。明治政府はこれを引き継ぐとともに，主にイギリス人の指導で，鉄道，電信，鉱山，灯台，機械工業などの分野で産業革命後の技術を導入し，技術者を養成する工部大学校を設けた。工部大学校はのち帝国大学の工科大学となり，外国語にも通じて欧米の技術の導入を担う技術者を養成した（現在の東京大学工学部）。一方で，これらの事業は輸入製品を用い，修理し，さらには製造する経験を積んだ職人たちを数多く生み出した。

1880 年代後半以降，官営鉱工業の払下げにより財閥系の大規模事業所が形成される。また紡績や鉄道では株式会社形態で資本を集め，技術者が欧米を視察するなどして，機械や新技術の移入を進め，国内の条件に合わせた改良を加えつつ，産業の近代化を進めた。一方で，1880年代からは，民間の小工場での蒸気機関の製造も確認できる。中小炭坑をはじめさまざまな分野で，近代的な機械製造の技能を身に付けた職人たちが作る，欧米の製品を模倣した，あるいは日本の条件に合わせて工夫した機械類を用いて，近代化が進められた。

蚕糸業の展開

産業の近代化では，欧米からの機械や鉄鋼，また綿花の輸入が増加したので，これに相当するように輸出を拡大することが必須の課題だった。ここで重要な役割を果たしたのが生糸を生産する蚕糸業である。生糸は，原料となる蚕の繭（まゆ）の産出地域が限られ，腐敗しやすい蛹（さなぎ）を繭から分離するためには製糸の作業が必要であったから，製糸業は繭の産出地域とその周辺に展開した。ヨーロッパではフランス，イタリアとその隣接国の範囲で行われた。アメリカでも試みられたが，製糸に従事する労働者が得にくく，日本の開港前に関税保護が打ち切られていた。

日本の生糸の輸出は，イタリア，フランスで蚕の病気が流行して繭の生産が落ち込み，これを補っていた中国からの輸出も，主な産地であった上海周辺が太平天国の乱に巻き込まれて減少していた時期に始まったため，当初から好調だった。その好条件が失われてゆくのを，政府の提唱により民間で進められた品質改良の動きが補い，開港直後から1932年まで，生糸は輸出品の第1位であった。20世紀初めにはイタリア，中国，日本が欧米の生糸市場を三分し，1909年以降は日本が第1位となり戦前を通じて市場占有率を拡大して行った。

1872年開業の富岡製糸場に象徴されるこの分野でのヨーロッパからの移入技術は「器械製糸」と呼ばれる。煮た繭から糸口を探し，巻き上げられている糸に添えるという基本的な作業が，女性労働者の手先によっていて，「機械」とは言いがたいからである。器械製糸の，在来の座繰（ざぐり）製糸との違いは，糸の巻き上げを動力化し，また繭を煮て，さらに糸を繰りだす間保温する熱源として火の代わりに蒸気を用いたことであった。マルクスの「機械」

図2　民間器械製糸場　長野県下諏訪町の岩波製糸場（1878年頃。下諏訪町デジタルアルバムより）。

の定義に当てはまらないにせよ，これはヨーロッパで19世紀に入ってから成立した産業革命期の技術であり，富岡製糸場では動力にも蒸気が用いられた。そして，長野県の諏訪を中心として発展した初期の民間器械製糸は，水車を動力源とし，木と陶器を主な材料として，蒸気パイプや伝動軸など最低限の部分だけ金属を用いた安価な設備によりながらも，蒸気を利用した工場制工業として発展した。

鉄道の導入と農業の変容

動力源ではなく熱源としてボイラーを用いた諏訪の製糸工場では，高い蒸気圧は必要なかったため，簡単なボイラーを用い燃料は薪であった。そのため，周辺の山林の伐採が進み，次第に費用が嵩むようになり，また水車が設置可能な場所も少なくなってきた。この限界の突破を可能にしたのは鉄道であった。信越線の開通により，各地の繭が上田周辺まで鉄道で運ばれ，馬の背で和田峠を越えて諏訪に到着していたが，1905年に中央線が岡谷まで開通すると，石炭が入手しやすくなり，燃料問題が解決した。石炭が安価に入手できるようになると，石炭焚きに適した堅牢なボイラーを設置して蒸気機関を動力とすることが増え，水車が設置できない場所にも工場が広がった。これにより，その後も諏訪は器械製糸の中心地として発展して行った。

鉄道の発達は輸送費用を低減し，生糸はもちろん，各種農産品の出荷や商品の輸送を容易にして，農業や商業に幅広い変化をもたらした。それらも産業の近代化の一つの形であった。

製糸業が工場制工業として発展したことは，繭の生産もそれに見合うだけ増加したことを意味している。日清戦争から昭和初期まで，35年ほどの間に養蚕農家数は2倍近くに増加したが，繭の生産量は5倍に伸びた。養蚕は，明治前半には年1回の春蚕が主流で，政府もそれを奨励していたが，風穴に蚕種を保存して蚕となる時期を制御するなどの民間での技術開発により，明治末年には春蚕を飼う農家と夏秋蚕を飼う農家の数が同程度になった。当時はまだ繭の生産では夏秋蚕は春蚕の4割程度であったが，1919年頃には匹敵するようになっている。これは遺伝学を応用して日本で確立された一代雑種を用いて蚕の品種改良が進められた結果，夏秋蚕に適した蚕が生み出されたためである。一代雑種は，日本の蚕と中国やヨーロッパの蚕を掛け合わせて作られることが多かった。

肥料に関する科学知識の移入により，明治半ばには，リン酸肥料が太平洋やインド洋の島々からの輸入原料を用いて工場生産され，窒素肥料は日露戦争後に魚肥から中国東北部産の大豆粕(かす)に転換した。これらは鉄道により，全国に行き渡った。肥料は養蚕用の桑畑はもちろん，最大の農産品である米の生産にも投じられた。水田の改良は主に耕地整理の形で進められたが，日露戦後には排水や灌漑(かんがい)に動力ポンプが使われることも増えた。

変化が目に見える都市に比べ，農村では産業の近代化がほとんど進まなかったと言われることがあるが，そうではない。汽船や鉄道，そして科学的知見の活用を基盤に，農村でもさまざまな形で産業の近代化が進んでいた。外見的には洋風化していなくとも，農民たちは，繭の値段に直結するアメリカの生糸市況を，政府が発行する『官報』（明治期だけで900回以上報じた）等に基づく『農業雑誌』『蚕業新報』などの雑誌や新聞の報道で知りながら，中国の大豆粕を肥やしにした桑をヨーロッパや中国の血を引く蚕に与えていた。製糸工場や中小織物工場の農村部への立地と養蚕を含む農業の一定の発展により，農村部でも所得が向上し，工業化の進展にもかかわらず，農村から大都市への人口移動が急激には進まなかったことが，日本の産業革命の特色であるが，それは農村部が世界とつながることによって達成されていた。

■参考文献

高村直助編著『明治の産業発展と社会資本』ミネルヴァ書房，1997

中西聡編『日本経済の歴史―列島経済史入門―』名古屋大学出版会，2013

深尾京司・中村尚史・中林真幸『岩波講座　日本経済の歴史　近代1　19世紀後半から第一次世界大戦前（1913）』岩波書店，2017

エルトゥールル号遭難事件から見える地域・日本・世界

田城 賢司

遺品発掘の衝撃

トルコの軍艦エルトゥールル号が1890（明治23）年に遭難した紀伊大島は，筆者の故郷である串本町にある。ただ，昔トルコの軍艦が遭難したこと，その時の救援活動が日本・トルコ交流の礎になったことを知っている程度であった。遭難120周年を前に遺品の水中発掘が始まったニュースを聞いた時も，「100年以上荒波に揉まれているのに一体何がでてくるんだろう？」と疑ったのを覚えている。ところが，団長のトゥファン・トゥランルさんと妻のベルタ・リエゾさんを中心にした調査によって7522点もの遺品が引き上げられた。当時198リットルの大鍋の発見が大きく報道されていた。保存処理のボランティアにほんの数時間参加した。処理中の遺品では軍艦らしく弾丸が目立っていたが，より印象的であったのはコーヒーミルであった。乗組員が日常的に使っていたであろう遺品を目の前にして，歴史上

図1　遺品のコーヒーミル（著者撮影）

の事件が身近に迫ってくる感覚が湧き起こったのを覚えている。そしてこの事件を高校の歴史の授業で教材化する中で，海難事故としての教訓を得るだけでなく，事件を通して地元串本のこと，日本のこと，世界のことが見えてくることが分かった。

エルトゥールル号遭難事件

1889（明治22）年オスマン帝国のスルタン，アブデュル・ハミト2世（在位1876～1909）は明治天皇への答礼と海軍訓練航海の目的で，軍艦エルトゥールル号を派遣する。スルタンには，1887年小松宮親王を通じて明治天皇から勲章が贈られていた。

1889年7月14日エルトゥールル号はイスタンブルを出航する。当初6か月程度と見られていた航海は倍近い11か月を要した。帝国の財政難を背景に老朽艦が選ばれ，スエズ運河では砂州への乗り上げや事故に遭い修理をしなければならなかった。さらにシンガポールでも航海による船体の損傷がひどく，大修理の必要があって4か月間停泊を余儀なくされた。結局，横浜港への到着は1890年6月17日のことであった。

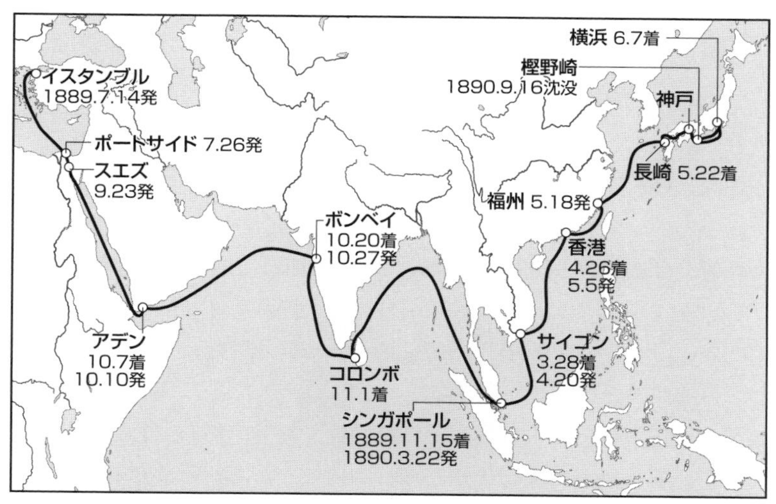

図2　エルトゥールル号の航路（小松香織『オスマン帝国の海運と海軍』山川出版社，2002）

それでも横浜到着後，無事答礼の行事を終えることができた。しかしその直後船員にコレラが流行し 12 名が死亡する事態となった（なおこの対応には横浜で中浜万次郎〔「ジョン万次郎」〕の息子中浜東一郎があたっている）。そのためエルトゥールル号は 9 月 15 日に横浜を出港する。折しも台風シーズンであり，出港の延期も上申されたが，財政難から本国の許可はおりなかった。これまでの経緯からすれば人災であった側面も大きい。この点について，小松香織氏は「アブデュル・ハミト 2 世と 19 世紀末のオスマン帝国」の中でアブデュル・ハミト 2 世の専制による行政の混乱，財政の窮乏，海軍の衰退の 3 点を外的要因として検討している。

1890（明治 23）年 9 月 16 日，折しも暴風に見舞われたエルトゥールル号はマストが折れ，機関が故障し航行不能となった。暴風に吹き寄せられ，串本町大島，樫野埼（かしのざき）灯台近くの船甲羅（ふなごうら）と呼ばれる岩礁に乗り上げ，船体が大破し，機関部の浸水による爆発で短時間に沈没した。生存者がわずか 69 名，死者・行方不明者 587 名という大海難事故となった。

事件を通して地域を知る

当時の大島村の人々は人肌で冷え切った生存者を温めるなど献身的な介護を行った他，遺体の引き上げに村をあげてあたった。その後の日本・トルコ交流の礎となっている。映画『海難 1890』（2015）ではイラン・イラク戦争の際，1985 年 3 月イラクがイラン上空の航空機を無差別に攻撃すると宣言し，日本の航空会社が救出にいけない状況でトルコ航空機がテヘラン在住邦人の救出を引き受けてくれたエピソードと結びつけられ描かれている。

大島村では遭難碑の建立や 10 年，20 年の節目で慰霊祭が行われていた。1937（昭和 12）年にはトルコ共和国の初代大統領ケマル・アタチュルク（在任 1923 ～ 1938）の意を受けて新たにトルコ式の遭難碑が建てられ，以後 5 年ごとに追悼式典が行われている。

こうした行いは日本人の美徳と賞賛されており，決して否定するものではないが，それ以上に大切に感じられるのは，たとえ言葉が通じない人たちであっても，海で遭難した者を平等に救い弔おうとする海に生きる人々の心性を理解することではないだろうか。

また，当時の状況を調べると，1886（明治19）年のノルマントン号事件もあり，外国船への対応について県への連絡系統など体制が一定程度整備されていた。串本では大人向けの英語の夜学も始められていた（『串本のあゆみ（明治編）』）。さらに江戸時代，紀州藩御用船が難破した場合，一種の税負担として，藩から石高に応じて地元の組（村）に処理経費の負担が求められた。一方，商船の場合は処理費が荷主・廻船問屋の共同海損でまかなわれ，村を潤した（『串本町史（通史編）』）。こうした事実を知ることで，海上交通の要衝の地としての串本やその歴史的な役割を発見することができる。

事件を通して日本を知る

生存者は神戸での治療の後，10月には比叡・金剛の２隻の軍艦によりイスタンブルへ送り届けられた。同時に日本各地で新聞や個人により義捐金活動が繰り広げられた。この２点に人々の人道的な意図が反映されていたことは間違いない。一方，新聞各社の記事では不平等条約の改正をめざす日本が今こそヨーロッパ並みの一等国（人道国家）であることを示すべきとする主張が見られる。つまり義捐金活動や自国の軍艦による送還には国威発揚や示威活動の側面が強くあった。そのこともあってムスリムと連携する動きは極めて弱かった。日本とトルコ国交樹立は事件後30年以上を経た1924（昭和9）年である（三沢伸生「1890年におけるオスマン朝に対する日本の義捐金募集活動」『東洋大学社会学部紀要』2002)。この事件をめぐる動静からも日本がいわゆる“脱亜入欧”路線を進んだことが理解できる。

事件を通して世界を知る――派遣のもう一つの目的

派遣の目的があくまでも明治天皇への答礼であることに違いはない。しかし，もう一つの理由を探れば，事件の世界史的な背景が見えてくる。当時オスマン帝国はイギリス，ロシアを中心とする列強の圧迫を受けていた。そうした中，アブデュル・ハミト２世は係留中だった老朽船をかなり無理をして派遣している。また，寄港地を見ると，ボンベイ（ムンバイ），コロンボ，シンガポールとイスラーム教徒の多い都市である。各地でイスラーム教徒による熱烈な歓迎を受けた。使節の代表者であり，遭難で亡くなったオスマン・パシャは妻への手紙の中で「人びとはまるで軍艦が寺院（モスク）であるかのように」と書いている。派遣のもう一つの目的はイスラーム教の指導者カリフとしての威信を世界に示し，列強に対抗することであった。しかし，遭難の遠因がオスマン帝国の財政難などにあったことで，エルトゥールル号の遭難がオスマン帝国の行く末を奇しくも象徴することとなった。

事件が教えてくれること

エルトゥールル号遭難事件は現在多くの日本人が知るところとなった。これだけの規模の遭難は現代から見ても大惨事である。もちろん災害・事故の教訓として学ぶことも多い。一方，本項では歴史や地域を学ぶ題材として事件を見てきた。一つの事件がレンズとなって，地域・日本・世界が見えてくる。さらに串本町では慰霊祭が続けられ，領事や大使などトルコ

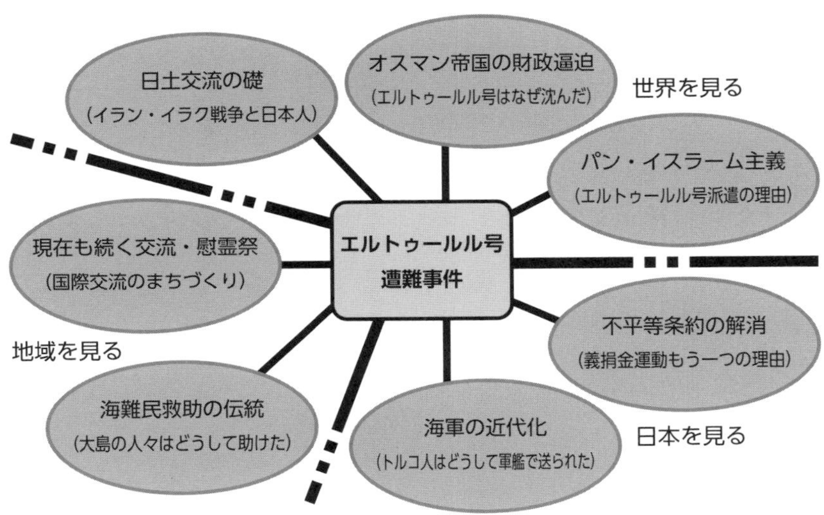

図3　エルトゥールル号遭難事件から見えること

の関係者も参列する。町の人たちにとって，単なる観光資源ではなく，町づくりやアイデンティティとも深くつながっている。

■参考文献
稲生淳『熊野 海が紡ぐ近代史』森話社, 2015
小松香織「アブデュル・ハミト2世と19世紀末のオスマン帝国―「エルトゥールル号事件」を中心に」『史学雑誌』98巻9号, 1989
小松香織『世界史リブレット79　オスマン帝国の近代と海軍』山川出版社, 2004
中央防災会議災害教訓の継承に関する専門調査会『1890 エルトゥールル号事件報告書』2005
村井章介編『世界史とつながる日本史―紀伊半島からの視座―』ミネルヴァ書房, 2018

灯台をつくったブラントン

稲生 淳

我が国における洋式灯台の設置は，1866年6月25日（慶応2年5月13日），英・仏・米・蘭4か国と徳川幕府の間で結ばれた貿易に関する協定「改税約書」を起因とする。その第11条に「日本政府は外国交易の為め開きたる各港最寄船々の出入安全のため灯明台浮木瀬印木等を備ふへし」とあり，剱埼（神奈川県），観音埼（神奈川県），野島埼（千葉県），神子元島（静岡県），樫野埼（和歌山県），潮岬（和歌山県），佐多岬（鹿児島県），伊王島（長崎県）の8か所に灯台を，横浜と函館の2か所に灯船を設置することが義務付けられた。これらの灯台設置場所はイギリスやフランスの定期航路と関係があった。1864年，イギリスのペニンシュラ＆オリエンタル汽船会社が，翌年にはフランス郵船会社が上海－横浜間に定期航路を開設すると，イギリスを中心とする列強は対日貿易発展のため日本沿岸に光力の強い洋式灯台の整備を求めたのである。しかし，当時の日本には独力で洋式灯台を建設し運用する技術がなかったので，幕府はイギリス公使ハリー・スミス・パークス（1828～1885）を通じてイギリス政府に灯台建設に必要な灯器の発注及び灯台技師の派遣斡旋を依頼した。この件はスコットランドの有名な灯台建築家デーヴィッド＆トマス・スティーヴンソン兄弟（1815～1886，1818～1887）に委ねられ，選考の結果，リチャード・ヘンリー・ブラントン（1841～1901）が派遣されることになった。

スコットランドのアバディーン近郊に生まれたブラントンは，土木技師としてイギリス各地の鉄道工事に従事したが，彼が成人した1860年代のイギリスは鉄道工事ブームも去り，技術者たちは海外に新たな仕事を求めて移っていく時代になっていた。ブラントンは，日本政府の灯台築造主任技師に応募し，1868年2月24日付けで採用されると，スティーヴンソン兄弟のもとで実地研修を受けた後，同年8月8日，妻子を伴い来日した。

スティーヴンソン兄弟は，ブラントンに灯台の図面や仕様書を渡した他，灯器の設計，資材の調達，発送の請負，またブラントンからの問い合わせに対しては手紙で指示するなどサポートしたのである。ブラントンの灯台に多く見られる上部がすぼまった円筒形の灯塔，鉄製半球状のドーム型の灯籠屋根などの形はスコットランドの灯台とよく似ている。なお，1872 年 10 月 16 日，訪英中の岩倉使節団がベルロック灯台とメイ灯台を訪れた際には，スティーヴンソン兄弟が案内を務め，休暇で帰英中のブラントンも同行していた。

ブラントンは，1876（明治 9）年 3 月 15 日，日本政府から契約切れで解雇されるまでの間に「改税約書」で設置が決まった 6 灯台（フランス人がつくった観音埼と野島埼は除く）と灯船 2 隻の他，犬吠埼（千葉県），江埼（兵庫県），部埼（福岡県），角島（山口県）など 20 灯台を建設した。この他にも，技術者養成のための修技校を開設するなど，我が国の近代的な灯台システムの確立に努めたことで「日本の灯台の父」と呼ばれている。

灯台がつくられ日本近海は西洋文明の光で照らされたが，海難事故はなくなることはなかった。1890（明治 23）年 9 月 16 日夜，トルコ軍艦エルトゥールル号が台風のため紀伊大島（和歌山県串本町）沖で座礁・沈没した。乗組員 587 名が犠牲となり 69 名が救助された。嵐の海に投げ出された人々にとって樫野埼灯台から発せられる光は生きるよりどころとなったにちがいない。彼らは最後の力を振り絞って崖を這い上がり灯台に助けを求めたのである。

ブラントンは，横浜居留地の測量，吉田橋（鉄の橋）の架設，日本大通りや横浜公園の設計・施工など横浜のまちづくりに貢献した。横浜公園にはブラントンの胸像が建てられている。この他にも，電信の敷設，新橋・横浜間の鉄道意見書，大阪，新潟，横浜築港計画の立案など我が国の近代化に大きく貢献した。

■参考文献

野口毅撮影，藤岡洋保解説『ライトハウス　すくっと明治の灯台64基　1870-1912』バナナブックス，2015

ブラントン，リチャード・ヘンリー（徳力真太郎訳）『お雇い外人の見た近代日本』講談社学術文庫，1986

横浜開港資料館『R. H. ブラントン　日本の灯台と横浜のまちづくりの父』横浜開港資料普及協会，1991

第2章

国際秩序の変化と大衆化

20世紀前期
アラスカ（米）
カナダ
オタワ
アメリカ合衆国
ニューヨーク
ワシントン
サンフランシスコ
ロサンゼルス
ハワイ諸島（米）
メキシコ
ブラジル
リオデジャネイロ
サンパウロ
オランダ
イギリス
ロンドン
フランス
ポルトガル
スペ
モロッコ
アル
リベリア
ベルギー領コンゴ
60°
30°
0°
150°
120°
90°
60°
30°
0°
1925年ごろ
イギリス領
フランス領
スペイン領
オランダ領
イタリア領
ポルトガル領
日本領

ヒトラー

モダンガール

ソヴィエト連邦
ベルリン
モスクワ
ドイツ
パリ
イタリア
アンカラ
トルコ
テヘラン
イラク
イラン
ウラジヴォストク
北京
中華民国
日本
東京
上海
エジプト
台湾
インド
ボンベイ
カルカッタ
スーダン
(英・エジプト領)
フランス領
インド
シナ
フィリピン(米)
日本の委任統治領
エチオピア
ケニア
シンガポール
オランダ領東インド
バタヴィア
イギリスの
委任統治領
オーストラリアの
委任統治領
オーストラリア
南アフリカ連邦
ケープタウン
ニュージーランド
30°
60°
90°
120°
150°

概説

新世界秩序の相剋とファシズムの台頭

福家 崇洋

本章で扱う20世紀前半は，2度の世界大戦が起きた稀有な時代である。最初の世界大戦（1914～1918）で甚大な被害が生まれ，その悲劇を繰り返さないために新たな国際秩序が設けられたものの，世界大戦（1939～1945）は繰り返された。なぜ国際秩序は世界大戦を止めることができなかったのか。両大戦の狭間でいかなる国際秩序が試みられ，それがどのように変化していったのか，その国際秩序下で人びとはいかなる生活を送ったのかをみていこう。

第一次世界大戦後の世界秩序

1914年7月に開始した第一次世界大戦は，ヨーロッパを主戦場としたものの，植民地のあるアフリカやアジアに飛び火した。アフリカでは開戦翌月に英仏軍がドイツ領に侵攻したほか，約100万もの人びとが兵士や補助要員として戦争に参加させられたといわれる。アジアでは，イギリスの徴兵対象となったインドのほか，日本，中華民国も連合国側に立って参戦した。文字通り「世界」各地を巻き込んだ大戦は約2600万もの人びとの命を奪い，ドイツの降伏で幕を閉じた。

惨禍を繰り返さないために，戦後の世界では，集団安全保障体制の構築が試みられた。それがヴェルサイユ体制とワシントン体制である。1919年1月から始まるパリ会議では，アメリカ大統領ウィルソン（1856～1924）の「十四か条の平和原則」をもとに戦後秩序の再構築が議論され，ヴェルサイユ条約が締結された。会議では国際連盟設立も議論され，その過程で日本代表が連盟規約に人種差別撤廃を明記するよう提案したが否決された。国際連盟はのちにスイスを本部として設けられたものの，設立を提唱したアメリカは議会の反対で不参加だった。ヴェルサイユ条約でドイツは海外の植民地を喪失し，軍備制限，賠償金支払いなどが課せられた。この重い負担はナチスが台頭していく伏線となる。

ワシントン体制は，アメリカの主導で1921年にワシントンで開催された国際会議での取り決めに基づく。この会議の目的は，各国の領土権益の保障（四か国条約）や中国の門戸開放（九か国条約）の確認とともに，軍縮条約によって日本の海軍力を抑制することにあった。

両体制がもたらす変化は，条約締結国の領域外におよぶ。列強の抑圧的な支配にあえぐ植民地と，革命を経たロシア（1922 年，ソヴィエト社会主義共和国連邦〔ソ連〕）である。ウィルソン十四か条が示す「民族自治」に鼓舞され，大戦後の植民地では多くの民族解放運動が生まれた。たとえば，アジアでは日本の植民地支配を批判する朝鮮の三・一独立運動，日本の二十一か条要求への反対から生まれた中国の五・四運動，ガンディー（1869 ～ 1948）がイギリスの植民地支配に対して起こしたインドの非暴力・不服従運動などがある。

併行して，アジア各国に共産党が誕生する。その背景にはヴェルサイユ・ワシントン両体制に加えられなかったソ連と，その意向が強く働く共産主義国際組織コミンテルンの世界戦略が関わる。コミンテルンはワシントン会議に対抗してモスクワ，ペトログラードで極東諸民族大会（1922）を開催し，自らが進める共産主義革命に向けて東アジアの民族独立運動を社会主義運動へ取り込もうとした。

こうして 1910 年代末から 20 年代にかけて，国際連盟，ヴェルサイユ体制とワシントン体制の集団安全保障体制が生まれる一方で，ロシアやアジア各国を中心に既存の国際秩序とは異なる途をめざす階級・民族解放運動の機運が高まった。

「民衆」から「大衆」へ

総力戦として展開された第一次世界大戦は，政治に対する国民の意識を変えるきっかけとなった。国によって異なるものの，選挙権の拡大や普通選挙，女性参政権が認められた。日本でも東京帝大教授・吉野作造（1878 ～ 1933）によって「民本主義」が提唱され，普通選挙運動が盛んになったものの，女性参政権実現は第二次世界大戦後になる。

「民衆」は政治的な平等だけでなく，経済的な平等も求めた。すなわち，19 世紀末から工業化や都市化による社会問題が生まれていたことを背景に，貧富の格差是正や労働環境の改善を求める労働運動，社会運動が盛り上がりをみせた。

他方で，大戦後の社会では，「大衆」の存在感が高まった。ヨーロッパでは技術革新や都市化を背景に大量生産・大量消費の社会が生まれていたが，教育の普及やメディアの発達もあわさって，「大衆」が社会や文化を担う時代が到来する。

この傾向が顕著だったのが新興国アメリカである。ニューヨークは世界経済の中心となり，フォーディズムに代表される生産様式は，大量生産と価格低下をもたらした。生活水準が向上した人びとは，映画や音楽，プロ・スポーツ観戦などの娯楽を享受し，大衆文化が花ひらいた。

日本では 1920 年代前半から「文化」という言葉が論壇で使われることが多くな

概説

図1　三越呉服店のPR誌
（杉浦非水画，1925年。国立国会図書館「NDLイメージバンク」）

る。西洋から移入した科学偏重の「文明化」が批判され，精神や伝統に根付く「文化」が追い求められた結果だった。

関東大震災で東京近郊は大きな被害をうけたものの，復興計画で都市化が進み，ラジオなどのメディア，映画，音楽などの娯楽文化が栄えた。ただし，華やかさの裏で，震災時の在日朝鮮人虐殺にみられるように差別と排外主義が社会にはびこっていた。1920年代後半に「大衆」の言葉が社会で認識されるなかで，日本でも大衆社会・文化が浸透していった。

ファシズムの台頭と次なる世界大戦へ

1920年代半ばに構築された国際秩序は，同年末には早くも大きな困難に直面した。アメリカ・ウォール街での株暴落を発端とする世界恐慌である。各国で産業が停滞し，多くの失業者が生まれ，社会に不安が広がった。当のアメリカでは政府が経済に積極的に介入するニューディール政策を実施し，経済復興につとめた。

広域の植民地を持つイギリス，フランスは排他的なブロック経済圏を形成し，難局を乗り切ろうとした。これに対し，多くの植民地を持たない国々は，国際協調の枠組みから離れて，対外進出に活路をみいだした。

経済の破綻とともにナチズムが台頭していくドイツ，中国大陸進出によって軍部の影響力が強まる日本，エチオピアへ侵攻するファッショ・イタリアは既存の国際秩序に挑戦をしかけ，1930年代半ばから互いに接近し，同盟を結ぶにいたる。

イタリア・ファシズムもナチズムも大戦後に社会主義とナショナリズムが結びつくなかで誕生した思想・運動である。ファシスト党は1920年代初頭に政権を掌握，ナチ党（国民社会主義ドイツ労働者党）も1930年代の危機の時代を背景に大衆の支持を背景にその勢力を急速に伸ばして独裁体制を構築した。日本でも「大正デモクラシー」期に生まれた国家改造運動が1930年代に盛り上がった。そのなかで起きた五・一五事件で首相が暗殺されて政党政治が終わり，満洲事変後の傀儡（かいらい）国家「満洲国」建設をめぐって国際連盟から脱退していく。

ドイツ民族の復興を掲げるナチス・ドイツも1933年に国際連盟を脱退し，再軍備を宣言する。ファッショ・イタリアとの関係を深めながら，オーストリアを併合し，チェコスロヴァキアへ侵攻した。続いてポーランドに侵攻したドイツにイギリスとフランスが宣戦布告し，ここに第二次世界大戦が始まった。ナチス・ドイツは対外侵略の一方で，強制収容所を各地に設立し，政治犯やユダヤ人，「障害者」たちを収容し，1941 年からは組織的なユダヤ人「絶滅」に取りかかった。

日本はその後も中国への侵略を推し進め，盧溝橋事件（1937）以後，中国との本格的な戦争に突入した。さらにドイツの躍進をみて東南アジアに進駐したが，アメリカから石油全面禁輸の措置をうけた。1941 年に日本はアメリカに真珠湾攻撃をしかけて宣戦布告したが（「アジア太平洋戦争」開始），すぐに戦局は不利になった。日本の対外進出とともに，「満洲」における関東軍 731 部隊による捕虜等を用いた生物兵器の人体実験，男性兵士の性欲処理を目的とした帝国陸軍の慰安所政策，南京占領にともなう捕虜・市民の大量虐殺など，非人道的な行為が起きた。

日本国内では，国民のナショナリズムを昂揚させるため，映画やラジオのマスメディアを通じて大衆へのプロパガンダが行われ，文化も戦争色に染められた。総力戦体制下では国家に奉仕する国民が求められ，男性は兵士に，女性は兵士を産む母親になるための健康な身体が奨励された。植民地の人びとは思想，言語，名前の同化政策によって「皇国臣民」になることを強いられた。

既存の国際秩序に挑戦を試みたドイツ，イタリア，日本は，連合国（イギリス，フランス，ソ連，アメリカ）との戦いに敗れ，1943 年から 1945 年にかけて降伏した。第一次世界大戦をしのぐ膨大な犠牲者をだした２度目の世界大戦はこうして終わりを告げる。

■ ■ ■

２度の世界大戦を体験した 20 世紀前半を振り返るならば，「近代化」が自明となっていく世界で，さらなる「近代化」を推し進めるのか，それとも「近代化」に問題を認めて距離を取ろうとするのか，「大衆」という新たなアクターが社会に登場するなかで，二つの価値観がせめぎ合った時代であった。前者は国際社会秩序の建設や経済のグローバル化を志向する動きに，後者は前者に対抗して自国や自民族のナショナリズムを過度に強調する動きにつながっていった。このせめぎ合いはときに対立し，ときに融和しながら，第二次世界大戦後の世界へと続いていく。

■参考文献

カーショー，イアン（三浦元博・竹田保孝訳）『地獄の淵から　ヨーロッパ史1914-1949』白水社，2017

山室信一・岡田暁生・小関隆・藤原辰史編『現代の起点　第一次世界大戦』1～4巻，岩波書店，2014

吉田裕『アジア・太平洋戦争』岩波新書，2007

似島から見える世界大戦

大津留 厚

似島(にのしま)は広島・宇品(うじな)港からフェリーで20分ほどのところに位置する人口900人ほどの島である。その形が富士山に似ていることから似島と呼ばれている。その似島は日本におけるバウムクーヘン発祥の地として知られている。この小さな島がなぜバウムクーヘン発祥の地であり，なぜそこから世界大戦が見えるのだろうか。

似島陸軍検疫所

この島が日本の戦争と深くかかわっていくのは，対岸に位置する広島に1888年に日本陸軍第5師団が置かれたことと関連していた。大陸での戦争に加わった部隊は宇品港に上陸する前に，ここで検疫を行うことになる。

図1　似島全景(著者撮影)

早くも1894年，日清戦争の時に感染症の予防のために戦地から帰港する船舶を検疫するため，山口県の彦島，大阪の桜島とならんで似島に臨時陸軍検疫所が設置された。

日露戦争においても似島に検疫所が置かれることになった。1903年11月に似島と福岡県大里に臨時陸軍検疫所を開設することが告示された。さらに翌04年には似島臨時陸軍検疫所に約4000名の捕虜を収容することが告げられた。これが似島にとって初めての捕虜収容の経験となった。日露戦争が終わった時，捕虜収容所は閉鎖されたが，検疫所は継続して消毒所として使われることになった。

1914年7月28日，オーストリア＝ハンガリーが帝位継承者暗殺に責任ありとして，セルビアに宣戦を布告して始まった戦争（第一次世界大戦）において，日本は日英同盟を理由にドイツに対して宣戦を布告し，中国の青島（チンタオ）にあったドイツ海軍の基地を攻撃した。この攻撃に参加した兵士，軍馬の検疫のために，1914年12月，似島にはもう一度検疫所が設置されることになった。11月に青島を攻略した日本軍は，4600人以上のドイツ兵，オーストリア＝ハンガリー兵を日本に移送したが，最初の段階では似島には捕虜収容所は設置されなかった。彼らは九州（久留米（くるめ），熊本，福岡，大分），四国（松山，丸亀，徳島），大阪，姫路，名古屋，静岡，東京に設置された臨時の収容所に収容された。1915年に入ると，この戦争のヨーロッパ戦線は長期化の様相を見せ，日本政府は仮の収容所を当面4か所に集約し，捕虜を長期間収容する態勢を整えることになった。急ごしらえながら，長期の使用に耐える木造の収容棟が久留米，青野原（兵庫県），名古屋，習志野（ならしの）に設置された。他方で似島に置かれた検疫所は，当面東アジア情勢の安定の中で，財政的配慮が優先されて，一部の要員を残して閉鎖されることになった。

似島捕虜収容所

この似島が再度戦時体制の中に組み込まれるのは，ここに1917年2月に捕虜収容所が開設されて，大阪捕虜収容所に収容されていたドイツ，オーストリア＝ハンガリー捕虜が移送されてきたことによる。大阪捕虜収容

図2 「似島独逸俘虜技術工芸展覧会目録」の表紙(個人蔵)

所はもともと大阪府警察部衛生課の管理下にあった隔離病棟を借用したものだった。ここには760人の捕虜が収容されていたが，1916年夏ごろから市中でコレラやペストの流行があり，大阪府に返還することになり，急遽似島に移ることになった。それだけに似島側で受け入れ態勢を整えるだけの時間がなく，慌ただしく準備が進められた。既存の建物を捕虜収容所に仕立てるための工事は急を要するため，競争入札ではなく，指名入札で行われるほどだった。

似島での捕虜の生活は大阪収容所の延長で展開され，講習会や演劇活動が行われていたが，地元の人たちは新来の捕虜の技術力に期待するものがあった。広島縫製業組合は二人の捕虜を指名して縫い針の製造所で雇用した。また捕虜が作った作品を「教育資料および参考品」として適切な価格で販売することもあった。その一環として，ヨーロッパ戦線での休戦が実現した後の1919年3月に，一般の人が実際に捕虜の製作品に触れるチャンスが与えられることになった。捕虜製作品の展示即売会が広島県物産陳列館（今日の原爆ドーム）で開かれることになった。その盛況ぶりを『中国新聞』は次のように伝えた。「俘虜(ふりょ)作品展覧会はいよいよ4日午前9時を持って物産陳列館の三階に於いて開かれた。何かさて好奇心を腹の中に焼芋の様に一杯詰め込んでいる連中は主催が独逸(ドイツ)の俘虜と来ているので上に上がれば洋行でもしてきた程になれる気で，開門前から詰め掛けるといった有様。午前10時頃には下足番が入口出口合わせて6人かかりで待った待ったの盛況である」。特に盛況だったのが菓子即売所で，そこで売られたのがユーハイムさんが焼いたバウムクーヘンだった。ただし残念なことに優れた作品は物産陳列館が買い上げ，26年後の1945年8月6日，まさにその上空で爆発した原爆の犠牲になった。

日本のシベリア派兵と似島

第一次世界大戦で主たる戦場になったヨーロッパの東部戦線では，緒戦でオーストリア＝ハンガリー軍はロシア軍に敗北し大量の捕虜がヨーロッパ・ロシア部からシベリアに至る各地に設置された収容所に収容されていた。

1917年3月にロシアで革命（二月革命＝ロシア暦）が起き，ロシア帝政は崩壊したが，ロシア臨時政府はなお戦争継続の方針を採っていた。大戦の勃発とともにオーストリア＝ハンガリーを離れ，亡命生活を送りながらチェコスロヴァキア国家形成に努力していたT．G．マサリク，E．ベネシュはロシア臨時政府との良好な関係を利用して，オーストリア＝ハンガリー捕虜の中のチェコ系，スロヴァキア系の人々から募ってチェコスロヴァキア軍団を形成した。彼らは当初，なお続く戦争の中で，ロシアとドイツとの間の戦線で戦うはずだった。しかしこの年11月にロシア十月革命が起こると，政権に就いたボリシェヴィキは講和を目指してドイツなど中欧同盟側と交渉を開始した。それはロシアとドイツとの間の戦線の消滅を意味していた。主にヨーロッパ・ロシア部に収容されていた捕虜を中心としたチェコスロヴァキア軍団は，今度はフランス・ドイツ戦線で戦うため，シベリア鉄道を東に向かって移動を始めた。ウラジヴォストクから海路アメリカ合衆国を経由してフランス・ドイツ戦線へ向かう予定だった。

1918年3月にはロシアとオーストリア＝ハンガリーの間で締結された講和条約で捕虜の帰還についても合意が成立した。シベリアの収容所にいたドイツ系，ハンガリー系を主とする捕虜たちが故国を目指してシベリア

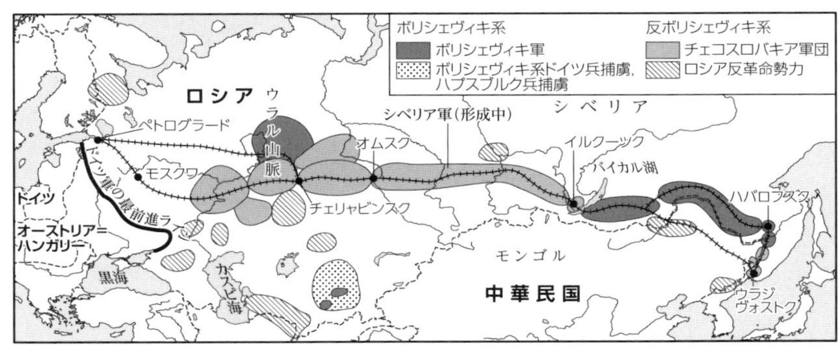

図3　1918年8月3日のシベリア情勢（大津留厚『さまよえるハプスブルク―捕虜たちが見た帝国の崩壊』岩波書店, 2021）

鉄道を西に向かった。1918年5月14日，シベリア鉄道を東に向かうチェコスロヴァキア軍団はウラル山脈を越えた最初の駅チェリャビンスク構内で西に向かうオーストリア＝ハンガリー帰還兵と交差した。この時，偶発事件をきっかけに，チェコスロヴァキア軍団とハンガリー系帰還兵との間で紛争が生じ，この地のソヴィエトが割って入り，争いはチェコスロヴァキア軍団対ボリシェヴィキ軍の戦いへとエスカレートした。シベリア鉄道要部はチェコスロヴァキア軍団の支配するところとなり，行き場を失った帰還捕虜たちは路頭に迷うことになる。一方そのチェコスロヴァキア軍団を救出することを理由にして日本は8月2日，シベリアに兵を送ることを告示した。

相前後してフランス，イギリス，アメリカ合衆国，中国も派兵し，シベリアはボリシェヴィキ軍と協商諸国軍，ロシア反革命諸派とが凄惨な戦いを展開する戦場となった。そして日本のシベリア派兵は似島の検疫所を再稼働させることになった。その影響は捕虜収容所にもおよび，収容所施設の一部が検疫所として使われ，目隠しの板塀も設けられた。先に見た捕虜作品展示会の開催を告げる1919年3月4日の『中国新聞』は同じページの上段で「仙台山砲兵凱旋」と題して，シベリアに駐屯していた同部隊の将兵270人と馬匹（ばひつ）225頭が似島沖に入港し，所定の検疫を受けた後宇品に上陸し，5日に列車で帰仙することを告げている。検疫と捕虜収容が似島で交差していた。

1919年末には似島捕虜収容所に収容されていた捕虜たちは順次帰還船に乗るために収容所を後にすることになった。12月26日に神戸港で豊福丸に乗船したのは将校，下士卒合わせて39人，12月27日に同じく神戸港で喜福丸に乗船したのは将校，下士卒合わせて49人，12月28日に門司港でヒマラヤ丸に乗船したのは将校，下士卒合わせて40人だった。さらに翌1920年1月29日神戸出航のハドソン丸には218名が乗船した。こうして似島収容所は1920年4月1日までにはすべての捕虜が解放されて，閉鎖されることになる。

1918年から19年にかけて捕虜収容所と検疫所がともに存在した似島は，1914年に始まる戦争が構造転換しながら，1918年を超えてなお継続する現実を目に見える形で示していた。

■参考文献

大津留厚ほか『ヒストリア027　青野原俘虜収容所の世界―第一次世界大戦とオーストリア捕虜兵』山川出版社，2007
大津留厚「『原爆ドーム』を設計した建築家の軌跡―歴史と人が交錯するとき」佐藤昇編『歴史の見方・考え方―大学で学ぶ「考える歴史」』山川出版社，2018

辛亥革命前夜の「日中蜜月」

小川 唯

近代日中関係において，1894～1895年の日清戦争は大きな転機となった。

日本は初の対外戦争の勝利と利権獲得に明治維新以来の近代化の成功を確信し，中国に対して優越感を露わにするようになる。一方，中国では，敗戦の衝撃とともに日本の近代化を評価するようになり，全国的な政治変革を掲げた1898年の戊戌変法および1901年の新政では，西洋列強に対抗する手段として，日本に倣う近代化路線が取られ，多くの中国知識人が日本へ視察や留学に赴いた。2000年来，日本の留学僧等が中国へ渡り，中国から「先進的な」知識や文化を吸収してきた流れが，ここに来て，中国が日本からという方向に逆転したのである。日本はこの後，中国の政治変革にとって地勢と知性の面で，人材・資金・知識をつなぐ重要な拠点となる。

日本モデル

すでに1860年代の洋務運動で，清朝国内の有力官僚が西洋列強に倣って軍需産業や外国語教育を導入し，欧米に官費留学生を派遣したにもかかわらず，日清戦争の敗北を招いたことは，中国社会の知識人の間に「亡国」の危機感，徹底的な政治変革を求める焦燥感を喚起した。そこで注目されたのは，日本の明治維新の成果を中国に導入することであった。立憲君主制への改革を光緒帝に進言し戊戌の変法を牽引した康有為（1858～1927）や，儒教道徳の維持を強調しつつも科挙廃止と日本留学を推奨した張之洞（1837～1909）は，政治的立場は異なるが，ともに①即効性，②西洋文明の取捨選択，③文化の近さ（皇統，儒教，文字の類似），④地理的近さ（経費，時間の節約）を理由に，日本モデル導入を主張した。また，天皇を頂点とする統治システム，学校教育での儒教道徳の応用という日本の実情は，清朝為政者に折衷的で実現可能な近代化像を提示した。

多くの論者は，日本の日清戦争勝利は国民教育に起因するとみなし，その導入にのり出した。官僚や地方有力者が日本で教育視察を行い，様々な雑誌で日本の法令・学術書・教科書が翻訳され，日本留学を提唱した。義和団事件によって弱体化を内外に露呈した清朝政府はついに1901年に「新政」の詔を発し，全国規模の近代的な軍隊，商業，学校教育の実施とその専門官庁や関連法の設置に着手した。初の学制「欽定学堂章程」（1902年公布），「奏定学堂章程」（1904年施行）や，「学部」（文部省に相当）の組織，国家教育方針である「教育宗旨」，各種学校教育の科目編成，教科書等は日本を模倣して設けられた。また，1905年の海外憲政視察を経て，翌年，清朝政府は立憲君主制への移行を宣言し，日本の法学者を清に招聘するなどして，中央・地方の官制や「大清帝国」憲法草案を日本に倣って定めた。もちろん一部に独自の改編が加えられたが，中国における学制，法制の近代化は，西洋諸国を意識しつつも，事実上，日本モデルによって整備されたといえる。

日本に渡る次世代の中国人

中国の近代化において，多くの次世代人材が日本に渡った影響は大きい。1896年に最初の官費留学生が派遣され，日本側の留学生誘致もあり，両国の正式な留学事業が開始した。「新政」で科挙廃止と学校教育が明言されると，近代的知識を備えた官吏と教師の育成が急務となり，清朝政府は，官費留学以外に地方官庁による派遣や私費留学も推奨し，渡航や就学資格を規制しなかったため，多くの私費留学生が日本へ渡り，多数派を占めた。1904年，帰国留学生が試験「廷試」を受け，修学と試験の成績に応じて科挙合格者である「挙人」「進士」等の身分を授与される規程が出され，留学は科挙に代わる立身出世の手段となり，1900年まで100人程度であった日本留学生数は，科挙廃止の1905年には8000人を超えたといわれる。

当初の日本留学は，予備学校で数か月間日本語などを学んだ後，専門学校等の留学生クラスで普通学または通訳を介して専門学を学習し，1，2年で卒業する速成教育が主流だった。しかし1906年以降，教育の質向上のために，清国政府は留学生派遣資格や留学先の教育機関に制限を設け，高等教育の定員を確保し，速成教育を廃止した。これにより留学生の数は減少したが，それでも毎年5000人から3000人が日本で学んだ。日本での留学先は，東京に集中し，私立大学が大きな受け皿となり，法政・師範・軍事・工業を専門とする者が多かった（表1）。法政科や鉄道学校の需要は高く，清国側の担当者からの要請を受けて設立された。特に法政専攻は，1906年以降清国内の憲政準備に呼応し，留学生数や「廷試」合格者数において突出していた。日本留学生は帰国後，特に地方において，官庁，議会，学校，新軍等の新設機関に任用された者が少なくなかった。

このように母数の多い日本留学生は層をなし，清朝政府およびその要請を受けた日本政府から，反体制となることを警戒された。戊戌変法の失敗後日本に亡命していた康有為，梁啓超（りょうけいちょう）（1873～1929）の影響を受けた留学生が翻訳・出版活動の傍らで政治化してゆき，清朝打倒を明言する民族主義者の孫文（1866～1925）や章炳麟（しょうへいりん）も日本に亡命し，同志を得ていた。特に，日本の思想家が咀嚼（そしゃく）した西洋思想に基づいた梁啓超の論説は影響力を持った。近代の政治や社会を語るため，出版物には和製漢語が多用され，

国立（文部省直轄学校）		私立（専門学校）※東京のみ		私立（予備学校）※東京のみ	
学校名	学生数	学校名	学生数	学校名	学生数
東京高等工業学校	73	法政大学	1125	宏文学院	911
東京高等師範学校	44	早稲田大学	820	経緯学堂	541
東京高等商業学校	41	明治大学	454	東斌学校	321
東京帝国大学	35	東京警監学校	213	振武学校	286
第一高等学校	31	東亜鉄道学校	165	東亜同文書院	145
大阪高等工業学校	23	岩倉鉄道学校	153	成城学校	110
札幌農科大学	19	日本大学	109	研数学館	89
千葉医薬専門学校	18	中央大学	104	実践女学校	47
東京外語学校	15	日本体育会体操学校	80	正則予備校	25
第三高等学校	13	東京鉄道学校	64	正則英語学校	24

表1　中国人留学生在籍者の多い学校上位10校（1907年12月）　阿部洋『対支文化事業の研究』（汲古書院，2004）p.35をもとに作成。

中国語の中に浸透し，厳復ら早期の英米留学生による訳語を凌駕した。

留学生は当初，省等の地方単位で同郷会を結成し，会誌を発行し，海を越えて郷里の政治や教育に寄与すべく活動していたが，日本での「支那亡国記念会」(1902)，「拒露運動」(1903)，「清国留学生取締規則反対運動」(1905) などの集会やボイコット運動を通じて，地方団体が結集し「国」を掲げた抗議行動が登場した。さらに，今後の中国の政治改革をめぐり，立憲派の機関誌『新民叢報』と革命派の『民報』との間で論争が展開されたように，日本，特に東京は，清朝と一定の距離を置き，中国の様々な地方や主張を包括するリトル・チャイナを体現する拠点となった。

日本人との関わり

この時期の日中間の人的往来では，日本人側の積極的な関与や移動があった。戊戌変法の前後，日本参謀本部の宇都宮太郎，福島安正，貴族院議長の近衛篤麿，駐清公使の矢野文雄等が，清朝高官との会談で，日本への留学生派遣を勧誘した。福島や近衛は，実際に中国人留学生受入校を創立した。そこには，中国の教育近代化に日本が協力することで「支那保全」を実現し，三国干渉後のアジア情勢を日中提携により打開しようとする日本側の思惑と，アジアにおける教育を主導することで人材・資源・外交等にも影響力を持つ期待があった。

なお清朝の急務に合わせ，速成教育を推奨したのは，文部大臣菊池大麓や帝国教育会会長辻新次ら日本の教育関係者の提言によるところが大きい。ただし，留学生教育の現場を担当した東京高等師範学校校長嘉納治五郎(1860～1938) は，長期的教育・研究を主張し，自身が運営する宏文学院の授業や卒業後の進路に東京高師を関連させ，留学生の師範教育に注力した。宏文学院教員であった松本亀次郎は，魯迅，秋瑾，周恩来らの教育に携わり，長年にわたり日本語教育と日中友好に取り組んだことから，現在でも中国で尊敬されている。一方，中国大陸でも，日清戦争後，日本人によって創立された南京の同文書院，北京の東文学社などの学校や，開明的な中国人官僚に招聘された数百人規模の「お雇い日本人」教習や顧問が，近代教育に携わった。

民間交流では，政治運動で国を追われた康有為，梁啓超，孫文らを援助した日本人がいた。かつて自由民権運動や士族反乱に共感し，明治維新後の欧化主義に反感を持ち，アジアの連帯を志向した所謂「大陸浪人」である。彼らは自らアジア諸国を往来し現地情報に精通し，革命運動への資金・武器の提供や，亡命者の生活の世話を行った。

孫文の革命構想に共感した宮崎滔天（1871～1922）は，衆議院議員犬養毅らとの間を取り持ち，山田良政，頭山満，内田良平，平山周らとともに孫文の日本や広東での革命活動に参与した。宮崎や山田，平山らは戊戌変法に失敗した康有為，梁啓超の日本亡命も助け，孫文と彼らの合作を画策している。宮崎著「三十三年の夢」（1902）は中国語に抄訳され，革命家孫文の名を華僑・留学生や中国本土の知識人に広めた。孫文は興中会の拠点を日本に移し，広東同郷の華僑馮自由，湖南出身で影響力を持つ黄興ら日本留学生の協力を得て，1905 年 8 月，東京で結成された中国同盟会の総理に就任する。同会は清の 17 省全てから加入者数百人を集め，既存の有力革命団体の合流を斡旋した宮崎，内田，末永節も加入した。犬養の友人坂本金彌邸で同盟会が結成され，機関誌『民報』は宮崎邸を発行所とし，ここに孫文らの革命思想発信の拠点が形成された。

その後孫文は日本を離れ，中国同盟会は分裂した。ところが 1911 年 10 月，武昌での偶発的決起が辛亥革命に発展する。決起を拡大させたのは，新政により各地に誕生した新軍，地方議会議員，また陳其美・黄興ら個々の革命勢力である。主導者の多くは，もと日本留学生や，地方で商工業等の近代化を推進し中央の施策に不満を抱く各地の名士であった。この時孫文はアメリカにおり，朝刊で革命勃発を知って驚いたという。12 月 25 日，黄興に招かれ欧米外遊から帰国すると，孫文はその知名度により中華民国初代臨時大総統に選出された。中国北部を支配する袁世凱ら清朝勢力との妥協により，わずか 2 か月で孫は大総統の座を袁に譲るが，代わりに清朝皇帝退位と「共和国」誕生を実現させたのは，中国歴史上の大転換であった。その後，中華民国期には幾度となく帝政復活が試みられるものの，そのたびに大規模な反対運動が起き，鎮圧されることになる。

辛亥革命に際し，宮崎，萱野長知，北一輝らは中国へ渡り革命活動に参

図1　香港に戻った孫文と同志たち　1911年12月（愛知大学東亜同文書院大学記念センター蔵）　前列左からホーマー・リー，山田純三郎，胡漢民，孫文，陳少白，何天炯。後列左から6人目は宮崎滔天。

加した。孫文らは彼らを通じて日本に軍事支援を要請したが，日本政府および財界は，列強と同様に，既得権益のある中国政局の安定を求め，清朝維持の態度を取った。一方，大陸浪人や日本の政界・軍界の一部は，袁世凱支援に転じ中国国内の調停に乗り出したイギリスや，革命の「満蒙」への波及を警戒し，列強に対する自主外交確立や中国における国権拡張の布石等の思惑から，南方の革命勢力を支援した。中華民国が成立すると，アジア初の共和国の誕生は，自由民権運動失敗や藩閥政治への不満を抱える日本の世論を刺激した。

1912年1月，南京に中華民国臨時政府が成立すると，犬養らが訪問し，内田，寺尾亨，副島義一ら日本人が法制・外交・財政等の顧問に招聘され，中国政治への日本の関与は継続した。明治日本を通じた近代的知識と人脈の広がりは，清朝維持による立憲君主国家に投資した清朝や日本政府の思惑を外れ，日・中の様々な「共和の夢」を反映した新国家誕生に結実した。

■参考文献

王柯編『辛亥革命と日本』藤原書店，2011
川島真『シリーズ中国近現代史2　近代国家への模索：1894-1925』岩波新書，2010
深町英夫『孫文―近代化の岐路』岩波新書，2016
保阪正康『孫文の辛亥革命を助けた日本人』ちくま文庫，2011年第2刷
山室信一『思想課題としてのアジア　基軸・連鎖・投企』岩波書店，2001

モダンガール(New Women)現象

小浜 正子

両大戦間期の世界各地の都市には「モダンガール」などと呼ばれたスタイリッシュな若い女性が現れて一世を風靡(ふうび)した。彼女たちは，社会の近代化に伴ってジェンダー規範が変化する中で出現した「新しい女性」のひとつのタイプだが，とりわけこの時期の大衆消費社会の発展の中で，化粧品や奢侈(しゃし)品などの消費主体として作り上げられたイメージを体現していた。「モダンガール」に向けられた視線から読み解くことができる，当時の世界各地の，女性と男性をつなぐ政治とはどんなものであり，そうした女性たちの存在は，どのような社会構造とジェンダー秩序の中から生まれてきたのだろうか。

欧米における「新しい女」の出現

イギリスでは，19世紀末に女性参政権を求める第一次フェミニズム運動の活動家が現れたが，彼女たちのように，従順な妻や娘であれという女性像に反旗を翻した者は「新しい女（the New Woman)」と呼ばれた。アメリカでそう呼ばれたのは，南北戦争後に現れた，大学を出て専門職に就く女性である。欧米では，近代市民社会が成立する中で「夫は公領域で仕事をし，妻は私領域たる家庭を守る」という「近代家族」モデルが性別役割の理念型となり，性別を理由として女性が政治などの公領域から排除されるようになったのだが（それ以前は身分を理由に多くの男性と女性が政治などから排除されていた)，そうしたジェンダー規範の成立とともに，それに対抗する女性が各地で出現したのだ。

一方，ドイツでは，第一次世界大戦後，ワイマル共和国期の首都ベルリンで，タイピストやデパートの店員などとして働く若い独身女性たちが，「新しい女（die Neue Frau）」と呼ばれた。彼女たちは男性に依存しないで自立し，ダンスホールや映画館で遊び，煙草をくゆらし，気に入った相手と恋愛する，解放された女性としてイメージされた。その頃発達しつつあった映画やラジオ，また新聞や雑誌などのマスメディアは，挑発的なメイクやファッションの女性のポートレート，そのアイテムである化粧品や奢侈品の広告などを載せてこうしたイメージを流布させた。メディアによって「モダンガール」のイメージは大都会のベルリンから地方へ，またパリやニューヨークから東京，上海，ボンベイなどへと世界の各地へ広がった。情報社会の到来にともなって，「新しい女性」のイメージが世界各地へ拡散したのである。「若さ」が女性の最重要な価値であるといった見方も，どうやらこの頃に芽生えてきたらしい。そうした若さをアピールするためのファッションやコスメなどのグッズが人々を引き付けるようにもなった。

東京の「新しい女」「モダンガール」と「良妻賢母」

日本では，イプセンの『人形の家』が1911年に坪内逍遥（しょうよう）らの文芸協会によって帝国劇場で上演され，家を出た主人公のノラが「新しい女」のイメージを体現して，主演の松井須磨子の人気とともに大きな話題となった。同年，青鞜社による月刊誌『青鞜』が創刊されて，平塚らいてうが「元始，女性は太陽であった」と宣言し，与謝野晶子は「山の動く日来る」で始まる巻頭詩（史料1）を詠んで一人称で書く女として言挙げし，新しい女性の時代の到来を予感させた。同誌には，長沼智恵子（後の高村智恵子），伊藤野枝，神近市子らが寄稿して活躍し，彼女たちは「新しい女」としてマスコミでも紹介された。こうして大正初期の日本では「新しい女」がブームとなった。（なお，『青鞜』の名は，18世紀イギリスの初期の女権主張者たちがブルーストッキングと呼ばれたことにちなんでいる。）

第一次世界大戦が終わり，関東大震災後の東京には，断髪，クローシェ帽に洋装の若い女性たちが忽然として現れ，「モダンガール」と呼ばれた。「モガ」とも略称された彼女たちは，「モボ」と呼ばれたモダンボーイと対になって，パーマやシガレットやセクシーなファッションで一世を風靡した。「モダンガール」は，実態というよりは，そのイメージが広告やポスター，写真，

そぞろごと　　与謝野晶子

山の動く日来(きた)る。
かく云えども人われを信ぜじ。
山は姑(しばら)く眠りしのみ。
その昔に於て
山は皆火に燃えて動きしものを。
されど、そは信ぜずともよし。
人よ、ああ、唯これを信ぜよ。
すべて眠りし女(おなご)今ぞ目覚めて動くなる。

一人称(いちにんしょう)にてのみ物書かばや。
われは女(おなご)ぞ。
一人称にてのみ物書かばや。
われは、われは。

史料1　与謝野晶子「そぞろごと」(『青踏』創刊号，1911年)

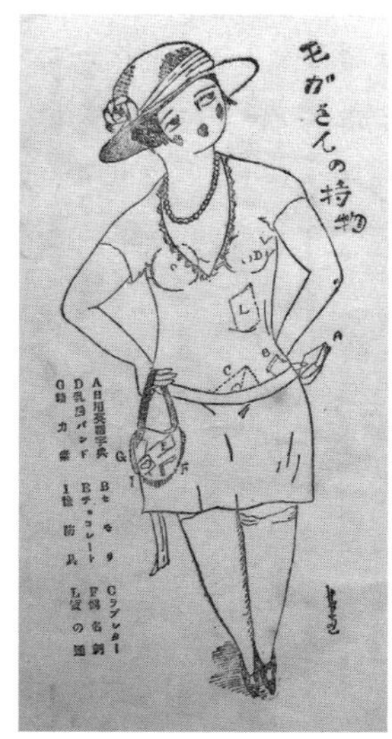

図1　小林きよし「モガさんの持物」(『漫文漫画　豚の臍』1928年)

漫画，小説，挿絵などのメディアに露出した，人々の好奇や揶揄(やゆ)，憧れ，反発などの対象であり，ぜいたくさやセクシャルな要素が特徴となっている。モダンガールの登場する商品広告は，工業製品である石鹸で身体を洗い，化粧品を使い，流行のファッションを追いかけ，セクシーなしぐさで恋愛遊戯にふけるといった，新しい日常生活の過ごし方に多くの男女をいざなった。それは，貞潔でつつましく家庭を守る女性像を理想とする人々の眉を顰(ひそ)めさせたが，近代的な商品を購入して使用するモダンな生活様式に多くの男女を目覚めさせることは，そうした商品を売ろうとする企業のめざすところであった。まさに「モダンガール」は大衆消費社会の求める消費市場のアイコンだったのだ（たとえば，資生堂のポスター！）。

富国強兵路線を進んだ明治時代の日本では，あるべき女性としての「良妻賢母」像が創られたが，それは伝統的な儒教教義の中にはない，国家の臣民である男性を家で支えることを期待される，いわば二流の臣民として女性の役割を期待するものだった。第一次世界大戦後には，より合理的思考を備え積極的に活動するバージョンアップされた良妻賢母規範が打ち出され，近代的女子教育機関として整備されつつあった女学校は，こうした新良妻賢母を育成することを目標としていた。公的空間で自身の思考を持った普遍的近代人たらんとした「新しい女」と，性的対象として自らを表出する「モダンガール」は，公的世界で活躍する男性を私空間で支える「良妻賢母」のネガであったといえる。三者は互いに対立していたが，みな確立しつつある近代国家と発展しつつある資本主義が生んだ modern な女性の表象であった。良妻賢母像は，中国・朝鮮・台湾など東アジア各地で模倣され，賢妻良母，賢母良妻などのバリエーションができた。そのネガたるモダンガールも，ローカルな状況に規定されながらも共通の要素を備えたものが，各地に現れる。

チャイナドレスを着る上海の摩登女郎（モダンガール）

中国では，辛亥革命で清朝が崩壊して 1912 年にはアジア初の共和国である中華民国が成立した。列強は中国進出の拠点として行政権を持つ租界を作っていたが，最大の租界のあった上海では，1920 年代頃から「新女性」が登場する。彼女たちは，近代的な学校で学び，教員や，作家，ジャーナリスト，女優，弁護士，銀行員，デパートガールなどの近代的な職業を持ち主体的に生きようとする女性で，いまだ識字率の低かった 20 世紀前半の中国では中流以上の恵まれた階層の出身だった。断髪で，纏足（てんそく）していない天足（自然の足）の彼女たちの服装として好まれたのは，日本では一般にチャイナドレスと呼ばれる新式旗袍（チーパオ）だった。清朝の支配者満洲族の衣装だった旧式旗袍が中華民国期の上海で流行を繰り返してスタイルを変化させながらできたチャイナドレスは，伝統社会では忌避された腕や脚を露出するもので，旧式の道徳からの解放を体現していた。近代性を体現するが，同時に洋装ではない民族的な服装でもあるチャイナドレスは，中華民国の女性の礼服にも指定された。1930 年代になると，そうした自立した女性をイメージする「新女性」だけでなく，より享楽的でセクシャルな印象の若い

図2　チャイナドレス姿の上海の有名女優周璇

図3　アメリカのフラッパー女優ルイーズ・ブルックス(1927年)

女性が「摩登女郎（モダンガール）」と呼ばれるようになる。上海の「新女性」と「摩登女郎」への視線には，東京の「新しい女」と「モガ」に似た，保守的な人々からの反発や揶揄を感じるが，上衣下裳の伝統的な服装と洋装だけでなく新たなチャイナドレスというスタイルを生みだしたところに，列強の支配する上海租界での微妙な民族意識を見ることも可能だろう。

図２は，上海モダンを代表して人気のあった歌手・女優である周璇（しゅうせん）のチャイナドレスのポートレートである。西洋的な審美眼にかなう身体に沿った曲線美を際立たせるチャイナドレスがパーマのかかった断髪やハイヒールとよくマッチしており，西洋近代的な視点に受け入れられる民族服として新式旗袍が発達したことがわかる。このイメージは，図３のアメリカの同時代の代表的なフラッパー女優ルイーズ・ブルックスとも大変よく似ている（フラッパー〔flapper〕は奔放で蠱惑（こわく）的な若い女性のことで，モダンガールの変種といってよい）。

以上のように両大戦間期の世界各地では，国境を越えて石鹸や口紅を売ろうとする資本の戦略の下で，それを購買する主体となることを女性に促すマスメディアが発達し，共通したイメージのファッションによって近代性を表現したモダンガールが登場した。それは，私空間における消費主体として女性を形成しようとする近代的なジェンダー秩序に沿うものだったといえる。とはいえ次の戦火が世を覆うようになると，彼女たちの像はどの地域でも見えにくくなっていった。

■参考文献

伊藤るり／坂元ひろ子／タニ・E・バーロウ編『モダンガールと植民地的近代―東アジアにおける帝国・資本・ジェンダー』岩波書店, 2010
謝黎『チャイナドレスの文化史』青弓社, 2011
末次玲子『20世紀中国女性史』青木書店, 2009
田丸理砂『髪を切ってベルリンを駆ける！―ワイマール共和国のモダンガール』フェリス女学院大学Ferris Books17, 2010

アメリカが目指した国際秩序と南部の「人種問題」

ウィルソン大統領の外交と内政

貴堂 嘉之

アメリカの台頭

第一次世界大戦において巨額の戦費を必要としたヨーロッパ諸国に資金提供することで，債務国から債権国へと転化したアメリカ合衆国は，ウィルソン大統領が国際連盟の設立を提唱するなど，戦後の新たな国際秩序の形成において大きな発言力を持つようになった。

アメリカの台頭は国際政治の世界のみならず，経済や文化の面に及んだ。国際金融の中心はロンドンからニューヨークへと移り，マンハッタンには摩天楼がそびえ立った。繁栄の時代を迎えたアメリカには大量生産・大量消費・大衆文化を特徴とする大衆消費社会が出現し，移民たちの規範となるアメリカ的生活様式が形成された。映画やラジオなど新しいマスメディアの発達もあり，アメリカの大衆文化は瞬く間に世界へと広がった。

ウィルソン大統領の目指した国際秩序

「アメリカの世紀」と呼ばれる20世紀の幕開けとなる第一次世界大戦期に，2期8年にわたってアメリカ大統領を務めたのはウッドロー・ウィルソンである（任期1913～1921）。ウィルソンといえば，1918年1月に発表した「十四か条の平和原則」で，秘密外交の廃止，植民地問題の公正な調整，国際平和機構の創設（国際連盟）などを提唱した，革新的な思想家・政治家として理解されてきた。しかし，現在，この政治家の評価は大きく揺れている。2020年の5月，黒人男性ジョージ・フロイドさんが白人警官に殺害された後，ブラック・ライヴズ・マター運動（以後BLM運動）が全米に広がる中，翌6月にプリンストン大学は公共政策大学院の名称からウッドロー・ウィルソンの名前を削除した。BLM運動の反人種差別闘争では，過去に英雄視されてきた人物の人種差別的な側面に対し批判的な考察が加えられ，アメリカ史を根本的に再考しようとする動きが生まれた。プリンストン大学での騒動は，ウィルソンが学長任期中に，「白人以外の志願者を入学させない」などレイシスト的な大学運営をしていたことが問題視されたためで，「この事実を無視してウィルソンを称えることは，プリンストン大学が人種差別的なアメリカ社会の継続に加担」することになってしまうとの反省から，名前の削除が断行された。

第一次世界大戦は，最初の世界戦争であり，戦火の拡大と長期化により，各国が国家を挙げた総力戦となった。新たな大量殺戮（さつりく）兵器の登場により甚大な犠牲を払うこととなり，勢力均衡や同盟を軸とする従来のヨーロッパ国際政治が，集団安全保障の理念へと転換していくなど，現代への起点となるさまざまな世界史的意義を持っている。ウィルソン大統領は大戦勃発に際して，モンロー教書以来のアメリカの孤立主義の伝統を守ることを公約としていたため，中立を表明した。だが，ウィルソンはドイツの無制限潜水艦作戦の再開を受けて，戦争を「平和と民主主義，人間の権利を守る戦い」「諸民族を解放する戦争」「すべての戦争を終わらせるための戦争」と意義づけ，ドイツに対して1917年4月に宣戦布告した。そして，翌年1月に示されたのが「十四か条の平和原則」であった。

南部人としてのウィルソン，隠されたレイシズム

レーニンが提案した「平和に関する布告」（1917年11月）に対抗して出されたといわれるウィルソンの「十四か条の平和原則」は，その後の「リベラルな国際秩序」形成の礎になったとされ，ウィルソン外交の影響は第一次世界大戦後の世界，冷戦期を経て冷戦終焉に至るまで及ぶとされる。

だが，現代のリベラルな国際秩序へと連なるウィルソン外交の思想的特質を，大統領の人物像や内政での取り組みに焦点をあてて照射すると，別の姿が浮かび上がってくる。BLM運動があらためて問うたのは，この世界がいまだに内包している植民地主義であり，制度的なレイシズムであった。「20世紀の問題とは，カラーライン（肌の色の境界線）の問題」（1900）であ

ると喝破したのはW.E.B.デュボイス（1868～1963）であるが，彼は『黒人のたましい』（1903）において，白人が人為的に作り出したカラーラインにより世界が分断され，その肉眼では見えにくい「ヴェール」によって黒人たちの生が閉じ込められ，声が奪われていると主張した。この帝国の「ヴェール」とウィルソンの国際秩序構想が関係しているとしたらどうだろうか。

ウィルソンとはどのような政治家だったのか。合衆国の国内政治史の文脈では，彼は久方ぶりの南部出身者で，かつ南部民主党が選出した最初の大統領候補であった。当時の南部の人種隔離社会を支持し，クー・クラックス・クラン（以後KKK）の騎士道を信じる生粋の南部人であったのだ。

奴隷解放を達成した共和党は，南北戦争後の再建期に人種平等の政治を進めたが，再建期の終焉とともにその思潮は後退し，南部には人種隔離社会が形成され，南部の立場を正当化する「失われた大義」論が現れた。すると，60万人以上の戦死者を出した怨嗟（えんさ）により分断されていた南北間の深い溝は，退役軍人が和解の架け橋となることで埋められていき，1913年に開催されたゲティスバーグの戦い50周年の記念式典では，和解のセレモニーが大々的に執り行われた。式典でウィルソン大統領は，南軍・北軍の兵士は「もはや敵ではなく，兄弟であり，寛大な友人」であり，記憶される

図1　ゲティスバーグの戦い50周年式典での南北退役軍人の和解（1913年，アメリカ議会図書館蔵）

べきは「兵士たちのすばらしい勇気と男らしい献身」であると演説した。こうして，南北戦争の歴史的意義から奴隷解放がかき消され，「人種問題」はヴェールに完全に隠されてしまった。このジム・クロウ体制が確立する20世紀転換期以降に，南部諸州では南軍旗をデザインに取り入れた新しい州旗が採用され，南部連合関連の記念碑や彫像（ロバート・リー将軍など）の設置ブームが到来したのである。BLM運動でレイシズムのシンボルとして撤去運動が展開されたのは，まさにこのときに設置されたモニュメント群である。

また，南部出身のD.W.グリフィス監督（1875～1948）が映画『国民の創生』（1915）を製作し，南北戦争を白人同士の兄弟げんかに読み替えたのも，同時代であった。グリフィスは，KKKによる騎士道的制裁の物語として，南北戦争と再建期を描き直し，合衆国が白人共和国として新たに「創生」されたという建国神話を圧倒的な映像の力で広めた。映画の原作『クランズマン』の著者トマス・ディクソン・Jr.（1864～1946）はウィルソンの同

図2　ロバート・リー将軍の彫像（ヴァージニア州リッチモンド，2020年）　BLM運動の最中で，落書きで埋め尽くされている。／Alamy

級生であり，この作品の上映会をウィルソンはホワイトハウスで行った。この映画をきっかけに，解散していたKKKは復活し，第二次KKKとして数百万の会員を集めていく。

南部人ウィルソンのこうした人種主義的な国内政治の姿を知ると，「十四か条の平和原則」で高邁（こうまい）な理想を掲げた外交理念とは矛盾するように感じるだろう。だが，むしろこの両者には冷徹なレイシズムという一貫した共通項があったのではないか。結局，ウィルソンの国際連盟構想や民族自決原則に解放の夢を見た非白人の人々は早々に裏切られ，パリ講和会議では人種差別の克服や植民地解体について本格的な討議すらなされなかった。パリ講和会議では，有色人種の声を戦勝国として唯一代弁できる立場にあった日本が，国際連盟憲章のなかに人種差別撤廃条項を明文化すべきとの提案を行った。

だが，この提案は，イギリス，オーストラリア，アメリカから賛同を得られず，葬りさられた。植民地支配の根幹をなす人種ヒエラルキーの解体を伴うこの提案を，イギリスが受け入れるはずはなかったし，国内に人種隔離社会を抱えるアメリカもまた同様であった。こうして，大国の高邁な理念のヴェールに隠れて，欧米列強のレイシズムや植民地主義は不可視化され，国内外のマイノリティの声は封じられていった。

その後，せっかく設立された国際連盟には，当のアメリカが参加しないという皮肉が待っていた。「旧世界」ヨーロッパの政治外交を否定し，「新世界」アメリカ主導での平和構築をウィルソンは夢見たが，米連邦上院の議員たちは連盟に加わることで，アメリカが海外の戦争に際限なく巻きこまれることを危惧して，連盟加盟に強硬に反対した。アメリカが，自由主義世界の盟主として，国際政治に積極的に関与し，より強力な集団安全保障体制を備えた国際連合へと加盟するのは，第二次世界大戦後のことである。

アメリカ台頭後のウィルソン外交とその後の「リベラルな国際秩序」の特質とは何であったのか。アメリカ外交を彩る伝統的な孤立主義も，ウィルソン外交も，冷戦期以降の国際紛争への「世界の警察官」としての積極介入も，外交史の文脈ではすべてが「アメリカは世界史において特別の使命を背負った例外的な国家である」との考え（例外主義）に貫かれているとされる。トランプ大統領はこの例外主義を放棄することを言明し，公然と「アメリカ・ファースト」を唱えて国益を追求した。ロシアによるウクライナ侵攻により「リベラルな国際秩序」が混乱する中，「例外国家」として振る舞ってきたアメリカ外交がウィルソン主義の亡霊に再び取り憑かれて元の姿に戻ることも考えにくい。BLM運動が問うた歴史的視座にたって国内政治と国際秩序の連関とその問題点を再考し，今こそ若者たちの未来像に耳を傾けてみるべきときなのではないか。

■参考文献

荒木和華子・福本圭介編『帝国のヴェール―人種・ジェンダー・ポストコロニアルから解く世界』明石書店，2021

貴堂嘉之『シリーズ　アメリカ合衆国史2　南北戦争の時代』岩波新書，2019

長沼秀世『世界史リブレット人74　ウィルソン―国際連盟の提唱者』山川出版社，2013

中野耕太郎『戦争のるつぼ―第一次世界大戦とアメリカニズム』人文書院，2013

中野耕太郎『シリーズ　アメリカ合衆国史3　20世紀アメリカの夢―世紀転換期から1970年代』岩波新書，2019

関東大震災の朝鮮人虐殺

渡辺 延志

関東地方を激しい揺れが襲ったのは1923年9月1日，正午の2分前のことであった。震源は相模湾（さがみ），規模はマグニチュード7.9だったとされる。関東大震災である。昼食の準備の時間帯でもあり，数多くの火災が発生し燃え広がり被害を大きくした。死者の総数は約10万5000人と推計されている。

「虐殺」をめぐり絶えない論争

未曽有（みぞう）の混乱の中，多くの朝鮮人が殺されたが，その歴史をめぐっては100年を経た今日も論争が絶えない。

図1　自警団（在日韓人歴史資料館蔵）　震災直後の様子を伝える画集の中の一枚。自警団の夜警の姿を伝えるが，腰に日本刀をさすなど武器を携えている。

東京では都立公園内にある「朝鮮人犠牲者追悼碑」の前で行われる追悼式への都知事の追悼文が2017年から途絶えた。碑に刻まれている「あやまった策動と流言蜚語のため六千余名にのぼる朝鮮人が尊い生命を奪われました」との文言が「事実に反する」と都議会で問題視されたのが契機となった。

横浜市における中学生の社会科副読本をめぐる問題は，論点をよく示している。

「デマを信じた軍隊や警察，在郷軍人会や青年会を母体として組織された自警団などは朝鮮人に対する迫害と虐殺を行い，中国人をも殺害した。横浜でも，異常な緊張状態のもとで，朝鮮人や中国人が虐殺される事件が起きた」との副読本の記述が取り上げられたのは2012年の市議会でのことで，「虐殺という表現は例えばナチの大量虐殺とかポル・ポトの大量虐殺とか，そう使う表現ですよ。関東大震災後の世間で使われる表現ではない」と1人の市議が主張した。

市教育長は「虐殺という言葉は非常に強い。一定の主観の入った言葉だ」と答弁し，生徒に配布していた副読本をすべて回収したうえで溶解処分し，関係した職員を「文書による上司の決裁を受けなかった」という理由で懲戒処分にした。

市民や研究者らが反対の活動をおこしたが，翌年に刊行された改訂版では，「虐殺」は「殺害」に変わり，軍隊や警察の関与への言及は姿を消した。さらに副読本を廃止するべきだとの主張が登場し，2017年には英語の教材を兼ねたパンフレット状の冊子に姿を変えた。

「虐殺はなかった」「殺された朝鮮人はいたが犯罪者で，日本人の正当防衛だった」「虐殺の原因となった流言はデマではなかった」といった主張は以前からあったが，東京や横浜の事例が示すように，議会や教育の現場などの公的な領域にまで力を及ぼすようになっているのが近年の特徴である。

虐殺はあったのか，なかったのか。この点については指標となる見解がある。内閣府中央防災会議の「災害教訓の継承に関する専門調査会」が2008年にまとめた関東大震災についての報告書で，「武器を持った多数者が非武装の少数者に暴行を加えたあげくに殺害する虐殺という表現が妥当とする例が多かった」と指摘し，犠牲者の数については「総数の１～数％」との見解を示している。確かな人数は知りようがないが，千人単位の朝鮮人が殺されたと認定している。

この報告書が主たる根拠としたのは，警察を所管する内務大臣だった後藤新平が残した公文書で，被災地で発生した犯罪についての詳細な調査のまとめが含まれ，朝鮮人の犯行と特定できる放火や殺人はなかったことも示している。

「否定論」の主たる論拠は当時の新聞

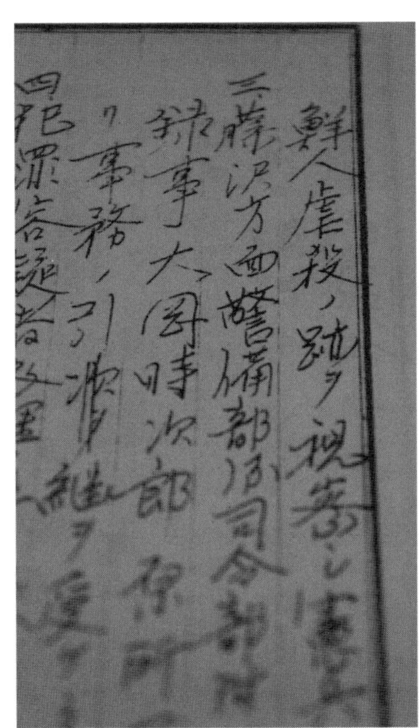
鮮人虐殺ノ跡ヲ視察シ

図2　「虐殺」と記した公文書（横浜市中央図書館蔵）「鮮人虐殺ノ跡ヲ視察」と記された「神奈川方面警備部隊法務部日誌」。戒厳令で派遣された陸軍部隊で司法業務を担った組織の業務日誌。「虐殺」の文字が使われている。

一方「虐殺否定論」が論拠としているのは震災当初の新聞記事であり，東京以北の新聞が目につく。震災により東京の新聞は機能を失っていた。東京から西へ向かっては交通も通信も途絶し，大阪，名古屋などの新聞は断片的な情報にとどまっていた。

それに対して，東京から北の地域の新聞は被災地の情況を詳細に報じていた。仙台市に本社を置く河北新報は，９月３日の夕刊で「四百名の不逞(ふてい)鮮人　遂に軍隊と衝突　東京方面へ隊を組んで進行中　麻布連隊救援に向ふ」と報じ，翌４日の朝刊は「約三千人の不逞鮮人　大森方面より東京へ」と伝えている。

東北線などの鉄道がすぐに復旧し，東京を逃れようとする人々を北へと運んだ。仙台に到着した避難民

夕刊 河北新報

九月三日

掠奪の東京
焼けたゞれた屍体、白骨
池に浮ぶ血みどろの屍体

危機に陥つた東京
銃殺された不逞鮮人
既に數百に及ぶ

四百名の不逞鮮人
遂に軍隊と衝突
東京方面へ隊を組んで進行中
麻布聯隊救援に向ふ

二日午後五時大森方面へ三名の不逞鮮人現はれ横濱方面より隊伍を組み東京方面へ向つて過進し來たり遂に歩兵一個小隊と衝突し彼我に一の戰鬪行はれたるが一個小隊にては敵し難く全滅の恐れあるを以て大森方面警戒中の麻布聯隊に急を告げたるより右の報に接して歩兵一中隊は自動車に搭乗して同方面に向つたその後の行動は詳かならず尚ほ不逞鮮人は四百名と稱して居る

不逞鮮人六名銃殺
二日夜東京驛にて
水戸聯隊川口町に急行す

昨夜六時頃東京驛前に於て六人の不逞鮮人は銃殺せられたり尚ほ鮮人の多くは爆彈を携帶せる模様なり

二箇聯隊
東京へ急行

宇都宮にも
不逞鮮人
數百名入込む

赤羽鐵道復舊
本日中に開通の見込

荒川鐵橋
復舊工事

數十臺の
自動車で
食糧品運搬

鈴木旅團長
憲兵隊長訪問

東京上野驛
燒失を免る

客車で假事務
仙鐵出張所

今後大地震の
來襲なし

小山町
死傷四千

第二師團
の出動は未だ
決定して居ない

山本內閣
昨日午後
親任式

任內閣總理大臣
任內務大臣
任大藏大臣
任陸軍大臣
任海軍大臣
任司法大臣
任文部大臣
任農商務大臣
任遞信大臣
任鐵道大臣

御所在
閑院宮、山階宮
軍隊出動

図3　河北新報　1923年9月3日の夕刊。「不逞鮮人」の集団が陸軍の部隊と衝突したと報じている。東京の流言が伝わると，疑うことなく仙台でも信じられていたことを伝えている。

の言葉をもとに記事にしたもので，東京で語られていたことがそのまま記録されていると考えることができる。こうした記事が示すのは，虐殺の原因となった流言の核心は「武器を持った朝鮮人が集団で襲ってくる」ことであったことだ。とかく語られる「井戸に毒を投げ入れた」といった流言は個人的犯罪を想起させるが，被災者を恐怖させた「不逞鮮人」とは数百，数千という規模の集団だったのだ。ところが当時の関東地方の朝鮮人は合わせても1万数千人程度で，それも各地に散在していた。それが交通も通信も途絶した震災の直後に数百人，数千人の集団で襲うなどありえず，流言も記事も事実ではなかった。

だが，そうした新聞記事の存在は荒唐無稽な流言が東京でも仙台でも信憑性をもって受け止められたことを物語っている。それはなぜだったのか。震災により精神異常をきたしたためといった説明がなされてきたが，虐殺は関東地方の広い範囲で，何日も続いていた。そのような精神異常があるものなのだろうか。

失われた朝鮮半島での記憶

長年の根源的な疑問に，研究の進展が新たな手がかりを提示している。

1894年に朝鮮半島であった甲午農民戦争（東学農民戦争）に従軍した兵士の日記が徳島県内で見つかり，北海道大学の井上勝生名誉教授が読み解き2018年に発表した。殺害された朝鮮の農民は3～5万人とされるが，鎮圧した日本軍の部隊の戦死者はたった1人であった。ためらうことなく朝鮮の農民を虐殺した日本兵の凄惨な姿が浮かび上がった。

甲午農民戦争から関東大震災の間に，日本軍が朝鮮で何をしたかを調べると，1910年の韓国併合の前後には，日本の支配に抵抗する義兵と戦っていた。日本軍の記録によれば，殺害した義兵は1万7000人余にのぼる。併合の後，義兵の活動が大陸側に拠点を移すと，日本軍は国境を越えて討伐を繰り返した。1919年に独立を求める三・一独立運動が朝鮮半島全域に広がると，日本政府は軍隊で鎮圧し多くの朝鮮人が犠牲となった。

日本の支配に従わない朝鮮人を「不逞鮮人」と呼び，日本軍がためらいなく殺すことを繰り返していた歴史が見えてくる。1920年にはシベリアの港町ニコラエフスクで，シベリア出兵で派遣された兵士など700人ほどの日本人が殺された。襲撃した赤軍パルチザンには相当数の朝鮮人が加わっており，「不逞鮮人」は恐ろしい敵と認識されるようになっていた。

関東大震災の虐殺の中心となったのは地域の自警団であり，その組織は在郷軍人が核となっていたことはよく知られている。震災の直後に自警団は自然発生的に誕生したとされてきたが，実際は1918年の米騒動を教訓に警察が在郷軍人に呼びかけ準備した「民間警察」であったことも研究により明らかになっている。

在郷軍人とは退役将兵である。その中には「不逞鮮人」との過酷な戦いを体験した朝鮮半島や大陸からの帰還兵を含んでいたという視点から自警団を見つめ直すと，関東大震災の虐殺は，従来の「精神異常」説といったものとはいくらか異なる像を描きだす。虐殺を引き起こした流言とは，かつて戦場で兵士たちを緊張，恐怖させた情報と通底したものである。朝鮮や大陸での経験をもとに，姿の見えない「不逞鮮人」との戦いを日本本土において再現してしまった。関東大震災における朝鮮人虐殺の基本的構図がそこに浮かび上がってくる。

虐殺を否定する今日の日本人の心情の背後には，「日本は法治国家であり，無差別の虐殺などありえない」「東日本大震災でも被災者は整然と行動し，世界から賞賛を浴びた」といった素朴な思いが見え隠れする。日本の一般市民が集団で多数の人間を手当たり次第に殺害するなど，今日の常識からしたら想像しにくい事態である。そもそも日本の近代を振り返っても，他に例を見ない惨劇なのだ。

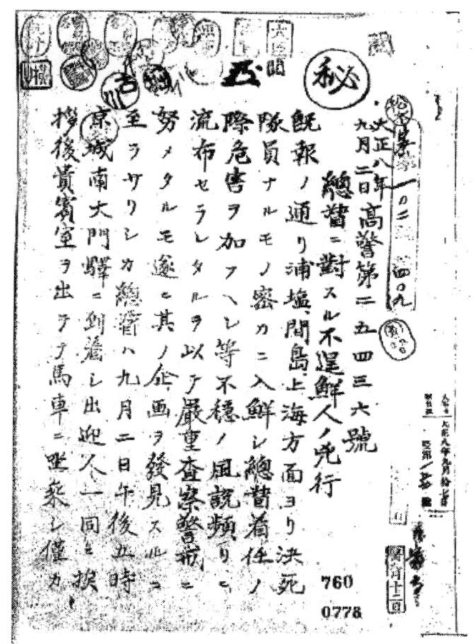
大正八年九月二日　高警第二五四三六號
總督ニ對スル不逞鮮人ノ兇行
既報ノ通リ浦塩，間島，上海方面ヨリ決死隊員ナルモノ密カニ入鮮シ總督着任ノ際危害ヲ加ヘン等不穏ノ風説頻リニ流布セラレタルヲ以テ嚴重査察警戒ニ努メタルモ遂ニ其ノ企画ヲ發見スルニ至ラサリシカ總督ハ九月二日午後五時京城南大門驛ニ到着シ出迎人一同ト挨拶後貴賓室ヲ出テ馬車ニ搭乗シ僅カ

図4　「不逞鮮人」の情報（アジア歴史資料センター蔵）「不逞鮮人」についての警察の内部文書。震災4年前のもので，朝鮮総督に危害を加えようとの企てがあるとの情報があったが，見つけられなかったという報告。

その視野を日本列島の外にまで広げると，類例はいくつも見つかるのだが，そうした歴史は今日の日本人の認識には含まれていない。そもそも甲午農民戦争など，陸軍が編纂した戦史に具体的な記述が見当たらない。記録に残すことなく，記憶として残ることもなかった歴史なのだ。

長年のそうした不作為により失われた記憶を復元し，日本列島の内と外で分断された歴史をつなげて考えなくては，日本近代の歩みが見えてこないことを関東大震災の虐殺をめぐる論争はよく示していると言えるだろう。

■参考文献

井上勝生「東学党討伐隊兵士の従軍日誌」『人文学報』111号，2018

中央防災会議・災害教訓の継承に関する専門調査会『第2期報告書・1923　関東大震災』内閣府ホームページ，2008

渡辺延志『歴史認識　日韓の溝』筑摩書房，2021

渡辺延志『関東大震災「虐殺否定」の真相』筑摩書房，2021

日本人移植民の植民地経験

蘭 信三

東アジア近代とアジア系国際移民の誕生

19世紀半ば以降の東アジアは，清朝を中心とする「華夷秩序」から欧米を中心とする近代世界システムに編入されていく時代だった。海外移民を禁じる海禁政策（鎖国体制）の下にあった東アジアは，イギリスやロシアなどの欧州植民地帝国の東アジア侵出のなか，まず中国が，少し遅れて日本が，その後朝鮮も近代世界システムに編入されていった。そして東アジアは海禁政策から開港・開国へと向かい，東アジアからの国際移民が世界に登場していった。

この時期は，まさに北米・南米や東南アジアでの欧米帝国の植民地的「開発」が推進され，国際労働市場は労働力への需要が高まっていた。他方で，大西洋両岸において「奴隷貿易の禁止」（英1807，米1865，ブラジル1888）が次第に規範化され，従来の労働力供給システムは維持できなくなっていた。そこで，代替労働力探しが急務となり，海峡植民地におけるイギリスの経験から中国人などのアジア系労働力に関心が向けられていった。

東アジア社会は欧州植民地帝国のアジア侵出に伴い混乱していた。たとえば中国の在地社会の経済基盤は破壊され，社会不安や社会変動も相俟（ま）って，18世紀の安定期に増加した人口は相対的過剰人口と化していた。アヘン戦争後の南京条約（1842）を契機として中国人労働者が海峡植民地に非公式に登場し，アロー戦争後の北京条約（1860）によって中国からの海外移民が公式に解禁された。アメリカ合衆国の大陸横断鉄道建設への中国人労働者の投入（1865）に象徴されるように，中国南部から北米や東南アジアの労働市場に向けて中国人契約移民（苦力（クーリー））が送出されていった。その際，西欧の移民ブローカーと連携する中国人移民ブローカーが誕生し，それ以降の中国からの海外移民送出に重要な役割を果たしていった。これが，中国の過剰人口が国際労働力市場に接続されていくグローバルな文脈であった。

図1　大陸横断鉄道の建設と中国人労働者
（アメリカ議会図書館蔵）

しかも，ロシア帝国の東進政策がウラジヴォストク築港（1860），日清戦争後の東清鉄道敷設（1897），旅順・大連という植民地都市の建設（1898）という「開発」を推進していった。その結果，ロシアや東欧の人びとが極東に移動したばかりでなく，東アジアの諸民族が労働者や中小商店主などとして植民地都市に吸い寄せられていった。さらには，日清・日露戦争を経て国民帝国へと急速に変貌する「大日本帝国」の膨張による植民地の拡大と「開発」に伴い，特に中国東北をめぐって中国人，日本人，そして朝鮮人の大移動が促進された。

近代日本をめぐる移植民の動向

近代日本からの海外や勢力圏への移植民送出の根底には「人口爆発」があった。1872年時人口3500万人，1936年時には倍の7000万人，1970年に3倍の1億人を超えるという急速な人口増加が近代日本の人口学的特徴だった。このような人口急増に産業や都市の成長が追いつかず，それは相対的過剰人口となり，その解決策のひとつとして北海道，さらには海外や勢力圏へと過剰人口を送出する「海外発展」政策とその思潮が形成されていった。

紡績女工の出稼ぎが始まる頃の1886年に農民や都市雑業層の男性を中心とする契約労働者がサトウキビ農園やコーヒー農園での労働力不足を補充するためにハワイへ，ついで北米へと送出された。だが1907年のカリ

図2　南米移民を促すポスター
（国立国会図書館「ブラジル移民の100年」）

フォルニア州やカナダのブリティッシュ・コロンビア州での日系移民排斥運動が，最終的には1924年の排日移民法が立ちはだかり，日本人移民は北米労働市場から排斥されていった。その結果，過剰人口の海外への流れは，1908年のブラジル政府との協定により，奴隷労働力の廃止やヨーロッパ移民の減少によって労働力不足に悩むブラジルへと通路づけられ，太平洋戦争が本格化する1942年までに24万人が送出された。

50年に及ぶ南北のアメリカ大陸への国際移民は総計で62万人，他方で西欧植民地帝国による「開発」に伴う東アジアや東南アジアへの出稼ぎ移民も14万人に達し，総計で76万人の海外移民が送出された。国内の過剰人口を国際労働力市場に結びつけたのはハワイ政府と日本政府の2国間協定を皮切りとする政府間協定であったが，官約移民終了後は多数派生した民間移民斡旋（あっせん）会社，1918年以降は海外興業株式会社が海外移民送出の推進機関となり，信濃海外協会や熊本海外協会といった各府県の海外協会が人びとを海外移民へと仲介する役割を担っていた。

このような国際移民の送出と同時期に，あるいはそれと深く関連しながら，日清・日露戦争後の「帝国の膨張」に伴って台湾，朝鮮，樺太，南洋群島そして満洲等という植民地や勢力圏（外地）への日本人の移動（植民）が急増していった。そしてこの「帝国の膨張」に伴う人の移動は，日本人の「内地から外地へ」という移動だけではなかった。清やロシアに代わって東アジアで台頭する日本帝国の急速な産業化や都市化，第一次世界大戦を契機とする大戦景気に刺激され，職を求めた植民地の人びと，なかでも朝鮮人が多数内地に流入し，「外地から内地へ」の流れを形成した。さらに，帝国をめぐるもう一つの流れは，朝鮮から満洲への200万人を越える大規模な移動に代表される「外地から外地へ」という移動であった。これら三つの人流が絡み合い，日本帝国をめぐる大規模な人の移動を形成した。南北アメリカ大陸への移民の約5倍に相当する365万人もの日本人の外地への人流と，当時の朝鮮人総人口の15%にあたる440万人もの朝鮮人の内地や満洲への移動がその中核にあった。

日本人の植民地経験

日本帝国の植民地はその地理的文化的近接性と宗主国人口の比率の高さに特徴があった。日本人が大半の樺太や約半数を占める南洋を除いても，1940年前後の関東州（14.5%），台湾（5.3%），朝鮮（2.9%），満洲国（1.9%）と，同時期のアジアにおける英領植民地のインド（0.05%），ビルマ（0.2%），仏領インドシナ（0.12%）という西欧植民地の宗主国人口比率とは比較にならないほど高かった。

しかも，これら植民地の日本人の多くは農村出身者であったが，植民地権益と結びつく植民地官僚，鉄道などインフラ産業や重化学工業などの会社員，都市小売店主などの中小商工業者となるのが主であった。1940年頃の台湾，朝鮮在住日本人の職業構成は，植民地官僚や専門職を示す公務・自由業37.6%，商業・交通業25.5%，工業22.7%とそれらの合計は85.8%であり，当時の内地で44%を占めていた農林水産業は12.8%にすぎなかった。

外地の日本人は植民地統治者として急速に整備された「京城」，台北，大連そして「新京」といった植民地都市に居住し，いわゆる植民地の近代化／産業「開発」の担い手として，社会的に優位な立場を保持していた。そして，内地から離れ，家族は夫婦と子どもからなる夫婦家族としていち早く近代的都会生活を享受し，子どもたちも整備されつつある植民地の中等教育や高等教育への優先的な進学者として，いわば植民地特権を享受していた。

出身階層においても，米大陸への移民が農村の中下層の過剰人口が主であったのに対し，勢力圏への移住者は全階層から送出されていた。とりわけ植民地官僚や満鉄など大企業のホワイトカラー層には帝大卒のエリートも就職しており，あらゆる階層の人びとが帝国の「新天地」を目指す入植者植民地主義 colonial settler であった。この点で，北米や南米に農業労働者として渡航し，主に社会の下層に編入されていった日本人移民や，内地に移動した朝鮮人労働者が「景気の調整弁」であったこととは好対照をなしていた。もちろん，これら高学歴のテクノクラートは一部でしかなかったし，米大陸にも留学生や知識人の移民もいたが，植民地や勢力圏への移住者は，過剰人口問題と国際労働力移動が直接的に結びついた移民というよりも，過剰人口問題を前提としつつも帝国の植民地支配により強く結びついた植民地で階層の上昇移動を目指す典型的な植民であった。

1945 年の第二次世界大戦での日本の敗戦（帝国崩壊）は，外地日本人の存立基盤を根底から覆した。敗戦によって立場が逆転し，職も住宅もすべてを失った。とりわけ「満洲」の日本人は，進駐したソ連軍からの保護を受けられず，17 万人もが死亡するという惨状に喘いだ。婚姻や養子等で現

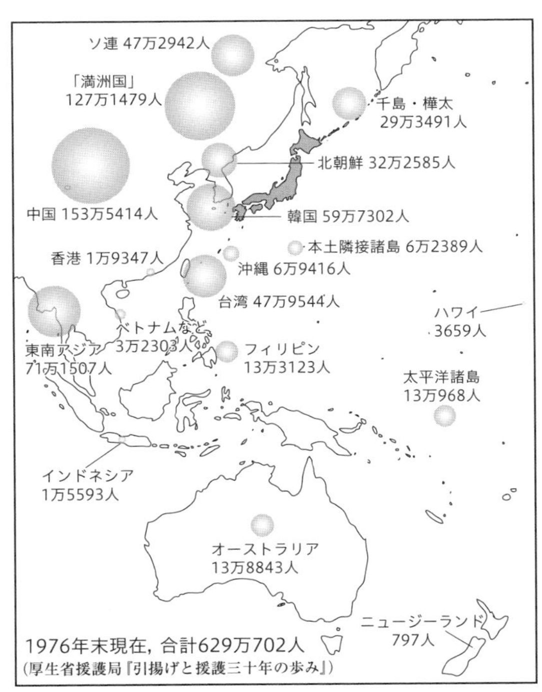

図3　戦後に外地から引揚げた日本人

地社会に編入された推計1万数千人の女性や子ども以外は，命からがら内地に引揚げてきた。他方，比較的平穏だった朝鮮や台湾の居留歴の長い日本人たちは，そこで築いた生活基盤を守るべく，現地国籍を取得してでも残留することを希望した人も少なくなかった。だが，外地日本人の残留は許されなかった。連合国軍は戦後政策の一環で，東中欧のドイツ人と同様に外地日本人を追放する方針をとったし，現地社会もそれを許さなかった。

外地の日本人は内地の出身地などに引揚げ，再起を図った。引揚後は様々に苦労したが，高度成長のなか外地で培った職業経験や社会関係資本を生かして再就職し活躍する人びとも少なくなく，多様なライフコースを歩んだ。さらに，国交正常化や冷戦崩壊を契機に各地に残留した日本人の帰国が始まった。なかでも中国残留日本人とその家族の帰国はナショナリズムに訴え，1980年代90年代に多く帰国し，外地日本人に関する戦後処理は終了したかに見えた。だがいま，子世代の年金問題，孫世代のアイデンティティ問題が注目されている。

1990年以降のグローバル化に伴い，南米日系人という帰還移民の定住化を起点とする多文化共生が社会課題となっている。他方で残留日本人の帰国後の問題に見るように，日本の植民地経験，脱植民地化はいまだ解決されない課題でもある。さらに，在日コリアンへの依然として残る差別や偏見だけでなく，新規の排外主義が絡んでいる現状等々を見るにつけ，それらが19世紀末から20世紀前半の日本をめぐる人の移動の歴史的帰結であることが改めて認識されよう。

■参考文献

東栄一郎（飯島真里子・今野裕子・佐原彩子・佃陽子訳）『帝国のフロンティアをもとめて　日本人の環太平洋移動と入植者植民地主義』名古屋大学出版会, 2022

蘭信三・川喜田敦子・松浦雄介編『引揚・追放・残留　戦後国際民族移動の比較研究』名古屋大学出版会, 2018

木村健二『近代日本の移民と国家・地域社会』御茶の水書房, 2021

山崎哲「中国帰国者アイデンティティは世代を越えるか　三世の語りを中心として」蘭信三・松田利彦・李洪章・原佑介・坂部晶子・八尾祥平編『帝国のはざまを生きる　交錯する国境, 人の移動, アイデンティティ』みずき書林, 2022

Sunil S. Amrith “*Migration and Diaspora in Modern Asia*” Cambridge University Press, 2011

大衆運動としてのナチズム

原田 昌博

「ナチスは選挙で勝利して（合法的に）権力の座についた」――ナチスについて語るとき，しばしば耳にする言葉である。周知のとおり，1920 年代には泡沫政党に過ぎなかったナチス（ナチ党）は世界恐慌下の国会選挙で躍進し，政権を獲得した。1932 年 7 月 31 日の国会選挙での得票率 37.4%は「3 分の 1 の壁」といわれた得票の限界を突破した数字であり，ナチスが広範な人びとを惹きつけたことを示していた。

ナチズム運動と「合法路線」

1923 年 11 月の「ミュンヘン一揆」までのナチス（初期ナチ党）は議会選挙に参加しておらず，政党というよりもバイエルン地方の極右武装セクトであった。しかし，1925 年 2 月 27 日にナチスを再建したアドルフ・ヒトラー（1889 ～ 1945）は，それまでの「一揆路線」をあらため，議会への進出（選挙での勝利）を通じて，換言すれば大衆的基盤の形成によって政権の奪取をめざす「合法路線」を打ち出した。この路線の成否に重要なポイントが「大衆」の獲得であり，そのためにナチスは第一に大衆の受け皿となりうる党組織の整備，第二に大衆の動員を可能にするプロパガンダの構築をめざした。

党再建後，ヒトラーは武装組織である突撃隊（SA）を再編して党に従属させ，さらに 1920 年代後半を通じてミュンヘンの党指導部を頂点とする垂直的構造で全国に張り巡らされた地方組織（大管区・管区・支部など）と，水平的に結びつけられた職業別組織や青少年組織を整備していった。職業に関しては，法律家・教員・医師などを対象とする組織が作られ，被用者向けの「ナチス経営細胞」も 1931 年 1 月に正式な党組織となった。ときに利害対立も生じた幅広い水平的組織はフューラー（指導者）であるヒトラー個人の権威の下に統合され，その後の党の躍進を支えていくことになる。

街頭政治の時代

ナチスが進めた大衆獲得のためのもう一つの動きがプロパガンダの構築である。特定の属性をもつ人びとを対象とした党組織の整備に対して，これは不特定多数の人びとに訴えかけるものであり，その主たるフィールドは街頭であった。

第一次世界大戦後のドイツでは街頭を舞台にした政治が全面的に開花したが，こうした街頭をめぐる諸党派のヘゲモニー争い，あるいは街頭での活動を通じた世論形成は「街頭政治」と呼ばれている。ナチスにおいて街頭政治をいち早く実践したのが，1926年11月にベルリン大管区指導者に就任したヨーゼフ・ゲッベルス（1897～1945）だった。彼にとって，街頭は政治権力の源泉であり，その征服が政治活動の目標となった。ある著書で，彼は次のように述べている。「街頭は今や近代的な政治の特質である。街頭を征服できる者が大衆も征服できる。そして，大衆を征服する者が，それ

図1　ベルリンでのSAの街頭行進（1930年9月）／Alamy

図2　シュポルトパラストでのナチスの集会（1930年8月）／
Landesarchiv Berlin, F Rep. 290 (03) Nr. 0091730 / Foto: k.A.

によって国家を征服するのである」。

街頭政治を展開するにあたり，ゲッベルスが期待したのが「プロパガンダ部隊」としてのSAであった。ナチスの街頭でのプロパガンダ活動には，SAによる街頭行進（図1），トラックにSA隊員を乗せて音響とともに街中を走る「プロパガンダ走行」，早朝時間帯にナチ党員が家々に大量のビラを配る「早朝プロパガンダ」などがあり，政敵に殺害されたSA隊員の葬列もプロパガンダに利用された。こうした活動にはシンボルや身体的行為（制服・旗・横断幕・歌・シュプレヒコール・ジェスチャー）が付随し，街中の至るところに貼られたポスターやビラとともにナチズムを表象した。

さらに，集会も大規模化・儀式化され，華々しいスペクタクルとして演出されることで，街頭政治のもう一つの柱となった。屋外での集会がしばしば禁止されたこともあり，ベルリンでは1万5000人収容可能なアリーナ「シュポルトパラスト」がナチスの主たる集会場となった（図2）。集会は常に参加者であふれ，党旗や横断幕で装飾されたホール内で音楽隊の演奏とともにSAの隊列行進が行われた後，煽情的な演説が続き，最後は闘争歌の合唱で締めくくられた。中小規模の集会までを含めると，ナチスの集会はかなりの数に上り，プロイセン内務省が「辺鄙な地区ですらナチスの集会が行われない日はほとんどない」と報告するほどだった。

こうした活動を通じて，ナチスは「敵」（共和国，民主主義，ユダヤ人，共産主義など）を徹底して中傷する一方，民族共同体の実現やドイツの再生といったユートピア的な未来を語り（ナチスが好んで用いた掛け声は「ドイツよ，目覚めよ」），共和国の政治や社会状況に失望した人びとを惹きつけていった。

街頭にあふれる暴力

街頭政治の活発化は，敵対する党派間の暴力の危険性も必然的に高めていくことになった。1930年代初頭には，街頭でのプロパガンダの際の衝突，集会への襲撃，あるいは街中での偶然の遭遇などを原因として，ナチスや共産党，さらに共和国擁護派の国旗団，右翼の鉄兜団による政治的暴力が遍在的な現象となった。プロイセンでは，政治的集会で発生した政敵との衝突に警察が介入したケースは1928年には318件であったが，その後579件（1929），2494件（1930），2904件（1931）と年を追って増加し，1932年には5296件となっている。ナチスが大衆運動化する過程と並行して暴力沙汰が増えていったことが読み取れるだろう。プロイセンの統計によると，1931年1月から1932年6月までの政治的暴力による死者は191名，重軽傷者は9656名に上り，このうちナチスの死者は89名，重軽傷者は5461名であった。さらに，都市部ではナチスや共産党が「常連酒場」を拠点とした活動を行うようになり，酒場をめぐる暴力事件も急増した。ナチスの「合法路線」とは国家権力への正面攻撃の放棄であって，決して暴力の放棄ではなかったのである。

ナチスの政治的暴力で特徴的だったのは，それがプロパガンダとして機能していた点であり，政党としてのナチ党とパラミリタリー組織としてのSAの相補関係の中で，大衆運動化と暴力は不可分に結びついていた。ナチスの暴力が一定の人びと（参戦者，若者，失業者など）に「魅力」を提供していたことは，ベルリン警察の報告書の一節からも明らかである。「殴り合いはある程度まではナチスのプロパガンダ手段になっている。ある種の乱暴狼藉の傾向をもつ若者たちに，それは強い魅力を与えている」。その背景となったのは，ドイツ革命以降の社会に蔓延した好戦的ムード，敗戦国特有のルサンチマン，イデオロギーに起因する党派対立（政治的分極化）といった社会状況と，SA などのパラミリタリー組織への帰属による一種の共同体効果（アイデンティティや共属意識の形成）であった。

ナチスと共産党の政治的暴力が急増した 1930 年代初頭，両党は選挙での得票を伸ばしていった。1932 年 7 月の国会選挙における両党の得票率の合計はドイツ全体で 51.6%，ベルリンに限ると 56%であった。暴力行使をためらわない非言論的・非議会主義的政党が実際に暴力を行使する中で選挙での得票を増加させ，逆に暴力に消極的な政党の得票が減少するというパラドキシカルな状況は，ワイマル共和国の社会にこうした状況を受け入れる素地があったことを物語っている。

ナチズムを支持した人びと

ナチスは 1928 年 5 月 20 日の国会選挙で得票率わずか 2.6%であったが，30 年 9 月 14 日の国会選挙では得票率を 18.3%に急伸させて第二党となった。もっとも，その兆候はすでに直近の州議会選挙に現れており，1929 年 10 月にバーデンで 7.0%，12 月にチューリンゲンで 11.3%，30 年 6 月にはザクセンで 14.4%を記録していた。1928 年 5 月から 33 年 1 月 30 日までに国会選挙は 4 回，州議会選挙は 30 回実施されているが，この継続的な選挙戦の中でナチスはほぼ右肩上がりに得票率を上昇させており，第一党になった 32 年 7 月の国会選挙でのナチスの得票数は 28 年 5 月の 17 倍であった。党員数に関しても，1928 年末の 11 万人から 30 年 9 月選挙の時点で 29 万人まで増加し，32 年 4 月に 100 万人を突破し，政権獲得前には 140 万人に迫っていた。

では，どのような人びとがナチスを支持したのであろうか。まず指摘できるのは，第一次大戦前に起源をもつ「老舗」政党が多かったワイマル期の政党に対して，大戦後に登場したナチスが新しさとダイナミズムで若者を惹きつけたことである。ナチ党員の半数が 30 歳以下であった点に，それははっきりと表れていた（社会民主党では 30 歳以下の党員の割合は 20%以下）。もう一つ，党員や投票者の社会的構成に目を向けた場合，ナチスが（中間層へのバイアスはあるが）あらゆる社会階層・集団から「万遍なく」支持を集めたことである。この点から，近年の研究では，ナチスが一種の「国民政党」であったという見解が定着しつつある。この「ナチ党＝国民政党テーゼ」は，労働者におけるナチス支持の想定以上の多さを明らかにすることで旧来の「中間層テーゼ」（ナチスの社会的基盤をプロテスタントの新旧中間層に限定する立場）を修正し，他の政党に比べてナチス支持者の社会的構成が国民全体のそれに近かった点を強調している。

ワイマル共和国末期にナチスが急速に勢力を拡大できた理由は，それが大衆運動として成功したことに求められるだろう。一方で多岐にわたる党組織，他方で街頭でのプロパガンダ活動を20年代後半の「雌伏」の時期に準備したことで，そして世界恐慌の影響や共和国に対する不満が重なり合って，ナチスへの「政治的地滑り」（M. ヴィルト）は発生したのである。民主主義社会において既成政治への不満を喧伝（けんでん）し，絶対化された「敵」を徹底的に攻撃することで大衆の支持を獲得していったナチスのスタイルは，極端な形であっても現在の社会の姿を先取りしていたといえるかもしれない。あからさまな身体的暴力が言語的暴力に置き換えられ，街頭がSNS空間に移ったというだけで，ナチズムの問題は決して「遠い昔」,「遠い国」の話ではない。

■参考文献

ヴィルシング, A ほか編（板橋拓己・小野寺拓也監訳）『ナチズムは再来するのか？ー民主主義をめぐるヴァイマル共和国の教訓』慶応義塾大学出版会, 2019

佐藤卓己『ファシスト的公共性ー総力戦体制のメディア学』岩波書店, 2018

原田昌博『ナチズムと労働者ーワイマル共和国時代のナチス経営細胞組織』勁草書房, 2004

原田昌博『政治的暴力の共和国ーワイマル時代における街頭・酒場とナチズム』名古屋大学出版会, 2021

山口定『ファシズム』岩波現代文庫, 2006

オリンピックと平和構築

來田 享子

オリンピックと平和

2022年2月，ロシアによるウクライナへの軍事侵攻がはじまった。新聞の紙面には，ロシア軍がウクライナの首都キーウに迫っていることが報じられ，戦争は遠いところの話ではないと感じさせた。夏季と冬季のオリンピック大会前，国連総会では「オリンピック休戦」決議を採択する慣行がある。ロシアが軍事侵攻を開始したのは，北京冬季オリンピック大会の閉幕直後で，この大会の前にも決議は採択されていた。ロシアは決議の共同提案国のひとつであり，その国が決議に違反したことは，スポーツ界からも強く批判された。

オリンピックは平和の祭典だといわれる。紛争がないことに留まらない意味での平和な社会でなければ，人々がスポーツをすることは難しい。そう考えればオリンピックと平和の結びつきはイメージできる。より深くこの結びつきを理解するためには，国連総会でオリンピック休戦決議がはじまった1993年よりもさらに100年以上遡り，オリンピックが誕生した時代や社会とその後をたどる必要があるだろう。

クーベルタンのオリンピック構想

国際社会の平和にスポーツを活かすことを構想したのは，ピエール・ド・クーベルタン（1863～1937）である。1863年にフランスで生まれた彼は，7～8歳の頃，普仏戦争とその後のパリでの「血の1週間」を経験した。この経験が彼に平和への強い意識を芽生えさせたとされる。フランスだけでなく，ヨーロッパ全体で国同士の争いが絶えない時代だった。

図1　1875年フランス版『トム・ブラウンの学校生活』にゴドフロワ・デュランが描いた挿絵

そのヨーロッパでは，白人男性たちを中心にスポーツが楽しまれていた。19世紀前半までのスポーツは，閉鎖的な男性中心社会に生きる男性たちの気晴らしに過ぎなかった。近代国民国家が形成され，産業が近代化したことの影響は，スポーツにも及んだ。生産と軍事を柱に，植民地を獲得して領土を広げ，資源を入手し，市場を広げるという帝国主義的な社会では，その担い手を教育することが求められた。スポーツは国際社会での戦いに勝ち抜き，自国の利益を追求する男性のための格好のトレーニングの場だと考えられ，特に中上流階級の男性のための教育機関で重視されるようになっていった。

クーベルタンもスポーツの教育的な価値に着目した人物のひとりだった。だが彼の視点は当時の教育機関とは異なっていた。スポーツによって育てる人間像を彼がどのように思い描いていたかは，次の言葉によく示されている。

——本当に強い人間というのは，自分自身に強い意志を課することができ，たとえ合法的なものであったとしても，利益や支配欲，所有欲の追求を集団に対して止めるよう求めることができる。

そこで，クーベルタンは勝利への欲望をかき立てるというスポーツの特性を逆手にとり，その欲望のコントロールを実践し，競争の中にあっても他者に対する無知や偏見を取り去るためのトレーニングの場として，スポーツを活用しようと考えた。しかし，こうした考えは，当時のスポーツ関係者には，ほとんど理解されなかった。

スポーツによる国際主義の立場からの教育改革――障壁と問題点

19 世紀に入ってからのヨーロッパでは多種多様な国際主義が広がっていた。その影響を受けたクーベルタンは，スポーツによる人々の国際的な出会いを「未来の自由貿易」と表現した。ただし，スポーツが世界の平和の構築に貢献するためには，記録や結果や報酬を求めて過熱する競争ではなく，スポーツに参加した過程を強調することによって教育的な価値を引きだす必要があった。

19 世紀後半になると，欧米各国では現在につながるような義務教育制度を整え，帝国主義的な社会が要請する教育が普及する。その時代に，スポーツによって国境を越えて若者が出会い，共に成長するための教育を世界に広めるという構想は，あまりにも斬新であった。スポーツによる「国際主義の立場からの教育改革」という構想は，国際オリンピック委員会（IOC）の委員たちにすら十分には伝わっていなかった。一方で，国際的な大会は華やかさを増し，人々の間にスポーツを広げていった。

しかし，この構想には問題点もあった。国際主義は，国の枠組みを超えた国際関係のもとで，ひとつの秩序を作り上げようとする考え方をとる。その立場にありながら，クーベルタンは，同時に，国という枠組みを捨ててはいなかった。第一次世界大戦が勃発した時期には，フランス軍に入隊を希望するほどの愛国者ぶりを示した。彼が IOC 会長であった時期の 1908 年からは，国旗を先頭に選手たちが入場行進をする開会式が定着した（図 2）。オリンピック憲章では，現在に至るまで，選手やチームは国別競技を行うのではないと記されている。しかし，入場行進に加え，勝者になった選手が表彰台にあがり，国旗が掲揚され，国歌が斉唱される式典は，自国の優位性を顕示したり，排外的なムードを高めるような，偏狭な祖国愛へと人々を駆り立てていった。そのムードは，「ヒトラーの大会」と呼ばれた 1936 年夏季ベルリン大会が典型的に示すとおり，国家や国際政治によ

図2　1908年オリンピック大会（ロンドン）**開会式で国旗を先頭に入場する選手たち**（1908年大会公式報告書）

るオリンピック大会の利用を認める隙を生じさせた。

構想のもうひとつの問題点は，クーベルタンのみならず第二次世界大戦前までのIOC委員の多くが，スポーツや平和をめざす世界の担い手として女性や人間の多様な性のあり方を認めていなかったことである。IOCは比較的裕福な知的エリートという同質的な男性集団で形成され，サロン，あるいはボーイズクラブのように運営されていた。そのような組織では，何世紀にもわたるキリスト教文化，当時には「最先端」とされた科学の影響もあって，オリンピックやスポーツがジェンダー平等へと向かう視野は，長い間，さえぎられていた。IOCが差別を容認しない姿勢を初めて明文化したのは，第二次世界大戦の反省から世界人権宣言を採択した翌年の1949年であったが，差別の形態として性別や性自認，性的指向が明記されるには，さらに半世紀近くを要した。

国連以上のネットワーク

第一次世界大戦の影響による1916年夏季ベルリン大会の中止は，スポーツによる教育的国際主義に終止符を打たせる出来事だった。1917年頃か

図3　クーベルタンとILO初代事務局長アルベール・トーマ（ILO広報誌「ワールド・オブ・ワーク」2004年第2号，2頁）／©ILO/PHOTO

らのクーベルタンは，自らの手で作ったオリンピックを半ば見限ったとされる。教育改革の一部としての大会の位置づけがあまりにも理解されなかったためである。そこで彼は，活動の軸足をオリンピックによる若者教育から労働者を中心とする教育へと移していった。その活動は，IOC会長退任直後の1925年に「万国教育連盟」を創設したことや「労働者大学論」「大衆大学論」などの著作を発表したことからうかがえる。また，1924年の国際労働総会では，1919年に設立された国際労働機関（ILO）の初代事務局長アルベール・トーマ（1878～1932）との協力関係によって，労働者の余暇問題をとりあげることに成功した。この総会以降，二人の共同作業によって，ILOでは女性を含む労働者の労働条件や休業条件を改善するために，労働者の教育やスポーツを推進する方策が進められた。

一方，オリンピック大会は，第一次世界大戦後には国威発揚の場としての色彩がさらに強まり，第二次世界大戦によって2度の中止を経験する。戦後，1952年のソ連（現在のロシア）の国内オリンピック委員会（NOC）をはじめとする東欧諸国の加盟，1960年アフリカの年を境にしたアフリカ，アジア諸国の加盟は，IOCという組織にも多様化をもたらした。

その変化の中，IOCでは植民地から独立した国々のスポーツを宗主国の政治的影響を受けない形で支援すべきだという意見が強まった。その結果創設されたのが，オリンピック・ソリダリティという独自のネットワークである。当時，財政難を抱えていたIOCでは，スポーツが普及していない新たな加盟NOCに資金援助を行うことは難しかった。そのため，このネットワークは指導者の派遣やスポーツ組織の運営のアドバイスなど，人と人をつなぐ役割を果たすものであった。

1970年代以降の欧米各国における生涯スポーツ推進政策を進める動きなどと重なりながら，IOCの加盟NOCや大会参加者数は拡大した。このようなオリンピックの拡大は，欧米で発達したスポーツの大衆化に大きな影響を与えた。現在，IOCには206の国や地域のNOCが加盟し，その数は国連加盟国数の196を上回っている。1990年代以降のIOCは遅ればせながらジェンダー平等政策にも着手し，階級，人種，宗教などの違いを超えて，人々は大会に参加するようになった。性的指向にもとづく差別を容認しない姿勢は，2014年に改正されたオリンピック憲章に明記され，2021年には性自認や性の多様性にもとづく差別なく，公平で排除のない参加をめざすためのガイドラインが示された。

オリンピックは，世界の人々をつなぐ有効な手立てのひとつにもみえるが，課題もある。

1980年頃からのスポーツ・イベントの商業化以降，グローバル化する社会の中で，オリンピックは多国籍企業やメディアへの依存を強めるとともに，国際政治の影響を避けることができない状況にある。ウクライナへの軍事侵攻を行ったロシアとそれを支援したベラルーシの選手の参加承認をめぐっては，他のNOCや選手から大会ボイコットの声があがる。そこには国という枠組みを超えてスポーツを楽しむことの難しさが示されている。国や個人の経済格差が広がる中で，オリンピックに出場できるのは実際にはごく一部の恵まれた人々に過ぎないのではないか。クーベルタンが構想したスポーツによる世界の平和構築への貢献という願いは，現在も果たされていない。

■参考文献

青沼裕之『ベルリン・オリンピック反対運動　フィリップ・ノエル＝ベーカーの闘いをたどる』青弓社，2020
飯田貴子・熊安貴美江・來田享子編著『よくわかるスポーツとジェンダー』ミネルヴァ書房，2018
木村吉次編著『体育・スポーツ史概論』市村出版，2015
佐山和夫『オリンピックの真実：それはクーベルタンの発案ではなかった』潮出版社，2017
高嶋航『スポーツからみる東アジア史：分断と連帯の20世紀』岩波新書，2021

第3章

グローバル化

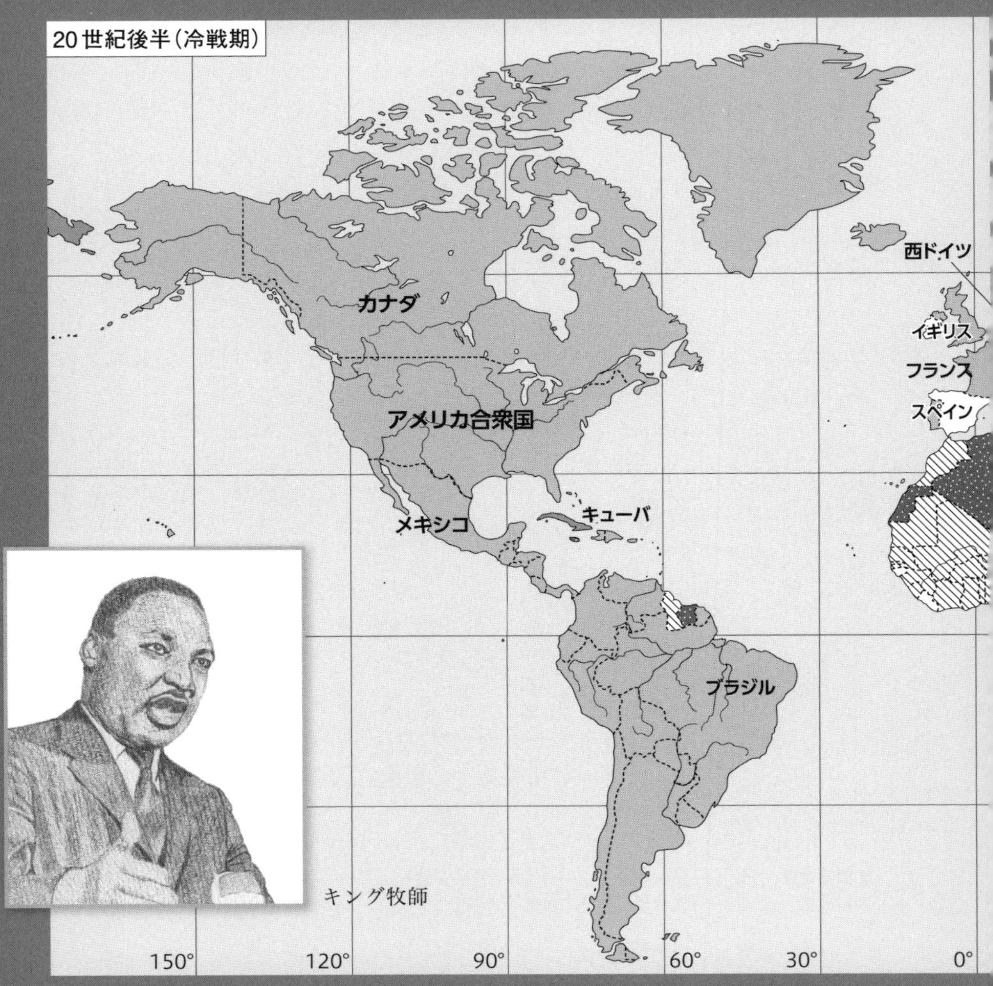

キング牧師

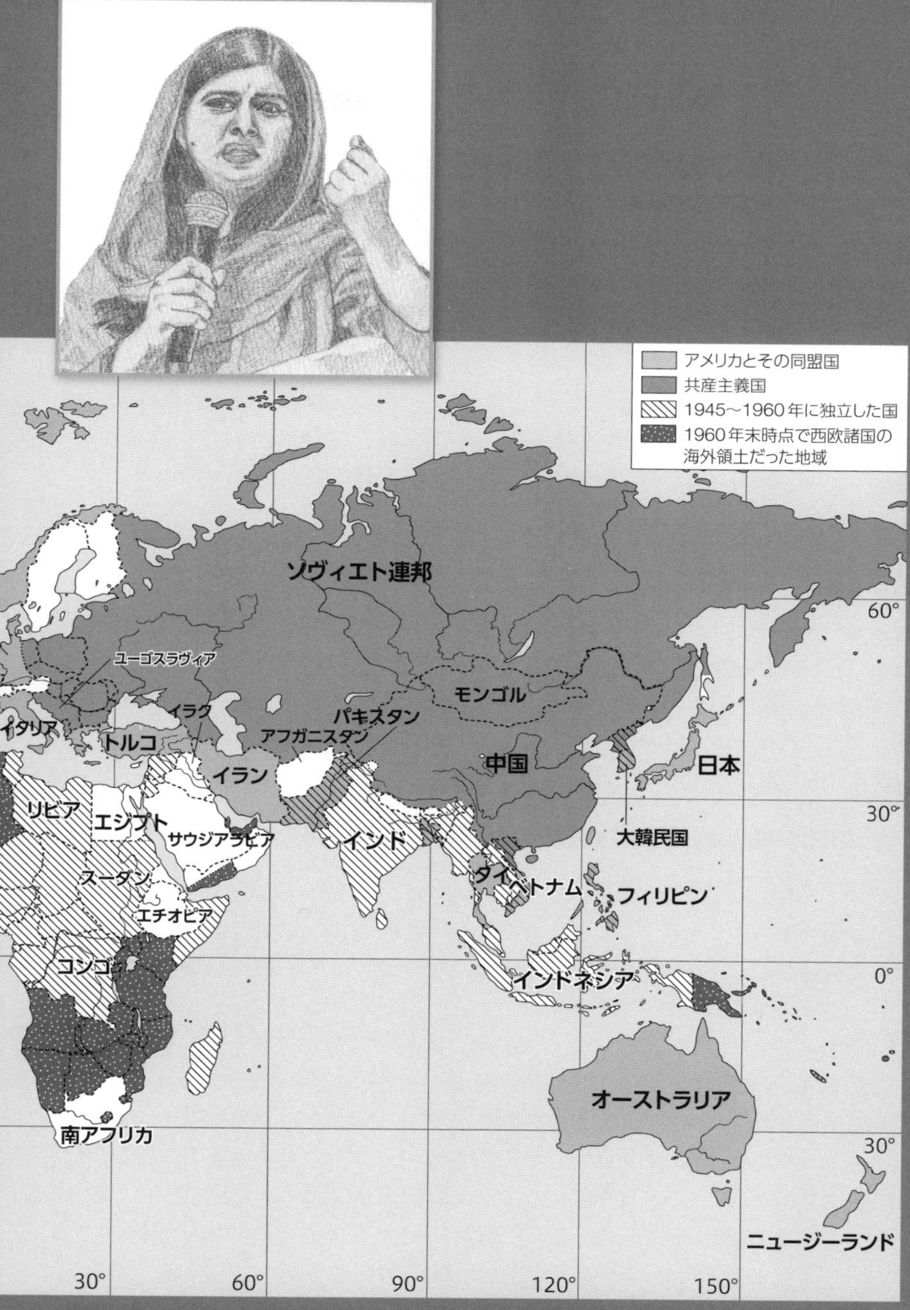
アメリカとその同盟国
共産主義国
1945〜1960年に独立した国
1960年末時点で西欧諸国の海外領土だった地域
ソヴィエト連邦
60°
ユーゴスラヴィア
モンゴル
イラク
パキスタン
イタリア
トルコ
アフガニスタン
中国
日本
イラン
リビア
エジプト
30°
サウジアラビア
インド
大韓民国
スーダン
タイ
ベトナム
フィリピン
エチオピア
コンゴ
インドネシア
0°
オーストラリア
南アフリカ
30°
ニュージーランド
30°
60°
90°
120°
150°

概説

グローバル化と脱国民国家化の始まり

油井 大三郎

グローバル化とは，モノ・カネ・ヒト・情報が国境を越えて活発に移動する現象を意味する。国際移動の起源は，モノの場合，13～14世紀のモンゴル帝国によるユーラシア大陸内での交易や16世紀の大航海時代の遠隔地貿易に，カネの場合は，19世紀の海外投資の活発化に，情報の場合は，19世紀の電信・電話の普及，海底ケーブルの設置などにある。

このような前史を経て，第二次世界大戦後に米国中心に構築された国際的な自由貿易体制は，冷戦下で西側諸国に限定されたが，モノ・カネ・ヒト・情報の国際移動が飛躍的に拡大し，多国籍企業の活動などが活発化した。冷戦終結後には，1990年代の情報通信革命の影響も加わって，文字通り世界大に広がり，国際機関の成長や地域統合の進展と相まって，国民国家の絶対性が揺らぎ始めた。同時にグローバル化によって国内外の所得格差の拡大や移民・難民の流入が増加し，移民排斥などを求めるネオ・ナショナリズムの台頭という矛盾した現象も発生した。

近代の国民国家時代との相違

近代に成立した国民国家では，領土・領民の排他的な支配が一般的であったため，国益の衝突を戦争で決着することが当然視（正戦論）され，戦争が多発した。そこに産業革命による工業発達に支えられた兵器の発達により戦争被害が増大した。特に，20世紀前半には2度の世界大戦が発生し，銃後の軍需産業などへの国民の協力を求める総力戦体制が導入され，民間人の被害も飛躍的に増大した。

その結果，国際機関の設立や国際法の発達で戦争を防止する努力が始まった。国際経済面では，1930年代の世界が主要国を中心としたブロック経済化したため，その対立で第二次世界大戦が勃発したとの反省から，戦後には米国を中心とする自由貿易体制が構築され，先進国における高度成長が促進されただけでなく，途上国における工業化も進展した。また，戦争が多発した西欧では，石炭・鉄鋼などの共同管理をめざした「ヨーロッパ石炭鉄鋼共同体」が成功し，その後，西欧の地域統合が進展した。この地域統合では，国民国家の権限を超える統合体の設立により主権国家の絶対性が相対化し，利害対立が話し合いで調整された。長年，ヨーロッパでの戦争の原因となってきた独仏間では，この地域統合の成功により敵対関係が緩和し，独仏和解が進展した。その点で地域統合は，資本主義の市場拡大のためだけでなく，「不戦共同体」の構築という歴史的な意義ももった。

米ソ冷戦と脱植民地化

第二次世界大戦後の世界では，近代以来の植民地体制が解体し，植民地の独立が達成された。旧植民地地域では，冷戦下の米ソ対立に巻き込まれないために，非同盟諸国運動が進展した反面，植民地の独立や統一に米ソ対立が投影され，局地的な戦争が勃発した場合があった。南北分裂を抱えた朝鮮やベトナム，パレスチナ問題を抱えた中東では局地的な「熱戦」が発生した。他方，米ソ間では戦争瀬戸際的な緊張状態がしばしば発生したが，核戦争の脅威から相互に自制する傾向も発生し，「熱戦」の勃発は避けられた。

また，冷戦が終結した1990年代ごろには，途上国の工業化の結果，民政移管が進行し，第二次世界大戦期の戦争犠牲者が損害賠償を要求する声をあげるようになった。韓国における日本軍慰安婦や徴用工問題の表面化がそれである。21世紀に入ると，植民地支配や奴隷貿易の責任を問う声が高まり，2001年には南アフリカのダーバンで国際連合主催の「人種主義，人種差別，排外主義および関連する不寛容に反対する世界会議」が開かれた。ここに，近代世界に起源をもつ植民地支配や奴隷貿易，人種差別の責任が問われる時代が始まった。さらに，途上国における工業化の結果，アジア・アフリカ・ラテンアメリカにおいても新興工業国が台頭し，BRICSなど欧米に対抗する新しい主体が台頭してきた。

福祉国家の定着と新自由主義の台頭

20世紀に入り，大規模な戦争が多発した結果，交戦国内では徴兵制の拡大や国民の戦争協力を求める「総力戦」体制が導入された。その結果，国民の協力を進めるために年金や労災保険などの社会保障が導入されるともに，戦時生産を担った女性たちは参政権を獲得した。つまり，総力戦体制の構築と並行して，福祉国家体制が定着していった。この流れは，1917年のロシア革命で誕生したソ連邦で社会保障が一層充実したため，対抗して資本主義国でも充実が図られた。

また，1920年代の米国ではフォード自動車のように，労働者の賃上げを積極的に実施することで労働者でも自動車を購入できるようにした「大衆消費社会化」が始まったが，この流れは第二次世界大戦後の先進国で一般化し，日本における高度経済成長の原動力にもなった。一方，福祉国家化の動向は，第一次世界大戦後の英国で，赤字財政をしてでも，公共事業を実施し，失業者の救済を図るケインズ経済学の登場で理論的な裏付けを強化した。また，自由放任主義の国を自称した米国でも，1929 年の大恐慌の結果，大量の失業者を救済する「ニューディール」が導入され，福祉国家化は先進国の一般的な傾向となった。

しかし，1980 年代になると，原油価格の大幅値上げの影響を受けて，先進国では不況下で物価が上昇する「スタグフレーション」が発生し，赤字財政を削減するために，福祉予算の削減や減税，国営企業の民営化などを進める「新自由主義」が台頭した。英国のサッチャー政権，米国のレーガン政権，日本の中曽根政権がそうした政策を実行した結果，多くの国で「小さな政府」が礼賛され，失業は「自己責任」とみなされ，福祉予算が大幅に削減され，格差社会が常態化していった。

このような結果，グローバル化にも新自由主義の影響が及び，途上国や旧社会主義国に対する IMF などの融資では財政削減や民営化が条件づけられるようになり，格差は国際的にも拡大することになった。

人種平等と女性の解放

第二次世界大戦中の連合国側は，自らの戦争目的を「反ファシズム・民主主義擁護」の戦いと位置付けた。しかし，米国の黒人たちは大戦中でも人種隔離制が軍隊や南部の公共施設に及んでいたため，枢軸国に対する勝利とともに国内の人種差別に対する「二重の勝利」をめざしていった。その上，ナチス・ドイツがユダヤ人を大量虐殺していたことが判明し，戦後のニュルンベルク国際軍事法廷で「人道に対する罪」として裁かれた。また，1948 年の国連総会で採択された世界人権宣言では「人種，皮膚の色，性，言語，宗教，政治的意見」などによる差別を禁止する条項が明記された。

その結果，1950 年代の米国では，南部社会の人種隔離制に反対する黒人を中心とする公民権運動が盛り上がり，1960 年代半ばには人種差別を禁止する公民権法や投票権法が成立した。

この公民権運動には多くの白人女性も参加し，女性差別の実態にも目をむけるようになり，1966 年には全米女性機構（NOW）が結成され，女性解放運動が高揚した。その際，公民権法が女性を含めたマイノリティの就学・就労支援を明記したため，女性の社会進出が進むとともに，1980 年代末には同性愛者（LGBT）などの権利尊重も進展していった。

このような各種の解放運動が進展した結果，女性と戦争の関係を見直し，それまで男性の独占物だった軍隊に女性も従軍して軍隊における男女平等を実現しようとする立場が登場した。他方，女性の従軍に反対し，女性による平和運動も発展した。また，「女らしさ」とか「男らしさ」が社会的に構築されたものとの自覚は，性別を「社会的，文化的に構築されたもの」として見直す「ジェンダー」概念の誕生を生み出した。

図1　世界女性会議（1995年，北京。写真提供：共同通信社）

パンデミックと危機の時代

2019 年末から中国で始まった新型コロナウイルスの感染は瞬く間に世界中に広がり，2023 年 1 月現在，世界全体で感染者 6.6 億人，死者 672 万人，日本では感染者 3190 万人，死者 6.4 万人に達している。また，ほとんどの国で就労や移動など日常生活に多くの制限が課され，経済活動の減退が進んだ。

このような全世界的なパンデミック体験は，高度に発達したと思われた科学技術の限界とともに，初期段階で感染を食い止められなかった世界保健機関（WHO）のような国際機関の限界を思い知らされた。同時に，2022 年からのロシアによるウクライナ侵攻は，米中対決とともに，大国間対決時代の復活を印象づけたが，パンデミックや地球温暖化の防止には，国際機関を強化して，大国の暴走を食い止める課題の重要性を告げている。

■ ■ ■

以上，第二次世界大戦後に始まるグローバル化時代においては，国境を越えた各種の活動が活発化した結果，国民国家の自立性が低下し始めた。他方で，移民や難民の増大の結果，彼らを排斥するネオ・ナショナリズムも台頭しており，21 世紀の現在は過渡期的な様相を呈している。また，中国やロシアが米国の覇権に挑戦する姿勢を示し始めた結果，「大国間戦争」時代の復活の様相も呈し始めているが，世界大戦の再発を防ぐためには，国際機関の強化や地域統合の進展が期待されている。

■参考文献

有賀夏紀・小檜山ルイ編『アメリカ・ジェンダー史入門』青木書店，2010
木畑洋一編『グローバリゼーション下の苦闘―21世紀世界像の探究』大月書店，1999
ヘルマン，ウルリケ（猪股和夫訳）『資本の世界史』太田出版，2015

グローバル化と世界平和の模索

油井 大三郎

「日本は現在，敗戦によって国力が消耗して痩馬のようになっている。このヒョロヒョロの痩馬に過度の重荷を負わせたら，馬自体が参ってしまうとハッキリ答えてくれ」（湯浅博『辰巳栄一』文春文庫，2013，p.334）

この発言は，朝鮮戦争の最中の 1952 年 1 月，米国側が求める日本の再軍備要求に対して吉田茂首相が軍事顧問の辰巳栄一に指示した返答の一部である。吉田は，講和条約で日本が主権を回復した後も，日米安保条約によって米軍の日本駐留を維持する代わりに，日本は再軍備の負担を軽減して，貿易立国に徹する方針であった。この軽軍備・貿易立国路線は，第二次世界大戦後に米国中心に構築された世界大の貿易自由化をめざすブレトン・ウッズ体制と相まって，日本の高度経済成長を実現する重要な条件となった。

第二次世界大戦中，米国は開戦の一因が 1930 年代のブロック経済化にあると考え，戦後には世界大の貿易自由化体制を構築することが世界平和の維持に不可欠と考えた。その結果，IMF，国際復興開発銀行，GATT の三本柱からなるグローバルな貿易自由化体制を構築した。しかし，程なくソ連との間で冷戦が発生したため，グローバルな貿易自由化は西側陣営だけにとどまることになった。

この東西の壁は，1990 年代初めに崩壊し，冷戦後の世界ではモノ・カネ・ヒトのグローバルな移動の自由化が進展，折からの情報通信革命の影響も受けて，情報が瞬時に国際移動する特徴が加わった。その結果，文字通りグローバル化の時代が訪れたが，同時に，人々は国内外の格差の拡大に悩まされるようになった。

図1　ニュルンベルク裁判／Alamy

国際機関の成長と限界

第二次世界大戦中の連合国は，戦後世界の平和を維持するため，1945年秋に国際連合を設立し，米・英・仏・中・ソの五大国が常任理事国として拒否権をもつ安全保障理事会に国際平和を維持する中心的役割を期待したが，程なく冷戦が発生したため，安全保障理事会が機能麻痺する原因ともなった。国際連合には一国一票を原則とする総会も設置され，重要な争点について国際世論の所在を示す役割を果たした。しかし，国際的な安全の維持は安全保障理事会を中心に運営されているため，五大国の1か国でも拒否権を発動すると，国連が機能停止になる欠陥がある。その欠陥を改善するには，例えば，総会の3分の2で可決された案件には常任理事国は拒否権を発動できなくするような改革が必要になっている。

また，第二次世界大戦中にはナチスドイツがユダヤ人などを大量虐殺（ホロコースト）したり，日本軍が中国や東南アジアで民間人の虐殺を強行していたことが判明した。そのため，ニュルンベルクや東京に開設された国際軍事裁判所では，通常の戦時国際法違反だけでなく，侵略戦争を計画した「平和に対する罪」や民間人の大量虐殺を行った「人道に対する罪」が新設され，その戦争犯罪人が裁かれた。ホロコーストの衝撃は，人権の国際的な保障を求める声を高め，1948年には世界人権宣言が採択された。その前文では「人類社会のすべての構成員の固有の尊厳と，平等で譲ることのできない権利とを承認することは，世界における自由，正義及び平和の基礎である」と宣言された。その後も国際連合が中心となって植民地支配の否定，ジェンダーの平等，先住民の権利の尊重などの宣言が採択され，加盟国の国内法の整備に大きな影響を与えた。同時に，国連の社会経済理事会には国際的な非政府組織（NGO）の発言権が認められ，環境保護や対人地雷の禁止などのNGOが国際世論に影響を与える手がかりもできた。

「不戦共同体」としての地域連携・地域統合の進展

近代国家は領民と領土の排他的支配を特徴とするため，領土拡大に伴う国境線の変更にはしばしば戦争を伴った。しかも，20世紀に入ると，戦争は総力戦の様相を強め，民間人にも多数の犠牲者がでるようになった。第一次世界大戦では全体で1500万人が死亡し，民間人の犠牲者は700万人近くに達した。第二次世界大戦では全体で5000～8000万人が死亡し，民間人の犠牲者は兵士より多い，3800～5500万人と推定されている。

このように膨大な犠牲者がでたため，国際機関の創設や国際法の遵守などによって紛争を平和的に解決しようとする声が全世界的に高まったが，地域統合もそうした要請の一部となった。特に，犠牲の多かった西欧では第二次世界大戦後もドイツを脅威とする意識が残り，フランスでは石炭・鉄鋼資源が豊富なザール地方やルール地方をドイツから切り離す動きが浮上した。これが強行されれば，独仏対立の再燃が必至と考えた仏外相のシューマンは，西欧の石炭や鉄鋼資源を「共同管理」する提案を1950年5月に行った。この提案には西独やイタリア，ベネルクス3国が賛成し，1952年にヨーロッパ石炭鉄鋼共同体（ECSC）が設置。その成功を受けて1958年には域内関税を撤廃し，共同市場の創設をめざしてヨーロッパ経済共同体（EEC）が発足，この流れが今日のヨーロッパ連合（EU）につながったのであり，今日，独仏間で再び戦争が発生することは考えられないほど，両国は良好な関係を維持するようになった。

このような地域連携の動きは東南アジアでも進行している。1965年から米軍が本格的に介入したベトナム戦争が勃発。北ベトナムの抵抗が続く中，1967年に北ベトナムに対抗するため東南アジア諸国連合（ASEAN）が結成された。ここにはタイ・フィリピン・シンガポール・マレーシア・インドネシアの5か国が参加したが，当時，非同盟の立場を保っていたインドネシアに配慮して域外の大国は除外され，東南アジアに属する国だけで結成された。1973年のパリ協定で米軍の撤退が決定し，1975年に南ベトナム政権が崩壊すると，ベトナムは社会主義政権の下で南北統一を達成。その統一ベトナムも1995年にASEANに加盟，ASEANは当初の反共的性格を払拭し，2003年のASEAN憲章では，民主主義・人権・法の支配・紛争の平和的解決・内政不干渉を共通理念として確認した。今日では東南アジアの10か国が加入し，地域の自治組織として影響力を拡大している。

しかも，その影響は，東南アジア地域だけに限定されず，ASEAN＋3（日・中・韓）の会合では東アジア経済共同体構想などが議論され，2022年には東アジア地域包括的経済連携（RCEP）の調印に結実。また，東アジアの安全保障問題を討議するASEAN地域フォーラム（ARF）には日・米・豪・ニュージーランド・インド・EUの他，中・ロ・北朝鮮も参加し，政治体制の差を超えた対話の場となっている。

アフリカにおいても，2002年にアフリカ連合（AU）が結成され，アフリカの55か国・地域からなる世界最大の地域連携が進展している。

グローバル化の中の日本

第二次世界大戦前の日本は，日清戦争以来，軍事力で領土や市場を拡大する路線を邁進した結果，アジア太平洋戦争に突入したが，連合国側は1943年1月のカサブランカ会議で枢軸国に対して無条件降伏を要求した。それは，枢軸国側の開戦原因がファシズムや軍国主義という政治体制に根差していると判断し，終戦後の一定期間，連合国側が枢軸国を占領し，非軍事化や民主化をめざす占領改革の実施が不可欠と考えたからであった。

事実，敗戦後の日本においては，占領改革が実施され，国民主権・象徴天皇制・戦争放棄の新憲法が制定されるとともに，農地解放や労働改革，女性参政権などの諸改革に基づく民主化が実現した。戦前の日本は，地主・小作制が広く採用されていたため，国内市場が狭かったが，これらの占領改革の結果，海外植民地を失っても，国内市場が拡大したため，貿易振興

図2　進駐軍の兵士にチョコレートをもらう日本の子どもたち（写真提供：共同通信社）

と相まって，戦後の高度経済成長が可能となった。占領改革の多くは，占領軍が主導したが，アジア太平洋戦争で310万人もの犠牲者をだした日本国民の側も戦前の軍国主義体制から脱却する試みとしてその改革を受容していった。

しかし，その後，米ソ冷戦が激化し，朝鮮戦争の最中に調印された講和条約では西側諸国とだけの片面講和となった上，沖縄が本土から分離された。また，同時に調印された日米安保条約の規定により日本には講和後も米軍基地が残留した結果，戦後の日本は戦争放棄を規定した憲法9条と日米安保条約という二元的な体制の下に生きることになった。そのため，戦後の日本では米ソ冷戦下で再び戦争に巻き込まれる心配が高まり，原水爆禁止やベトナム反戦，沖縄返還などを求める広範な国民運動が展開していった。

他方，アジア太平洋戦争で被害を受けた外国人の被害者に対する補償は長年忘却されていた。それは，日米安保条約の下で米国との協調を第一とし，東アジアとの和解を軽視した政治姿勢の結果であった。しかし，1980年代くらいから東アジア諸国の民主化が進展し，被害者が直接補償を要求できるようになった結果，日本は軍隊慰安婦や徴用工問題など「未完の戦後補償」に向き合うことが求められるようになっている。

近年は，米中対立が激化している影響で東アジアの緊張が高まり，戦争

図3　国連安保理会合（1956年）／AP/ アフロ

勃発の懸念が生じている。東アジア諸国間では経済的には相互依存が進展しているにも拘わらず，政治・軍事面では国家間対立が前面にでているというギャップが存在する。このギャップを克服し，戦争の危険を除去するには，ASEAN の経験に学んで，北東アジアにも「東アジア共同体」を設立する努力が望まれている。

■参考文献

遠藤乾『統合の終焉―EU の実像と論理』岩波書店，2013

豊下楢彦『安保条約の成立―吉田外交と天皇外交』岩波新書，1996

西崎文子『アメリカの冷戦政策と国連　1945-1950』東京大学出版会，1992

山影進『ASEAN パワー―アジア太平洋の中核へ』東京大学出版会，1997

世界と日本の植民地支配責任をめぐって

板垣 竜太

ダーバン会議

2001 年 1 月，セネガルのダカールに集まったアフリカ諸国の代表は，その年の 8 〜 9 月に南アフリカのダーバンでおこなわれる人種差別に関する世界会議（ダーバン会議，図 1）に向けた準備会議で，次のような合意文を発表した（抄訳）。

> 奴隷制や植民地主義のような人種主義的な政策または人種差別行為をおこなった国々は，その国内の機関および適切な国際機構において道義的，経済的，政治的な責任を負うべきであり，いつ誰によるものかを問わず，そうした人種主義的な政策や行為によって被害をうけた集団や個人に対する適切な賠償をおこなうべきことを，強く再確認する。

図1　ダーバン会議／UN Photo/Evan Schneider

これと同じような合意文は，アジア諸国による準備会議でも出された。近代の帝国主義国家がおこなった植民地支配や奴隷制に対する明確な異議が，その人種差別的な政策や非人道的な行為の被害を受けてきた諸国やその子孫たちによって提起されたのである。ダーバン会議で出された宣言でも，ここまで明確ではなくとも，この趣旨を汲んだ内容が盛り込まれた。

世界的な植民地主義批判の潮流

ダーバン会議は，1990 年代以降，世界各地で同時多発的に起きてきた，過去の植民地支配や奴隷制の不正義を問い直す動きが結実したものであるとともに，その後さらなる世界的な潮流を生み出すきっかけともなった。さまざまな動きがあったが，ほんのいくつかの事例を挙げておこう。

○ 1993 年，ナイジェリアのアブジャで開催された賠償に関する汎アフリカ会議で，先進国の開発政策の結果として引きおこされた債務危機を背景として，奴隷制や植民地支配による被害は「過去の問題」ではないとの宣言が出された。

○ 1993 年，米国連邦両議会は，100 年前に起きた米国によるハワイ王国の非合法的な転覆と先住ハワイ人の自決権の侵害を謝罪した。

○ 2001 年，ナミビアの民族集団ヘレロのグループが，1 世紀前に起きたドイツによる集団虐殺や強制収容などの残虐行為について，ドイツの国と企業を提訴した。ドイツ側要人は謝罪するも，訴訟は全て棄却された。

○史上初の黒人共和国として 1804 年に独立したハイチでは，国家としての承認と引き換えに，旧宗主国のフランスに 1 世紀以上にわたり巨額の「賠償金」を支払わされた。2003 ～ 2004 年にハイチの大統領が，最貧国としての現状を背景として，フランスに対して賠償金の返還を求めたが，拒否された。

○ 1950 年代にイギリスは，ケニアで「マウマウ」という独立運動を弾圧すると称して，住民に強制収容や拷問などの迫害を加えた。その真相が明らかになり，2006 年から被害当事者による訴訟が起きた。イギリスの裁判所は 2012 年に英政府の責任を認め，2013 年，英政府が拷問の被害者に賠償金を払った。

○ 1947年，オランダ軍がインドネシア独立戦争の過程で住民を虐殺した（ラワグデ事件）。生存者がオランダ政府を提訴したのに対し，2011年，司法は政府に対して賠償を命令した。オランダ政府は公式な謝罪と賠償金の支払いをおこなった。

○ 2014年，カリブ海の14か国と1地域からなるカリブ共同体(CARICOM)は，「賠償的正義のための10項目計画」を公表し，ヨーロッパの関連政府に対し，奴隷制，虐殺，植民地支配等についての公式謝罪と賠償等を求めた。

近年も，アフリカ系住民の権利に関する欧州議会決議（2019年）で，植民地支配や奴隷制などの「不正の歴史」を認めるとともに，償いや謝罪などを推奨したこと，国連総会で過去の植民地支配や奴隷制に対する賠償等を勧告する特別報告者の報告が相次いで提出されたこと（2019年にアチウメ報告書，2021年にサルヴィオリ報告書），2020年の新型コロナウイルス感染症のパンデミック化のなかで「ブラック・ライヴズ・マター」（黒人の命だといって軽視するな）運動が各地で拡大したこともあり，再び議論と取り組みが活発化している。

図2　金学順さんの告発　提訴後に記者会見する金さん。（1991年12月，東京。時事）

そして，日本の歴史的な責任を問う声も，こうした1990年代以降の世界的潮流とともに拡大した。1991年，大韓民国（以下「韓国」）の金学順（キムハクスン）さんが，日本軍「慰安婦」制度の被害者としてはじめて名のり出て，日本政府を提訴した（図2）。この金学順さんの告発に呼応して，今日の #MeToo 運動のように，アジア各地で日本軍の被害者が次々に名のり出はじめた。日本の裁判所が被害者の訴えを全てしりぞけるなど，日本政府は法的責任を一切認めることはなく，賠償もおこなわなかったが，道義的な責任は認めて「償い」はおこなった。国際機関からも日本政府に対し，法的責任の認定にもとづく謝罪と賠償を求める報告が相次いだ。

未解決の植民地支配責任

重要なのは，こうしたさまざまな異議申立てが，決して解決済みの問題の「蒸し返し」などではないということである。近代国家間の戦争責任の問題に比べて，植民地支配に関わる責任に対する認識は著しく立ち遅れてきた。それは国際秩序が帝国主義国家をはじめ，先に近代化を遂げた国々を中心に形成されてきたからである。第二次世界大戦後に「人民の同権および自決の原則の尊重」に基礎づけられた国際連合体制ができたが，大国の論理と冷戦構造の深まりが重なるなかで，植民地下での不正義の問題は棚上げにされてきた。

日本の場合を見てみよう。敗戦国日本の戦後処理は，加害責任を裁く軍事裁判と賠償等の問題を解決する講和の二つに大きく分かれる。結論からいえば，いずれの場合も旧植民地やその出身者がその被害を訴えていたが，それは顧みられなかった。

まず，極東国際軍事裁判（東京裁判，1946～1948）から見れば，同裁判の被告には南次郎や小磯国昭ら，皇民化政策や戦時動員を推進した朝鮮総督が含まれていた。だからこそ，当時の在日朝鮮人団体や韓国の要人から，朝鮮の侵略や残虐行為などについて裁くべきだとの声が上がっていた。しかし連合国側は，日本の植民地住民の被害を戦犯裁判で取り上げることはなかった。それどころか，戦場で捕虜監視役などをさせられて連合国側の恨みを買っていた朝鮮人や台湾人を，むしろBC級戦犯として裁いたのである。

また対日講和会議には，南北に分断されていた朝鮮の両政府からも参加要請が出ていた。南の韓国は，勝者の損害賠償ではなく，犠牲の回復のための権利としての賠償を要求した。北の朝鮮民主主義人民共和国（以下「DPRK」）は，軍国主義打倒のために戦い，犠牲を払った人民として，参加を要請していた。しかし米・英は中国問題などを理由に韓国の参加を拒否し，ソ連もDPRKの要求を得策ではないとしてしりぞけた。結局，1951年9月のサンフランシスコ講和会議では，朝鮮戦争（1950～1953）を背景として，日本を西側陣営の一員として早急に国際社会に復帰させることが急がれたため，各国は賠償を放棄したうえで日本と講和を結んだ。

対日講和条約により，日本と旧植民地の独立国との関係は，2国間の交渉に委ねられることになった。早速1951年から西側陣営たる日本と韓国のあいだで国交正常化交渉（日韓会談）がはじまり，中断を繰り返しながらも1965年に日韓条約が締結された。調印当時の韓国はDPRKよりも経済的に立ち遅れていた。そこで朴正熙（パクチョンヒ）軍事政権は，植民地支配の問題や人道上の問題の解決よりも，経済援助による近代化を重視した。その結果，日韓条約では，「賠償」ではなく「独立祝い」として，日本の生産物または日本人の労働力による経済協力が実施されたとともに，日韓両国が「請求権」を放棄した。

韓国内でもこうした「屈辱外交」への反対運動（図3）が広まったが，非常戒厳令により弾圧された。民意が制限され，戦時強制動員の被害者などの個々人の権利は後回しにされた。加えて女性の人権への理解も当時進んでおらず，日本軍「慰安婦」制度の被害者も，安心して名のり出られるような状況になかった。長い沈黙が打ち破られたのは，1980年代に韓国の民主化が進展するとともに，女性運動も活発化してからのことだった。日韓条約では個人による相手国への請求権までは放棄していなかったこともあり，数多くの被害者個々人が日本を訴えることになったのである。

加えて，DPRKと日本の国交正常化交渉（日朝交渉）も，冷戦終結の流れのなかで，1990年からはじまった。DPRKは植民地支配と抗日戦争の被害に対する賠償を要求したが，日本はそれを拒否し，議論は平行線をたどった。

図3　日韓会談反対運動　ソウルの国会議事堂前で座り込みをおこなう学生たち。（1964年3月。提供 朝日新聞社）

2002年に日朝平壌宣言が出されたが，日本側が植民地支配に対する「痛切な反省と心からのお詫び」を表明する一方で，請求権を相互放棄し，経済協力をおこなうという日韓方式の解決策が合意された。この合意事項も，その後の日朝間の関係悪化にともない，宙に浮いた状態となっている。こうした動きも1990年代の世界的潮流のなかに置いて考える必要がある。

こうして，かつての国際秩序で周辺化されていた植民地支配や奴隷制をめぐる問題は，各地での人々の粘り強い働きかけ，マイノリティを含む人々の人権尊重の拡大，国際社会における旧植民地の存在感の高まりとともに，新たな世界的潮流として現れ出た。これは決して単なる後ろ向きの問題提起ではなく，より公正で平等な世界を構築するための動きに他ならない。

■**参考文献**

金富子・板垣竜太編『Q&A 朝鮮人「慰安婦」と植民地支配責任』御茶の水書房, 2015
金富子・中野敏男編『歴史と責任』青弓社, 2008
永原陽子編『「植民地責任」論』青木書店, 2009

国家といのち

20世紀の戦争と福祉

高田 実

20世紀は国家が国民の生に直接関与し，生権力（ミシェル・フーコー）を行使した時代である。戦争国家と福祉国家が同時に進行し，「総力戦体制」という新しい統治システムが世界各地で構築された。国家は生活の改善をもたらす一方で，戦争を勝ち抜く「強い民族」を求めていのちの選別も行った。国家干渉の光と影を統一的に理解することが，20世紀史を理解する鍵である。

帝国主義と「総力戦」の時代としての20世紀

20世紀は帝国主義の時代である。世界各地で帝国主義戦争が戦われ，二つの世界大戦も引き起こされた。その結果，本国のみならず，植民地にも膨大な犠牲を強いた。しかも，2022年2月のロシアのウクライナ侵攻からもわかるように，「強い帝国」への願望はいまだなくなってはいない。

この帝国主義を支えたのは「国民」であった。第一次世界大戦時には「総力戦」という新たな言葉が登場し，戦争遂行のために，資源，生産力，労働力が総動員されることになった。日本の国家総動員法（1938）に示されるように，総力戦体制は，第二次世界大戦時にはさらに強まった。物質面だけでなく，「欲しがりません勝つまでは」という標語に表されるように，精神的にも国民を統合するようになった。「強い帝国」を支える多くの「強い兵士」と，国家のために銃後の生活を支える多くの「良質の国民」を，福祉政策と学校教育を通して育成し，この両者が「お国のために」一丸となって戦うことがめざされた。国民生活の各分野で「帝国を担う民族」の育成がめざされ，そのための国家干渉が拡大した。

この総力戦体制は，日本やドイツなどのファシズム国だけでなく，「自由主義」のアメリカ，共産主義のソ連など，第二次世界大戦までに世界各国で構築された。さらに，時間軸にそってみると国家が国民生活に直接かかわる総力戦体制の特質は，平時移行後も社会的な力をもち続け，わたしたちの生活にも影響をおよぼしている。

総力戦を支える徴兵制度と終わらない戦後

総力戦は大量の兵士を必要としたため，各国の国民国家形成期に導入されていた徴兵制が，この時期に拡充されることになる。自由主義のイギリスでも，「自由」を守る戦争のために，1916年1月には18歳から41歳の独身男性を対象とした徴兵制が導入され，戦争の激化に伴い動員対象者の枠が拡大された。注目すべきは，その正当化の論理である。徴兵は「戦争業務のよりフェアな分配」であり，戦場で殺されているのは「最良の人びと」で，「最も愛国心を欠き」「最も冒険心や責任感を欠いている」者が安全な場所にとどまり，保護されている。国家の役に立つ者が死に，役に立たない者が生き延びることなどあってはならない。こうした論理のもと，教科

図1 第一次世界大戦時イギリスの徴兵ポスター（アメリカ議会図書館蔵）

書にも掲載されている「戦場に向かえ」という多くの募兵ポスターの叫びとともに，男たちは戦場へ向かわされた（図1参照）。また女性たちも，軍需工場や農地で働くだけではなく，直接戦地に赴いた。第二次世界大戦期には，戦争規模の拡大に伴い，総動員体制もより強化された。出兵はもちろんのこと，戦債購入，物資供出など多面的な戦争協力を求められた。さらに，二つの大戦は「帝国の総力戦」として戦われたことで，多くの植民地兵も本国の戦争に動員され，いのちを落としている。こうして，帝国主義と総力戦の時代をくぐりぬけた現代国家は，身体の自由を制約し，「国民」と「帝国民」に死を命ずる権力を手にした。

この戦争国家がもたらしたものは，長く続く痛みであった。その痛みは戦死者の数だけでは表せない。戦争を生き残った人びとも痛みにさいなまれた。戦死者の家族，戦争障害者，戦争孤児などが苦しみのなかで生き延びる術を必死に求めた。たとえば，戦争障害者は，「戦争の英雄」として扱われていたものの，戦後は働けない者，生産性の向上に寄与しない者として差別を受け続けた。また，第二次大戦後の日本では12万人を超える戦争孤児がおり，各地の駅にたむろしていた。京都では，伏見寮などの孤児保護施設が設立されている。戦争は「終戦」で終わらないことを，よく理解する必要がある。

現在でも60以上の国が何らかの徴兵制を維持しているし，いったん廃止された徴兵制を「国際情勢の変化」を理由に復活させている国もある。韓国におけるBTSメンバーの「兵役延期・免除」問題やウクライナ戦争における兵士動員政策をみていると，徴兵制のもつリアリティが実感できるはずである。その意味で「戦時」は終わっていないのかもしれない。

強い兵士を支える福祉と「生きる価値のない」国民の排除

戦争国家の拡大と併行して，福祉国家がつくられた。第一次世界大戦の前後には，経済の発展段階に関係なく，ほぼ同時期に欧米各国で年金，保険，最低賃金などの国家福祉が導入された。とりわけ，健康診断，学校給食，ミルク供給など，強い兵士を生みだす母子福祉（「兵士の母」の保護）が必要であった。また二つの大戦いずれにおいても，イギリスでは国家が軍人の妻に夫の戦争動員の代償として「別居手当」を支給し，それが家族手当や子ども手当の原型となった。また，1920年代のアメリカでは，赤ちゃんコンテストがしきりに開催され，家畜の品種改良にちなんだ方法で元気な赤ちゃんの育成が奨励された。「赤ちゃんは家畜（livestock）なので，他の家畜と同じ判定方法で評価・分類します」「子どもへの科学的ケアは，家畜への科学的ケアに後れをとってきたのです」とまで言われていた。

第二次世界大戦後は，イギリスの『ベヴァリッジ報告』(1942)，フランスの『ラロック計画』(1945）のような戦時中に構想された計画にもとづいて，現代福祉国家（「社会国家」）が成立した。勇敢に戦った国民への代償としての国家福祉が導入され，その結果，確かに国民生活は改善された。

しかし，それが総力戦体制のなかで整備されてきたことのひずみ，つまり「生きる価値のない」者の排除を含んでいることは銘記されなければならない。総力戦を戦うための福祉の進展は，社会ダーウィニズムと優生学の発展に支えられていた。第一次世界大戦前の国家福祉の導入と軌を一にして，各国で，「優生学の父」フランシス・ゴルトンの主張を支持する優生教育協会が設立された。1912年にはロンドンで第1回国際優生学会議が開

図2　ナチスのT4計画ポスター　「遺伝的疾患者1人の費用は，健全な家族5.5人分」／United States Holocaust Memorial Museum, courtesy of Roland Klemig

催され，世界の名だたる遺伝学者や優生学者300人以上が参加している。この延長線上で，欧米各地で「人種」の改良のための断種法が制定された。ナチスの安楽死計画（T4計画，図2参照）や障害者に対する強制不妊手術はあまりに有名である。1933年の「遺伝病子孫予防法」では，断種の対象者として，知的障害，統合失調症，てんかん，視覚障害，聴覚障害，身体障害などの「病気」を有する者に加えて，重度のアルコール依存症の者もあげられていた。そのモデルはアメリカにあったとも言われている。優生思想のグローバルヒストリーから学ぶものは多い。

さらに重要なのは，優生学にもとづく「福祉政策」はむしろ戦後に，より純化した形で展開された点である。諸悪をすべてナチスの特異性に帰することで，よりよき民族のための優生政策が戦後の民主体制下で大手を振ってまかり通った。福祉国家を代表するスウェーデン，デンマークなどの北欧諸国では，1970年代まで戦前の断種法との連続性を有する強制不妊手術などの優生政策が展開されていたのだ。

日本でも，戦前の国民優生法をさらに「発展」させて，1948年に優生保護法が制定され，この法律が1996年まで存続した。1971年の『保健体育』の教科書（一橋出版）には，「次の世代の国民に，肉体的にも，精神的にもよりすぐれた民族的素質を伝えてゆくことが国民優生」であり，「国民の素質を向上させるという優生結婚の立場から，結婚をするにあたって，みずからの家系の遺伝病患者の有無を確かめるとともに，相手の家系についてもよく確認することが重要である」と記されていたことをご存じだろうか。優生保護法にもとづく不妊手術の強制に関する国家の責任と賠償をめぐる裁判は現在でも各地で継続中であり，違憲判決や賠償命令もだされている。さらに，現在でも津久井やまゆり園事件（2016）のような優生思想にもとづく悲惨な事件がおきているし，われわれの身近では出生前診断が日常化している。このような現状をみるにつけ，「生きる価値のない」いのちを選別する問題は，終わっていないどころか，現在進行形であることに気づく。女性国会議員が子どもを産まないカップルに対して，「生産性のない」などという言葉を発し，それがトップニュースとなる状況は，総力戦体制が生みだした課題を，われわれが十分には克服できていないことを示しているのではないだろうか。

グローバリズムは，平板な世界の一体化をもたらしたのではない。人びとのいのちを危機にさらすナショナリズムを強化しながら拡大したのだ。両者の共存がもたらす社会のひずみは，今日ますます大きくなっている。

■参考文献

北村陽子『戦争障害者の社会史―20世紀ドイツの経験と福祉国家』名古屋大学出版会，2021
小関隆『徴兵制と良心的兵役拒否―イギリスの第一次世界大戦経験』人文書院，2010
中野智世・木畑和子・梅原秀元・紀愛子『「価値を否定された人々」―ナチス・ドイツの強制断種と「安楽死」』新評論，2021
山之内靖（伊豫谷登士翁・岩崎稔・成田龍一編）『総力戦体制』ちくま学芸文庫，2015
米本昌平・松原洋子・橳島次郎・市野川容孝『優生学と人間社会―生命科学の世紀はどこに向かうのか』講談社現代新書，2000

戦争とジェンダー

佐藤 文香

近代の戦争と国民国家

戦争は人類の歴史のなかに常に存在し，ジェンダーと深いかかわりをもってきた。近代の戦争の性質を定義したカール・フォン・クラウゼヴィッツは，戦争とは敵対者を自分たちの意志に従わせるよう強制する暴力行為であるとして，これを「異なる手段をもってする政治の継続」と位置づけた。彼が『戦争論』を著した19世紀初頭は，近代の市民革命を経て誕生した国民国家が「国民軍」をもって戦争をはじめた頃だった。戦争が「万人のもの」となったのが近代であり，国家は正当な物理的暴力の行使を独占することになった。

しかし，ジェンダーの視点から見ると，こうした説明にはただちに疑問符がつく。多くの国民国家は，選挙権を有する国民を「平等」に戦争へと動員していったが，「普通選挙」が女性を排除して出発したのと同様に，国民軍への参加の「平等」はあくまで男性間の話であったからである。また，国家が家庭における家長の暴力を「プライバシー」の名の下に長いこと放免した点で，「国家による暴力の独占」もまことに不徹底なものだった。

さらに，「異なる手段をもってする政治の継続」という考え方も，暴力を権力の本質的要素と見なし，戦争を政治の一手段と捉える点で根深い男性中心性を抱えていた。だが，戦争がそれ以前の政治過程からはなれて突然に勃発するわけではないとするこの見方は，平時と戦時の暴力の連続性を察知したフェミニストたちの主張と意外なことに響き合う。彼女たちは，男性を優位に置き，女性を従属させる家父長制的なジェンダー秩序こそが暴力の核心にあり，戦争を支えていると見ていたのである。

戦争を引き起こす原因としてのジェンダー秩序

戦争とジェンダーの密接な関係を，戦争の「原因」としてのジェンダーという点から見てみよう。ジェンダーが戦争の原因であるというのは，石油資源をめぐって戦争が勃発するとか，国の独立を求めて戦争が起きるとかいうのとはすこし異なる。それは，男性が女子供を「保護する」という家父長制的なジェンダー秩序が，暴力の導火線のように機能することで，戦争に適した状態をつくりあげる，ということを意味する。

ジェンダーは戦争の目的をつくりだし，暴力を可能にし，軍事主義を正当化する。戦時につくられるポスターは戦争とジェンダーの深いかかわりを端的に示している（図1，図2）。保護する男／保護される女というジェンダー関係は，戦争の大義をつくりだし，男性に奮起を促し，殺傷を正当化してきたのである。

図1 赤軍よ！わたしたちを救って（1942年，ソ連） ナチスの鉤十字のついた銃剣に怯える母子。／Red Army Warriors, Save Us!, from 1942, © Viktor Koretsky. Photo: Tate

図2 この恐ろしい野獣を破壊せよ（1917年，アメリカ。アメリカ議会図書館蔵） Kultur（ドイツ語で文化）と書かれた棍棒をもったキングコングが自由の女神をさらっていく。

ただし，戦争はこの非対称なジェンダー関係を変革する契機ともなる。第一次世界大戦時には，女性労働力の大量動員が行われ，イギリスのように補助的な軍務につく女性部隊も出現した。第二次世界大戦になると各国の女性動員はさらにすすみ，女性部隊が創設されていく。とはいえ，英米では女性たちに看護，調理，事務などの「女の仕事」があてがわれることで性別分業が維持された。一方，ソ連や中国では女性兵士を特殊技能者として軍隊に入れ，第二次世界大戦時には戦闘にも参加させたことが知られている。

ただし，日本では「家」制度を重んじ，女性兵士の創出はもちろんのこと，労働動員も未婚女性に限定されていて抑制的だった。こうした当局の及び腰を，ときに叱咤したのは当時の女性リーダーたちである。彼女たちは，女性が総力戦のもとで力を示せば参政権獲得をはじめとした地位向上のチャンスになると考え，これが戦争協力へと突きすすんでいくことにつながったのである。

一方，古今東西，女性兵士を活用しようとする国家の側にも，フェミニズムとは異なるさまざまな思惑が働いてきた。「男性資源(マン・パワー)」の不足するなかで，軍事任務に経済的機会を見出し，その仕事にプライドを感じる女性兵士とは，非常に魅力的な存在だったのである。

このことは21世紀の今日にも当てはまる。2000年に国連では安保理決議1325号が採択され，平和・安全保障活動への女性の参加と，ジェンダーの視座の導入を求めるようになった。

今日の女性兵士のグローバルな活躍は，通常ならば男性が占めるようなポジションに女性がつくことで，戦争の暴力的な性質から人々の目を幻惑する効果をもっている。たとえば，アフガニスタンやイラクでは，赤ん坊を救い，子どもたちをケアし，荒廃した人々の生活を再建するという，新たな軍事任務のイメージづくりに女性兵士の姿が大いに貢献した。「茶色い男たちから茶色い女たちを救う」という保護の主体に女性が加わることで，救済は崇高なものとされたのだ。また，平和任務で海外に赴く部隊のセクハラや買春などが現地で引き起こす悪評を挽回するにあたって，彼女たちには「解毒剤」としての役割も期待されている。

日本でも2015年に1325号決議を受けて国別行動計画が策定されており，そこには平和維持活動への女性自衛官の参加促進などが盛りこまれた。また，2017年には女性自衛官活躍推進イニシアティブも発表され，女性比率の倍増と配置制限の全面解除に道が開かれた。こうした動向は，日本の国際的なイメージを向上させ，自衛隊の人材不足の解消に役立つだろう。防衛省は少子高齢化による募集難に対応するために「四人（よんじん）の活用」を謳っている。「四人」とは，婦人，老人，省人，無人のこと。自衛隊の「女性活躍」は，採用年齢や定年のひきあげ，AIやドローンの活用による業務や装備の省力化・無人化と並び立つ施策なのである。

戦争が引き起こす結果としてのジェンダー化された暴力

つづいて，戦争が引き起こす「結果」としてのジェンダーについて見てみよう。「男性が女性を保護する」という公式が保護の神話にすぎないことは,「保護ゆすり屋」という概念を用いるとよく理解できる。「保護ゆすり屋」とは，漠然とした敵からの保護を，対価をもって提供する者のこと。実際には，彼ら自身が「守ってやる」と言っている対象者を搾取し，管理や安全とひきかえに操作したり害を与えたり，かえって暴力をまねいたりすることで，自身がその最大の脅威となりうるような存在だ。この「ゆすり屋」概念を用いてみると，国家もまた，国民の保護を約束しつつ，しばしば国民にとっての最大の脅威となりうるという点で，「ゆすり屋たち」と同じように機能していることがわかる。

フェミニストは「保護ゆすり屋」がジェンダー化されていることを見逃さなかった。女性たちにとって，保護すると称する者も男性だが，脅威だとされるのも男性だ。「正当な暴力」の行使に関する規則をつくるのも男性であり，保護の対象である女性から支援，名誉，報酬をとりたてるのも男性である。実際に保護の必要性がないとき，彼らは自らの役割に満足をおぼえている。だが，保護が必要となり，その役割がうまく果たせなくなると，保護される者を，足手まとい，重荷，最終的には恥と感じる。なぜなら，保護されない被保護者は，保護する者の失敗を明白に示す証拠となるからだ。こうして，保護する者は，保護に失敗せぬよう，保護される者たちの行動をあれこれと制約しようとすることになる。

そして，戦時性暴力ほど，女性を「保護する」と称する「ゆすり屋」たちが，実際にはどれほど大きな被害を彼女たちにもたらしてきたのかを端的に示す例はないだろう。戦争において，女性の身体は戦利品として扱われ，敵対心を刺激するプロパガンダとして機能し，戦争を倫理的に正当化する口実になってきた。このため，戦時性暴力は長いこと，「悪いことではあるが仕方のないこと」と自然化されてきたのである。

不可視化されてきた戦時性暴力は，ユーゴスラヴィアやルワンダの凄惨な内戦が起こった1990年代以降，戦争犯罪であり，女性に対する人権の問題として，認識されるようになってきた。だが，戦時性暴力は，女性の人権とジェンダー平等の名のもとに，軍事化された対応を再び引き起こしつつある。

カナダ政府が中心となって設立された「介入と国家主権に関する国際委員会」は2001年，他国の市民を「保護する責任」を提起し，近代の国家主権の原則を揺さぶった。そこでは，市民に対する危害が感知されているのに，国家がその危害を終結できなかったり，終結する気がなかったりする場合，あるいは国家自身が加害者である場合に，保護を目的とした介入が支持されたのである。この介入には，野蛮な性暴力から「保護する責任」を果たすための正当な暴力の合理的な行使を含むと解されつつある。

戦時性暴力は，こうして再び「保護する責任」という軍事的暴力を発動させる。今や，「保護する責任」を行使する者として，野蛮な性暴力に正当な暴力をふるうのは，「白い男たち」だけでない。「白い女たち」もまた，グローバルな「保護者」の位置を占めるのだ。そして，女性に対する暴力や抑圧は，今や安全保障上の脅威とリスクを見積もるための指標として利用されるようになっている。フェミニズムの知をこうしたグローバルな統治の武器とすべきでない，と考えるフェミニストは，国家が正当な暴力と正当でない暴力の境界を管理してきたのと同じように，今日，「国際社会」が境界を管理する仲裁人としてふるまっていることに警鐘を鳴らしている。

以上のように，ジェンダーは「原因」として，「結果」として，常に戦争の根幹に位置してきた。だからこそ，戦争と暴力を考察し，これに抗うためには，日常から戦場までのつながりのなかで，ジェンダーの視角から考えることが不可欠なのだ。なぜなら戦争とは，異なる手段をもってする日常の政治の延長線上にあるからである。

■参考文献

上野千鶴子『新版 ナショナリズムとジェンダー』岩波現代文庫，2012
上野千鶴子・蘭信三・平井和子編『戦争と性暴力の比較史へ向けて』岩波書店，2018
加納実紀代『増補新版 女たちの＜銃後＞』インパクト出版会，1995
佐藤文香「戦争と暴力―戦時性暴力と軍事化されたジェンダー秩序」蘭信三・石原俊・一ノ瀬俊也・佐藤文香・西村明・野上元・福間良明編『シリーズ戦争と社会1　「戦争と社会」という問い』岩波書店，2021
佐藤文香『女性兵士という難問―ジェンダーから問う戦争・軍隊の社会学』慶應義塾大学出版会，2022

イラン革命と日本イラン関係の変遷

鈴木 均

1979年のイラン革命はイランのパフラヴィー体制を打倒し，イスラーム世界の政治的潮流を一変させた現代史の転換点として世界史教育の中で必ず触れられる。だがそれは私たち日本人が生きている現代世界の中でどのような意味をもっているのだろうか。現在もアメリカ政治を揺るがし続けている共和党のドナルド・トランプ前大統領が2016年の大統領選挙への立候補を決めた背景には，革命後のイランの反米姿勢に対して，米大使館占拠事件以来米国民の一部がもっていた怨念にも似た反発心があり，それがオバマ大統領の最大の外交的成果であったイラン核合意からの離脱と制

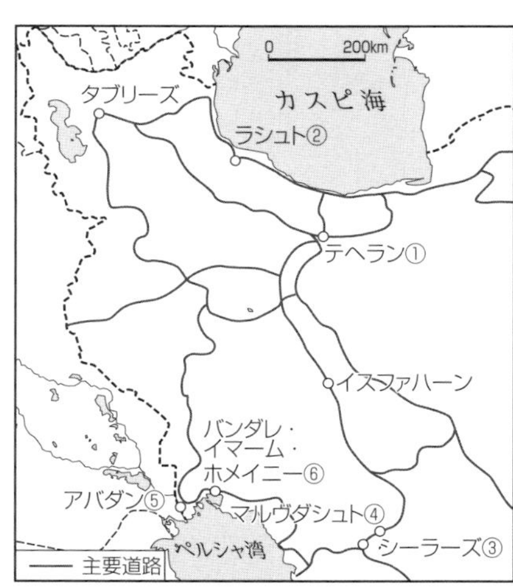

図1　日本イラン関係地図

①テヘランは1979年の革命直前には多くの日本人が暮らし，進出企業の事務所数や日本人学校の規模も現在とは比べ物にならない程大きかった。

②ラシュト近郊には1970年頃に東芝が家電工場を建設し，「お焦げのできる電気釜」を開発・生産して全国的に評判となった。またギーラーン地方の農業開発には三祐コンサルタンツが長年関わってきた。

③シーラーズには1960年代にブリヂストンがタイヤ工場を建設し，日本の企業進出の先鞭をつけた。

④マルヴダシュトは1930年代に砂糖工場が建設され，1938年にアフガニスタン研究者の尾崎三雄がここを視察している。同市は大野先生の調査地にも近い。

⑤アバダンは20世紀初頭にイギリスが建設した植民都市である。2000年頃に日本が一時期石油採掘権を獲得したアーザーデガーン油田も程近い。

⑥日本はイランとの合弁でこの地に世界最大級の石油化学コンビナートの建設を進めたが，1979年の革命とその後のイラン・イラク戦争により撤退した。

裁強化へとつながった。この革命が現在でも私たち自身にとって大きなアポリアであり続けている事をよく物語っているといえるだろう。

イラン革命当時の日本での受け止め方

イラン革命の発生当時，日本でも書店の棚にイラン関係の書籍が多数積まれていた事を記憶している。それらの一部はフレッド・ハリデーの『イラン：独裁と経済発展』など英語で書かれたイラン現代史の翻訳であり，またイラン革命の支柱であったアーヤトッラー・ルーホッラー・ホメイニーの主要著作『ヴェラーヤテ・ファギーフ論』のフランス語からの翻訳なども含まれていた。

だがそれらに交じって当時イランで様々なかたちで活動していた日本企業のビジネスマンの方たちの記録が多数並んでいた事は，改めて記憶に留めておくべきだろう。1970 年代の当時，テヘランをはじめイラン各地の都市部に在留する日本人の数が現在では考えられない程の多数に上っていた。当時イランでは大規模な石油化学コンプレックスを建設する「IJPC（イラン・ジャパン石油化学）プロジェクト」が進行していたのであるが，革命直前の段階でテヘラン日本人会に所属していた企業は製造業関係が 77 社，商社・金融業が 50 社に及び，数万人からの日本人がテヘランに在住していた。これは現在のイランにおける日本企業の活動規模とは比べるまでもない。この 40 余年で正に「時代が変わった」のである。

本項ではここで一つの問いを投げかけてみたい。イラン革命は私たち日本人にとってどういう意味をもっているのか，そして革命とその後の政治的変動の波及を恐れた欧米により仕掛けられたともいえるイラン・イラク戦争（1980 ～ 1988）を経て，イラン人と日本人の関係は今後どのようなものになっていくのだろうか。ここでは限られた紙幅の中で 1979 年当時の日本人による革命論から探っていく事にしよう。

イラン革命の当時，1960 年代からイランおよび西アジアの農村研究を主導していた大野盛雄先生が日本学術振興会のセンター長としてテヘランに赴任していた。革命の過程をイラン社会研究の好機と捉えた大野先生は，革命後も敢えてテヘランに残られて当時の日本人社会でビジネスマンやジ

図2　IKK（イラン革命研究会）の会合　イラン革命の直後に赤坂TBSに場所を移して開かれていたIKKの一コマ。前列真ん中は上田昌良氏，その左に片岡克氏，右側に大野盛雄先生，潮田巌氏。後列中央は柿崎崇氏，左側に小西洋也氏，加納弘勝氏，右側に上岡弘二先生の姿も見える。写真は1980年代初頭の撮影，赤坂TBSの一室にて。

ャーナリストの方々と情報交換会を主催されていた。大野先生の帰国後は東京に場所を移して定期的な会合を続け，IKK（正式名称はイラン革命研究会）と称するようになった。

この当時の関係者へのインタビューを中心に，最近ようやく日本人のイラン革命体験の一端を全5巻の報告書に纏める事ができたのであるが，現在の時点でこのインタビューの記録を読み返して改めて感じる事は，当時のイランに関わった日本人の方々がいかに深く激動期のイラン人と関わり，真摯な問題意識をもってこの革命を論じていたかという事である。このような記録を纏める意義については，第3冊（最終巻）の中で大野先生が以下のように発言している。「イラン革命については，いろいろイスラームがどうだとか，革命というものはどういうものだとか議論があって，本もたくさん出ているけれども，実際には日本人が一生懸命取り組んできた問題がガタガタになってしまった。……ではやはり，生々しい記録を残しておこうということで。」

革命時に日イ合弁銀行のジル・バンクの副頭取であられた上田昌良氏は革命当時の日本の位置について以下のように纏める。「一言で言いますと，完全な無政府ではないのですが，プリンシプルも責任もはっきりしない奇妙な状態に経済界，金融界が置かれたんです。……そうした中で，まずは日本の入り込んだ資本の産業のあり方というのは革命政府も評価していたと思うんです。……どっちかと言えば大資本の軍事的なバックを持った巨大な動きと言うよりは，タイヤをつくったり，われわれのようにコマーシャル・バンキングを展開したり，地道にダムをつくったりということで評価されていた。」

また革命前後のIJPCに関しては日本側のICDC（イラン化学開発）社長を務められた竹村連氏が第1冊（2）のインタビューで以下のように語っている。「本質的にいって，僕らは革命が起こった後もこの事業は続けようという意識を強く持っていたんです。だからやめちまうという意思は持っていなかったわけですよ。だけど，革命の後の戦争によって爆撃されて，工場が二十数回ぐらいやられて，これはとてもじゃないけど，私企業としては採算成り立たない。」

イラン人入国者の増大と異文化交流

その後イラン・イラク戦争が双方に莫大な損害（両国の戦死者は100万人に上る）を残して1988年8月にイラン側が国連安保理決議598号を受諾するかたちで終わり，当時の社会経済的な苦境の中で職を求めてイラン人が大量に日本に流入するようになった。その総数は不明であるが，当時は革命前からの査証免除協定により比較的容易に日本への渡航が可能だった事もあり，最盛期には数万人のイラン人が日本に滞留して上野公園や代々木公園などに野宿していた事もあった。当時この件は社会現象として注目され，その後査証免除協定の停止と警察による摘発等によりイラン人の渡航者数は急速に減少する。

だがその後ブラジルからの日系人や中国・韓国および東南アジア諸国からの外国人労働者が年々増加し，現在では160万人を超えている事を考えると，1990年頃のイラン人の事例は日本社会にとってグローバル化への最初の兆候を示すものであったというべきであろう。そしてこの時期の人間の移動の結果は必然的に両国の文化を併せ持つ若い世代の社会的生産を伴っている事はいうまでもない。

日本とイランの近代史の過程を突き合わせて考えると，ある種の近似性と異質性を同時に感じる事がしばしばある。その一つは例えば両国の近代史の過程におけるアメリカの存在の大きさであり（日本の場合は象徴的に1853年のペリーの来航以降，イランの場合は1911年のモルガン・シュースターの招聘がその嚆矢であっただろう），またもう一つは戦争体験の巨きさである（日本の場合は1941～1945年の太平洋戦争，イランの場合は1980～1988年のイラン・イラク戦争）。

前者については日本は欧米の圧倒的な文化的影響下で近代化を経験し，敗戦後にはアメリカの主導で政治的な「民主化」を実現してきた。イランの場合は20世紀の初頭以来イギリスの植民地主義的影響下に置かれたが，1953年以降はその覇権がアメリカに移行した。イランはその後1979年の「反米」的な革命を経験する。だが現在でも両国それぞれにある種のニュアンスをもって親米的な世界観が社会的な主流派を形成しているのは興味深い点である。筆者の個人的な印象では「イラン＝反米的」という一般的なイメージとは裏腹に，社会的意識のレベルではイラン社会はむしろ日本よりも親米的な傾向が強いとすら思われるのである。

いずれにしても日イ関係の底流には近代以降の歴史的体験そのものの共通性とそれによる共鳴・共感が明らかに存在するように思われる。日本のメディアにおけるサヘル・ローズさんの活躍や長年イラン映画を紹介してきたショーレ・ゴルパリアンさんの活動も，こうした両国の人々の共鳴・共感を伴っていると理解する事ができるだろう。

日本イラン関係の豊かな未来に向けて

筆者は2023年2月にイラン南部フーゼスターン州のアバダンを初めて訪れた。今回訪れてみて，イギリスの石油会社BP（British Petroleum，当時はAnglo-Persian Oil Co.）が，1907年にマスジェデ・ソレイマーンで発見された石油の大規模な製油施設のため，20世紀初頭に建設したこのイラン唯一の植民都市がもっている社会的・文化的な意味の大きさを改めて実感する事になった。

上記のIJPCプロジェクトのサイトはアバダンから東に100㎞ほど東に位置するペルシャ湾岸の港町バンダレ・イマーム・ホメイニーの近郊で，数十㎞内陸に位置する。イラン・イラク戦争の終結と事業の清算後，戦争によって破壊された施設の修復と完成は日本の手を離れたが，イラン現代史の激動を経験したこの巨大施設が日本の三井物産の主導で始まった事は厳然たる歴史的事実である。この未完に終わったIJPC事業の経験を経て，イランにおける日本の次の試みは2000年に始まったアーザーデガーン油田開発であった。だがこのプロジェクトも結局10年後に撤退が決まり，その後継は中国に委ねられた。

図3　イランの石油化学コンビナート（著者撮影）
2023年2月にイラン南部フーゼスターン州の旧IJPCのサイトを訪れた際のスナップ。このコンビナートはイラン・イラク戦争後に完成し，現在も操業している。

しかし既に述べてきたように，日本とイランの関係は決してエネルギーの短期的な需給関係のみに収斂（しゅうれん）するような性格のものではない。1953年の日章丸事件は当時の出光興産がイラン産石油に対するイギリスの厳しい石油禁輸措置を回避してイラン産石油の輸入を試みたものであり，ここから大戦後の両国の関係が実質的に始まる象徴的な事件であるが，その後も上述のような幾多の歴史的激動と転変を経て日本と日本社会が現在でもイランの人々から特別の信頼感をもって受け止められている事は特に強調されてよい。その上で2022年以降新たな歴史的転換（イランの場合は「女性・生活・自由」運動，日本の場合は安倍政治の突然の終焉）を予感させる両国が，この友好的関係を将来的にどう展開させるかはいうまでもなく両国の若い世代の判断と行動に委ねられている。

■参考文献

『オーラル資料編・イラン革命と日系企業』第一冊～第三冊，アジア経済研究所，2013-2022
児玉博『テヘランからきた男：西田厚聰と東芝壊滅』小学館，2017
西山毅『東京のキャバブのけむり』ポット出版，1994
ネザマフィ，シリン『白い紙／サラム』文芸春秋社，2009
藤元優子編訳『天空の家：イラン女性作家選』段々社，2014

「危機の時代」と向き合うために

成田 龍一

2019年12月，中国は，世界保健機構（WHO）に対し，武漢市で原因不明の肺炎の集団感染が確認されたと伝え，翌年1月に新型コロナウイルスが検出された。これが，さいしょの事態であった。その後，あっというまに新型コロナウイルスの感染拡大が起こり，世界各地に広まった。その数は，累計で6億3500万人に及んでいる(2022年12月現在)。その不安のさなか，2022年2月24日には，懸念されていたロシア軍によるウクライナへの侵攻がなされ，戦闘が開始された。

歴史年表に「疫病」「戦乱」と書き留められる事態のただなかに，私たちもまた投げ出されている。他人事のように見えていた歴史のなかの出来事がすぐそこに在り，大変な時代に生きているとの思いに浸される。事態の推移のなかで，みずからの生活や社会の様相が大きく変わっていくさまを経験しながら，歴史を学ぶことの重みが痛感される日々である。

「危機の時代」として，私たちが生きる〈いま〉を把握することは不幸なことだが，「危機」を認識することによって対処法も考えることができる。とともに，「危機」＝ピンチは，事態を改変し，あらたな方向性を取るチャンスでもある。歴史を学ぶことは，そのことも教えてくれる。歴史の「知」は，〈いま〉と過去をつなぎ，「危機」をチャンスにする手立てである。

手がかりとしてのE. H. カー『歴史とは何か』

のちにも言及する，20世紀を代表する歴史家のひとり，E. H. カー（1892～1982，図1）に『危機の20年』（初版1939）という著作がある。発刊されたのは，第二次世界大戦勃発の年である。それまで外交官であったカーは，大学教授となり，第一次世界大戦後からのいわゆる戦間期を「危機の20年」

図1　E. H. カー／TopFoto/アフロ

として把握し考察するのだが，出版とともに第二次世界大戦が始まっており，カーの分析と考察の的確さに思いが至る。カーは，目の前で進行する「戦争の影」――政治と思想の破局を描きだすが，あわせて，国際政治学として考察している。なにゆえに，カーは進行する事態を「危機」として把握することができたのであろうか。

ふたつのことが指摘できる。ひとつは，カーは外交官としての経歴から，現在の事態をめぐる国際関係の生々しさを知るとともに，歴史的射程のもとで考察することによってよく状況を把握しえたことである。いまひとつは，あらたな事態が進行するなかで，事態を見る目も従来通りでは対応ができないことに自覚的であったことである。「危機の 20 年」に遭遇し立ち向かうにあたって，カーは「新しい学問の始まり」（国際政治学）について力を込めて論じている。

事態に対する歴史的な射程での思考，事態を見る目の検討という双方の営みによって，1920 ～ 1930 年代を「危機の時代」として把握しえた。カーは，国際関係の変化と，国際関係の認識――「知」の双方の「危機」を指摘し，事態の打開とともに，あらたな認識を探っていった。この双方を支える認識―活力―知恵こそが，歴史を学ぶ営みということができるであろう。

「現在と過去との対話」「未来との対話」

「危機」に立ち向かうカーの営みは，「危機」の認識で〈いま〉を考察するとき，歴史を手がかりとすることが有効な手立てのひとつとなることを示してもいる。その後，ロシア―ソ連史研究者として，歴史学に専念するようになったカーは，あらためて歴史の重要性を説き，『歴史とは何か』(1961，日本語訳は1962) を刊行する。さきの本から，20年後のことである。

カーは『歴史とは何か』のなかで，歴史とは「現在と過去のあいだの終わりのない対話なのです」と述べた (第1講)。よく知られた一句であるが，カーは，同時に「未来」との対話にも言及している。歴史とは「過去の事象とようやく姿を現しつつある未来の目的とのあいだの対話である」とも述べる (第5講)。そう，歴史を知ることが，現在とともに，未来につながっていくとし，過去―現在―未来のつらなりを論ずるのである。「危機の20年」を経験し，歴史学を講ずるなかで，カーは過去に学び現在を知り，未来に希望をもつために現在を考察することを主張する。

図2　ペスト記念碑(ウィーン)／Alamy

カーに学び，歴史を現在と過去との対話，未来の目的との対話とするとき，そこに現在がもつ奥行――〈いま〉に対する深い考察が可能となる。あらためて，「危機の時代」とは，過去に学びながら，「危機」の打開を未来に見通す営みであり，「危機」の意識ゆえに，現在の位相——認識のありようをより深く考察する営みとなる。現在と過去との往還であり，そのことによる未来にむけての確信の獲得である。

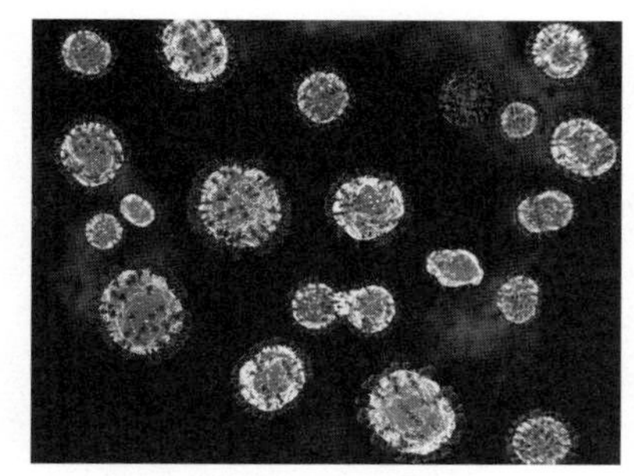

図3　新型コロナウイルス／Alamy

〈いま〉の「危機」の中核のひとつ，新型コロナの感染拡大も，かかる観点から歴史的に考察することによって，あらたな相貌を浮き上がらせる。新型コロナ禍は，人類が経験してきたパンデミック——感染症の爆発的拡大がもたらす「危機」のひとつであり，「短期」の幅では，100年まえのインフルエンザ，150年まえのコレラが視野に入り，社会の近代化のなかでの出来事であり，さらに「中期」的には，14世紀を頂点とするペストによる社会の激変に思いが至る。そして「長期」の視点からするとき，人類による自然の開発と，人びとの移動にともなうウイルスの拡散の一環として把握されることとなる。

「危機」といったとき，「短期」「中期」「長期」の「危機」があること，すなわち現在は，たえず複合的な「危機」によって構成され，解決においてもその認識が求められる。それにともない，「危機」の回避もまた，ワクチンの開発という「短期」の経験の知恵，社会の改造という「中期」の営みとともに，「長期」の観点から，ウイルスと人類とのつきあいという射程のなかでの考察を促す。〈いま〉の危機を，時間の幅で考察することにより，〈いま〉の局面が多層化し，対策もそれに応じて考察されることとなる。

この認識を，歴史を主語に言い換えると，歴史は「臓器」にも痕跡を残すということであり，人類史的観点で，直面する「危機」を把握することを意味する。この点を指摘する，藤原辰史氏（『歴史の屑拾い』）は，あわせて歴史学の感染症への関心が消化器系の感染症に集中していたことをいう。そして，循環器・呼吸器に着目し「肺に刻まれた歴史」として，「毒ガス」「塵肺（じんはい）」「大気汚染」——兵士，鉱業労働者，公害被害者の経験を拾い上げ，「臓器の空洞から眺めた人類史」へと，参照すべき経験の内容を豊かにしていく。

私たちが直面するウクライナ侵攻は，戦争という直接的な「危機」——恐怖をもたらしている。いのちを奪う戦闘の残忍さとともに，戦争によって人間関係が変わること，社会が破壊され改変されて構造的「危機」をもたらすことが目の前で展開している。

このとき，作家の高橋源一郎氏（『ぼくらの戦争なんだぜ』朝日新書，2022）は，「加害国」の作家のことばに目を向けるように促す。そして，かつて太宰治が，アジア・太平洋戦争のさなかに書いた作品に言及し，戦争——「危機」を，「彼らの」受難とせずに，「ぼくらの」戦争——「危機」として考える思考を促し，認識の範囲を広げる。

歴史は，一般的に「私たち」にかかわって議論がなされる。歴史を学ぶとは「私たち」の由来——「私たち」の作られ方の過程，力学，そこに働く政治を知ることにあるが,「危機の時代」といったとき,だれにとっての「危機」か,ということが議論の対象となる。（太宰の小説を手がかりに）「私たち」の戦争として認識することをいい，高橋氏は戦争がもたらす「危機」を執拗に考え抜く。

あるいは，さきの藤原氏は「ナチ時代のドイツ」の農業史を専攻する歴史家として，ナチズムに惹かれ兵士・銃後の生産者として支える人びとに接近する。「起きていたことの仕組みをあえて知ろうとしなかった，あえて負の面に目を閉ざしたという責任」を問う。

このとき藤原氏は，農業を介し「テクノロジーと自然と人間の関係史」を構想していき，パンデミックと戦争がもたらす「危機」を，ひとつらなりに考察しようとする。歴史を学ぶことが,〈いま〉の奥行を深めるといったことが，実践されている。

歴史学も変わる……

かように，〈いま〉は，過去がもたらす「危機」が重層しており，そのゆえに歴史的経験——歴史の「知」を学ぶことが求められる。しかしいまひとつ，21 世紀の「危機」は「脱歴史時代」，ことばを換えれば「歴史離れ」と重なってもいるという警戒感もある（南塚信吾・小谷汪之・木畑洋一編『歴史はなぜ必要なのか』岩波書店, 2022)。ややこしい言い方となるが,「危機」が,歴史的な射程で認識されないことに対する「危機」の指摘である。

21 世紀になって出版された, リン・ハント氏『なぜ歴史を学ぶのか』(2018, 日本語訳は 2019) は, あらたな状況のなかでの歴史学の役割と, その内容を説く。歴史学を「シティズンシップのための学校」とする。

> 私たちは, 長期で広域的な歴史, また詳細で個別化した歴史を必要としており, その中間にあるさまざまな位相と単位をもつ歴史も必要となる。なぜなら私たちは, ローカルな次元からナショナル, そしてグローバルな次元にいたる多様な位相をもつ世界にくらしているからだ（リン・ハント『なぜ歴史を学ぶのか』)

考えおくべきは, 歴史の「知」を学ぶことが肝要であるが, 歴史学自身も,「危機」のなかであらたな胎動をみせていることである。歴史の「知」を固定的に, また教条的に受け取るだけでは,〈いま〉につながってはこない。未来への展望, そして希望への動きが重層的になっているなか, 歴史の「知」も研ぎ澄まされていっている。歴史を学ぶことに, 終わりはない。

■参考文献

カー, E. H.（近藤和彦訳)『歴史とは何か　新版』岩波書店, 2021
成田龍一『危機の時代の歴史学のために』岩波現代文庫, 2021
ハント, リン（長谷川貴彦訳)『なぜ歴史を学ぶのか』岩波書店, 2019
藤原辰史『歴史の屑拾い』講談社, 2022

第2部

SDGsの歴史的文脈を探る

日本のひとり親家庭の困窮

中塚 久美子

子どもの芽を最初から摘む社会ってどうなんでしょうか――。

この問いは，筆者が2008年，ひとり親家庭の取材をした際に，当事者の母親から投げかけられたものだ。正社員で働いているが，塾代など教育費を十分に捻出できず，さらに通学費用の工面が難しいため，娘に志望する高校を変更してもらわざるを得なかった。

あなたなら，この問いに，どう答えるだろうか。

貧困の「再発見」

母子家庭だけが，あるいは母子家庭だから，貧困に陥るわけではない。ただ，日本の特徴にひとり親，特に女性側が不利を強いられる社会であることが挙げられる。ここでは母子世帯の貧困について考えていくが，その前に，現代日本で「貧困」がどのような形で語られ始めたのかを見ていく。なお，貧困とは「こころの貧困」といった思いやりの有無や心理状態ではないし，「雨風をしのげる家がある」「食べ物がある」という単に生命維持を軸にする「絶対的貧困」ではない。ここでは，人が尊厳を持って社会参加できる資源が不足しているという「相対的貧困」の観点にたつ。

「貧困」という言葉が一般的に見聞きされるようになったのは，2008年前後だ。生活保護が打ち切りになった男性が「おにぎり食べたい」と書き残して餓死したことが全国に報道され，また，住まいを失ってネットカフェで寝泊まりする「ネットカフェ難民」が全国で約5400人に上ることが厚生労働省の調査で明らかになった（いずれも2007年)。翌年には，日本の「子どもの貧困」について，研究者や当事者らによる発信が相次ぎ，報道で取り上げられるようになった。

民主党政権時代の2009年，政府が初めて日本の相対的貧困率を公表した（15.7%）。相対的貧困率は，世帯の年間の「可処分所得」を1人当たりにならし，高い順に並べた時の真ん中の人の所得を「中央値」と設定。同年の中央値は年228万円で，その半分の114万円未満の人の割合が相対的貧困率だ。

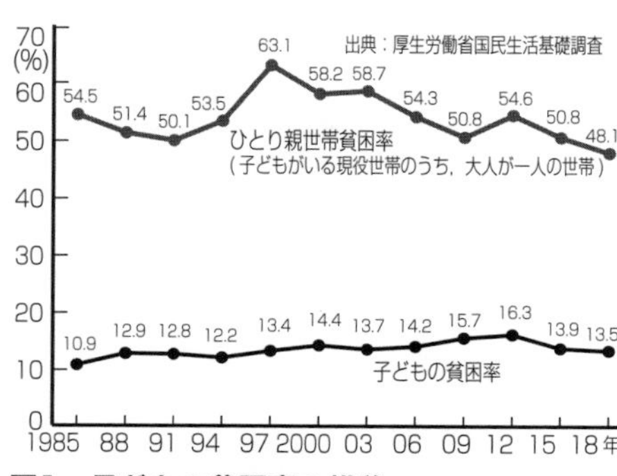

図1　子どもの貧困率の推移

貧困世帯で暮らす子どもの割合である「子どもの貧困率」は，2006年で7人に1人にあたる14.2%。ひとり親世帯に限ると54.3%で，当時，経済協力開発機構（OECD）の加盟30か国中，最悪の水準にあった。この後，1985年以降の過去の貧困率も公表された（図1）。

2013年，日本で「貧困」という単語を冠する初めての法律となる「子どもの貧困対策法」が成立した。

こうした流れの中，2015年，「持続可能な開発のための2030アジェンダ」としてSDGsが国連総会で採択された。

ところで，貧困は2000年代以降，突如現れたものなのだろうか。

見てこなかった「貧困」

第二次世界大戦後から振り返ってみる。日本国憲法第25条で，「すべて国民は，健康で文化的な最低限度の生活を営む権利を有する」と生存権を保障する。具体化したのが生活保護制度であり，貧困を考えるうえでの一つの目安になる。ただ，捕捉率（生活保護基準以下の世帯が生活保護を受給している比率）は極めて低く，3～4割と推計されている。社会で困窮している人の割合を生活保護受給率から測るのは難しいだろう。

戦後，厚生省（当時）が「厚生行政基礎調査」を用い，実質的な貧困率として「低消費水準世帯」を推計していた。ところが，1965年を最後に打ち切られている。戦後復興と高度経済成長期をへて，一億総中流意識のもと，

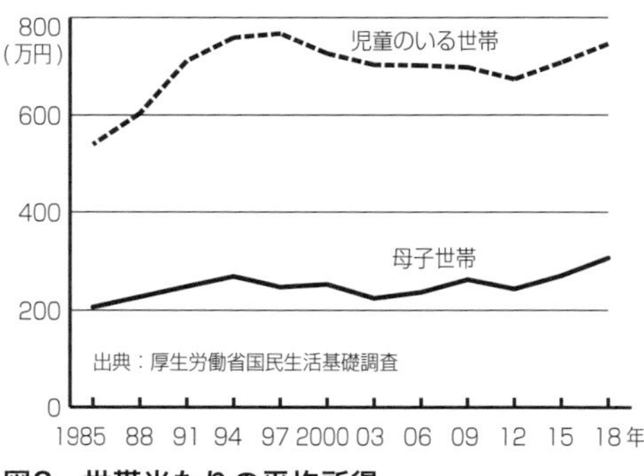

図2　世帯当たりの平均所得

「貧困」が置き去りにされていった。

1990年代以降，バブル経済崩壊，非正規雇用拡大を通じて，「格差社会」という言葉が現れる。現在，貧困率を算出するもととなる国民生活基礎調査は，1986年に始まった。児童（18歳未満）のいる世帯と母子世帯の平均所得の推移（図2）を見れば，母子世帯はずっと困窮状態にあることがうかがえる。しかし，2009年までの長い間，貧困率は公表されず，国民が知ることができなかった。

貧困が再発見されたということは，人々が注視するようになったということ。見ようとする姿勢がなければ，「なかったこと」にされるものなのだ。

「働いているけど貧困」と構造的問題

日本の母子世帯の母親は8割以上が働いているが，低所得なのだ（表1）。東京都立大学子ども・若者貧困研究センターによると，母子世帯（配偶者のいない65歳未満の女性と20歳未満の子ども）の貧困率は1985年の60.4％から，2018年に44.4％と下がったものの，高水準なのは30年以上変わっていない。

ここで，国際団体「世界経済フォーラム」が経済，政治，教育，健康の4分野で男女差を数値化した「ジェンダーギャップ指数」を見てみよう。日本は2022年，146か国中116位だった。特に経済と政治の分野が低く，経済は121位，政治は139位。管理職や国会議員，閣僚に女性が少ないことが順位に影響している。女性が増えていくこと自体は大事だが，貧困との関わりにおいては増えない理由に着目する必要がある。

長時間労働を前提とし，男性が稼ぎ主で女性が補助的に働き育児や介護などを担う仕組みは，今も根強く残る。国の社会生活基本調査で，6歳未満の子がいる共働き夫婦の家事関連時間は妻が6時間33分，夫は1時間

55分。日本は先進諸国と比較して，無償労働が女性に偏る傾向が極端に強い。こうした環境は，女性のキャリアアップを阻む。賃金が低く抑えられ，子育てと両立できる仕事を選ぶと，生活できるだけの所得を得られにくい。収入増のために長時間働けば，家族の時間にゆとりがない。心身の健康を害すれば，働くどころか，子育てもつらくなるだろう。

		母子世帯	父子世帯
世帯数（推計）		119.5万	14.9万
ひとり親世帯になった理由		離婚 79.5% 死別 8.0%	離婚 75.6% 死別 19.0%
就業状況		86.3%	88.1%
就業者	正規の職員・従業員	48.8%	69.9%
	自営業	5.0%	14.8%
	パート・アルバイト等	38.8%	4.9%
平均年間就労収入（母または父自身の就労収入）		236万円	496万円
平均年収（母または父自身の収入）		272万円	518万円
平均年収入（同居親族を含む世帯全員の収入）		373万円	606万円

表1　2021年度全国ひとり親世帯等調査結果（厚生労働省）

貧困削減に役立つ政策として，税金や社会保険料で豊かな人により多くの負担を求め，児童手当や生活保護などを通じて生活に困難を抱える人により多くの給付をする「所得再分配」がある。日本は他国に比べ，効果が小さいと指摘されている。ユニセフの2017年の報告によれば，所得再分配によって子どもの貧困率が削減された割合は，先進37か国の平均が37.5%だが，日本は18%。上位12か国は再分配で5割以上削減されていた。

対照的に，公的支援の改善速度以上に活発化しているのが，地域社会における貧困問題への意識の高まりと実践だ。学習支援や子ども食堂などの居場所づくりを，市民が支えている。

ここまでを振り返ると，構造的問題を社会で共有する視点，総合的な親の所得保障や教育費負担の軽減，男女格差や賃金格差など社会的不利への視点を問い直してみる必要があるだろう。

英国の経験とこれからを考える

経済のグローバル化などで社会構造が変化し，貧困問題に向き合う経験を先にしたのは欧米先進国だ。18世紀後半の産業革命をきっかけに成立した資本主義経済のおおもとである英国を見てみよう。

第一次世界大戦の後，子育てをともにするパートナーのいない女性への保護がほとんどなく，多くの女性が貧困にあえいだ。1918 年，母子世帯が不利になる法律の改正や生活を守ることを目的に民間団体が設立された。

1965 年，反貧困運動の中心的存在で，研究者らが加わる政策提言団体「チャイルド・ポバティー・アクション・グループ（CPAG）」が設立された。CPAG は，それまで英国で一般的に使われていなかった「子どもの貧困」という言葉を生み出した。

1970 年代には母子世帯の孤立感を解消するため，当事者同士が集まるサポートグループが誕生している。

特徴的な政治的動きとしては，1980 年代，保守党のサッチャー首相は，財政赤字などを理由に福祉・教育サービスなど制度の根本的見直しを行った。個人の自助努力が強調される過程で，「福祉依存」とされたひとり親への世間の敵意も醸成されていく。

労働党に政権が交代した後の 1990 年代の終わりから，英政府は子どもの貧困対策に力を注いだ。340 万人いた貧困家庭の子は 2010 年までに 230 万人に減った。しかし同年，政権交代し，緊縮財政が敷かれていく。低所得世帯向けの支援が減り，働いても十分な収入を得られない親がますます苦しくなっていく事態が浮き彫りになった。英映画界の巨匠ケン・ローチ監督が「わたしは，ダニエル・ブレイク」（2016）で，母子世帯などの弱者が権力からどのように翻弄されているかを描いている。

貧困問題は政治的で，構造を問う姿勢は世間の眼差しに左右される。一方，連帯する人々が世界にいる。そのことを踏まえ，立ち向かっていくことが解決への一歩となるだろう。

■参考文献

阿部彩「貧困の長期的動向：相対的貧困率から見えてくるもの」科学研究費助成事業（科学研究費補助金）（基盤研究（B））『「貧困学」のフロンティアを構築する研究報告書』2021

松本伊智朗・湯澤直美編著『シリーズ子どもの貧困1　生まれ，育つ基盤　子どもの貧困と家族・社会』明石書店，2019

東京都立大学子ども・若者貧困研究センター貧困統計ウェブサイト www.hinkonstat.net

英国ひとり親支援団体 Gingerbread ウェブサイト www.gingerbread.org.uk

英国 CHILD POVERTY ACTION GROUP ウェブサイト https://cpag.org.uk

アフリカの人びとはなぜ飢えるのか

栗本 英世

アフリカは飢餓の大陸なのか

「飢餓をゼロに」は，17のSDGsの目標のうち2番目に掲げられている。1番目の「貧困をなくそう」と同様，重要視されている目標である。国連開発計画（UNDP）の公式HPでは，以下のように述べられている。

> この目標は，すべての形態の飢えと栄養不良を2030年までに無くすこと，すべての人，とりわけ子どもたちが，十分で栄養のある食べ物を一年中得られるようにすることを目的としている。このことは，持続可能な農業を振興し，小農と土地，技術と市場への平等なアクセスを支援することを含んでいる。また，農業の生産性を高める上では，インフラの整備と技術の改革のための投資を促進するための，国際的な協調が必要である。

はたして，この目標は，2030年までに達成可能なのだろうか。

今日明日，いったいなにを食べたらよいのかという不安から自由になり，好きなものを腹いっぱい食べられるようになることは，始原の時以来，人類の願望であった。21世紀には，この願望が実現しつつあるように思える。多くの国や地域では，飢えではなく，栄養過多と肥満，そして大量の食品廃棄が問題となっている。しかしその一方で，相変わらず，空腹を抱えて眠りにつく人が世界中で数億人の規模で存在する。

国連の食糧農業機構（FAO）と世界食糧計画（WFP）が合同して2022年に発表した報告書『飢餓のホットスポット』では，ただちに対応が必要な国として6か国が取り上げられている。そのうち，4か国はアフリカである（エチオピア，ソマリア，南スーダン，ナイジェリア）。緊急の対応が必要な

13か国のうち，9か国はアフリカである（スーダン，ケニア，コンゴ民主共和国，中央アフリカ，チャド，ニジェール，マリ，ブルキナファソ，モーリタニア）。国連は，これらの国々は，政治的に不安定で，おおくは内戦や武力紛争を抱えており，それが飢えと直接的に関連していると，分析している。気候変動も飢餓の要因である。旱魃だけでなく，過度の降雨や洪水が不作の原因となっているのである。さらに2019年以降は新型コロナウイルス感染症の拡大という新たな要因が加わった。

栄養不良の人びとの割合も，世界の諸地域の中で，サハラ以南のアフリカは，もっとも高く，2021年では23.2%である（世界平均は9.8%）。人口でいうと，2億6000万人に相当する。しかも，この数値は2015年には18.3%であったが，その後毎年増加している（食糧農業機構等の報告書『世界における食料安全保障と栄養の状況』，2022）。

つまり，アフリカでは，SDGsの目標が達成されつつあるのではなく，まったく逆の現象が生じているのである。この問題がとくに深刻なのは，北アフリカを除くサハラ以南のアフリカである。本項では，主としてこの地域を対象に論じる。

アフリカの飢餓を理解する上での，基本的要因は人口である。アフリカは，世界の中でももっとも急激に人口が増加しつつある地域だ。1950年には大陸全体の人口は，約2.3億人（世界全体の9%）であったが，2000年には8.1億人（同13%），2020年には13.4億人（同17%）に達した。2050年には，24.9億人（同26%）になると予想されている。各国政府は，急増する人びとを「食べさせる」という難題に直面している。食料増産のためには，持続可能性と環境保護に留意しつつ，新しい農地を開墾し，農業の生産性と生産高を高める必要がある。産業を興し，食料を輸入するための外貨を獲得するという選択肢もある。

さて，アフリカはなぜ現在でも飢餓の大陸なのだろうか。この設問には注意が必要である。サハラ以南に限っても，その面積は日本の66倍であり，49の国がある（インド洋と大西洋の島嶼部も含む）。自然環境，食料生産様式，民族は多様であり，個別の検討が必要である。飢餓の危険に直面している国より，していない国のほうがずっと多い。したがって，アフリカ全体を飢餓の大陸とみなすのは誤りである。深刻な飢餓に見舞われた国でも，国民全員が飢えることはないことにも注意しておく必要がある。都市に居住する中間層以上の人びとは，ふつうの日常生活を送っている。1980年代半ばに大飢饉が発生し，国際的に注目されたエチオピアとスーダンでは，国全体では食料に余裕があったことが指摘されている。経済学者のアマルティア・センが指摘したように，飢餓が生じる要因として，食料の流通と分配，貧困層の食料市場に対するアクセス能力が重要なのである。飢餓は天災であることはもちろんだが，人災の側面もあるのだ。人災は，その国の政治経済的体制によって引き起こされる。

飢餓の歴史学と生態学

現代の飢餓を理解する上で，歴史的視点，とりわけヨーロッパ諸国による植民地支配の歴史は重要である。奴隷交易は，奴隷狩りの対象となった社会を荒廃させ，食料生産能力を低下させただろう。植民地化以降，植民地政府は綿，茶，コーヒー，カカオ，落花生など，輸出用の商品作物を奨励した。これらの作物は，大規模なプランテーションで栽培された。こうした単一の商品作物の栽培に依存する輸出型の農業は「モノカルチャー」と呼ばれる。東アフリカと南部アフリカでは，ヨーロッパ人入植者が農業に適した広大な土地を占有し「近代的」な農園を開設した。プランテーションや農園は「無主の土地」に設営されたわけではない。そこで生業経済を営んでいた小農たちは，より条件の悪い土地に移住するか，かつての自分たちの土地で農業労働者になるかした。植民地政府と入植者が推進した農業は，被支配者の利益になることを目的としたものではなく，小農の食料生産能力と経済的な自律性は減退することとなった。こうした構造は，脱植民地時代にも継続した。

アフリカは歴史的にずっと飢餓の大陸であったのかと問うことも重要だ。アフリカの飢餓が世界的な注目を浴びるようになったのは，1980年代以降のことである。これは新しい現象なのである。その後，国連や国際NGOは，被災民に対して大規模な人道援助を行うようになった。こうした援助は多数の人のいのちを救った一方で，援助依存の体質を創り出し，飢餓が生じ

図1　モロコシの脱穀（1983年，著者撮影）　南スーダンの他地域と同様，パリ人の村でもモロコシ（英語名ソルガム）が主食である。収穫後，畑に積み上げた穂を，平らな棒で叩いて脱穀する。

る根本原因の解決には貢献していないと批判されている。

サハラ以南アフリカの，自然環境と食料生産様式は多様である。主食となる在来農業の作物に注目すると，半乾燥のサバンナ地帯では，モロコシやトウジンビエ等のイネ科穀物が，より湿潤な地域では，料理用バナナ，キャッサバ，ヤムイモ等が栽培されている。植民地時代に栽培が拡大したトウモロコシは，広い地域で栽培されている。乾燥地と半乾燥地では，牧畜が主要な生業となっているが，小農も家畜を飼養している。アフリカの在来農業の担い手であり，現在でも人口の多数を占める小農は，自然環境に適応した，土地生産性は高くはないが持続的な農業を営んできた。栽培作物の品種は多く，生物多様性の保持にも貢献してきた。植民地化以降，在来農業は「後進的」であるとして軽視されてきた。飢餓の問題を克服するには，小農の知識と技術を尊重しつつ改善し，彼ら自身が自家消費をまかなう十分な食料を生産し，さらに都市に余剰の生産物を供給できるようにすることが肝要である。

現代の日本人と飢餓

日本人の食生活は，20世紀後半にきわめて豊かになったことは事実だ。美食と飽食が時代の風潮となった。しかし，21世紀に入り「新たな貧困」

と貧富の格差が顕在化するようになると，貧困層における栄養不良が社会問題化した。この問題はとりわけ子どものあいだで深刻であり，2010年代以降，日本各地で「子ども食堂」の試みが活発化し，命綱としての学校給食の重要性が再認識されるようになった。このように，飢えと栄養不良の問題は，現代日本のわれわれとけっして無縁ではないのである。

現在の日本ではお金さえあれば，どんな食材や食品でも購入できる。しかし，そのおおくは輸入品に依存している。農水省の公式HPによれば，2021年度の食料自給率は，カロリーベースで38％である。また，鶏肉や豚肉については自給率が高いとはいっても，家畜飼料の4分の3は輸入に頼っている。私たちが毎日食べている食材や食品が，世界のどの国や地域に由来するのか考えてみよう。私たちのいのちは，グローバルで自由な貿易に支えられているのである。この体制にはリスクが伴っていることは明らかであろう。食料自給率の低下は，明治以降近代化のために小農を犠牲にしてきたことの結果である。とりわけ第二次世界大戦後は，高度経済成長のもとで農業人口は急減し，農村は荒廃した。1960年には1300万人近かった農業就業者数は，2016年に200万人を割り，かつ高齢化している。里の荒廃は，里山の荒廃ももたらしている。小農による農業の復興は，たんに食料安全保障の観点だけでなく，環境保全や地方の創生にとっても重要な今日的課題なのである。

このように見てくると，アフリカの飢餓は，日本人にとってけっして他人事ではない。

■参考文献

重田眞義・伊谷樹一編『争わないための生業実践―生態資源と人びとの関わり』京都大学学術出版会，2016

ジョージ，スーザン『なぜ世界の半分が飢えるのか』朝日選書，1984

杉村和彦・鶴田格・末原達郎編『アフリカから農を問い直す―自然社会の農学を求めて』京都大学学術出版会，2023

セン，アマルティア（黒崎卓・山崎幸治訳）『貧困と飢餓』岩波現代文庫，2017

松田素二編『アフリカを学ぶ人のために』世界思想社，2023

感染症流行と明治沖縄社会

前田 勇樹

未曽有の新型コロナウイルスパンデミックは，社会生活の全般にわたる大きな変化を生じさせた。数年に及ぶパンデミックを経験するなかで，感染症そのものの原因や症状だけでなく，ヒトの移動や政治，経済，文化などの社会的な要因にも目が向けられた。また，感染症に起因する人種差別や事件が顕在化したことも記憶に新しい。歴史学においても，過去の感染症の歴史に焦点が当てられるなかで，医学や科学技術の側面だけでなく，感染症の社会史的な側面にも改めて目が向けられている。

ここでは，社会史ないしは「医療社会史」の観点から明治初期沖縄でのコレラ流行の歴史についてみてみよう。

「琉球処分」とコレラ流行

コレラは，19世紀の世界を象徴する感染症である。コレラ菌に汚染された水や食物を摂取することで感染し，激しい嘔吐や大量の下痢を引き起こす。重症の場合，強い脱水症状や血圧低下，筋の疼痛痙攣（とうつうけいれん）がおこり，適切な治療を受けなければ死に至る。その感染速度の速さや致死率の高さは，この時代のコレラ流行の特徴であった。コレラは元々インドの風土病であったが，イギリスをはじめとするヨーロッパ諸国のアジア進出と，それに伴うヒト・モノのグローバルな移動を通じて，世界中へと急速に伝染した。幕末日本での度重なるコレラ流行を経て，沖縄（琉球）では1879年に大規模なコレラ流行が確認される。この時のコレラ感染者は約1万1000人(6000～1万人の死者）といわれている。

また，1879年は琉球沖縄史の「世替わり」の年でもある。日本の明治新政府は，西洋列強をモデルとする近代国家建設を目指し，1870年代に琉球や蝦夷地（北海道），小笠原諸島など周縁地域に対する領土化と国境の画定を押し進めていく。近世期に中国と薩摩（大和）へ両属していた琉球に対しては，1872年9月の明治天皇による「琉球藩王冊封」を皮切りに，領土化（内国化）が押し進められた。琉球士族たちはこれに抵抗したが，1879年3月に「琉球処分」（廃琉置県処分）が断行される。軍隊と警官を率いた処分官の松田道之（みちゆき）は首里城の明け渡しと尚泰（琉球国王）の上京を通達し，尚泰は首里城を退去した。4月4日には沖縄県の設置が全国に布告され，450年続いた琉球王国は解体された。

置県後，華族から鍋島直彬（なべしまなおよし）（旧鹿島藩主）が沖縄県令として派遣されるが，鍋島は就任早々に旧士族層の抵抗運動とコレラ流行に直面する。同年8月には，鍋島自身がコレラに感染しており，同月31日の『横浜毎日新聞』では鍋島の“危篤”が報じられた（鍋島はその後回復している）。では，この時期の沖縄では，どのようなコレラ対策が講じられたのだろうか。

沖縄初期県政の感染症対策とは？

「琉球処分」後の沖縄県では，20世紀の初頭まで「旧慣」（近世琉球の法制度や慣習全般）を用いた県政運営が政府によって構想される。新たな統治に対する動揺や混乱を最小限に抑え，新県統治に抵抗する旧王府士族層を懐柔する狙いから「旧慣」が温存されたのである。

ただし，医療・衛生関連の制度面では，他の諸制度とは異なり早い段階から他府県と同様の制度の導入がみられる。コレラ対策としては，数年のタイムラグはあるものの「伝染病予防規則」（1880年7月），「伝染病取締法」（1881年12月）などの法制度が矢継ぎ早に適用された。さらに，県当局は首里，名護，久米島，宮古島，石垣島など各地に医院分局や診療所を設置し，法制度や医療環境の面では他府県並みの体制が整えられた。

しかしながら，この時期の沖縄県の衛生関連の資料をみると，県当局は医療・衛生の普及に関してふたつの大きな課題を抱えていた。

そのひとつが慢性的な「医師」の不足である。1880年2月に沖縄県から政府へコレラ対策を上申した「第四拾一号　衛生費ニ付上申」には，市中や水道が不衛生である様子や，都市部の首里や那覇を除くとほとんど正規

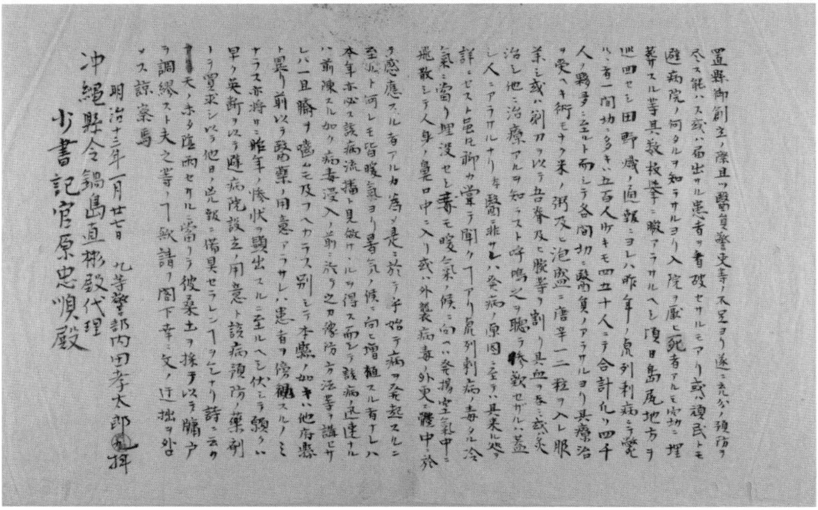

明治十三年一月廿一日　九等警部内田孝太郎　拝
沖縄県令鍋島直彬殿代理
少書記官原忠順殿

図1　『原忠順宛内田孝太郎意見書』原忠順文庫HA006（琉球大学附属図書館蔵）

の「医師」がおらず，医療が行き届いていないことが報告されている。1887年1月31日の「官報」をみると，「医師」の数は「六十余名」と記録されており，このような慢性的な医師不足を解消すべく1884年には那覇に医学講習所が設けられた。

そして，もうひとつが患者の隠蔽や密葬をはじめとする公的な医療の忌避である。近代日本の衛生行政は基本的に警察の担うところであり，沖縄も例外ではなかった。警察による感染症患者の探索と隔離は，時に民衆世界の大きな反発を招き，日本の各地で「コレラ一揆」が頻発した。史料上，沖縄での「コレラ一揆」の記録はみられないが，例えば内田孝太郎（九等警部）が原忠順（ただゆき）（沖縄県少書記官・県令代理）へ宛てたコレラ流行に関する意見書（図1）には，沖縄の民衆が病院を忌避し，死者を密葬する事例が多発していると報告されている。また，同報告書によると，人々は粥や泡盛に唐辛子を1～2粒入れて服用し，瀉血（しゃけつ）や灸（きゅう）などの民間療法によって治療をおこなっていた。この他にも，1880年に「衛生協議会」（県の役人による衛生関連組織）がおこなった報告によれば，コレラ流行に際して「虎列刺（これら）追」と称して人々が集団で鐘や太鼓を鳴らして廻り，逆に感染を拡大させているという事例も挙げられている（図2）。同様の事例は，他府県にもみられることから，西洋医学を中心とした新たな医療ではなく，民間療法や呪術的な力が民衆社会の拠り所であったことがわかる。

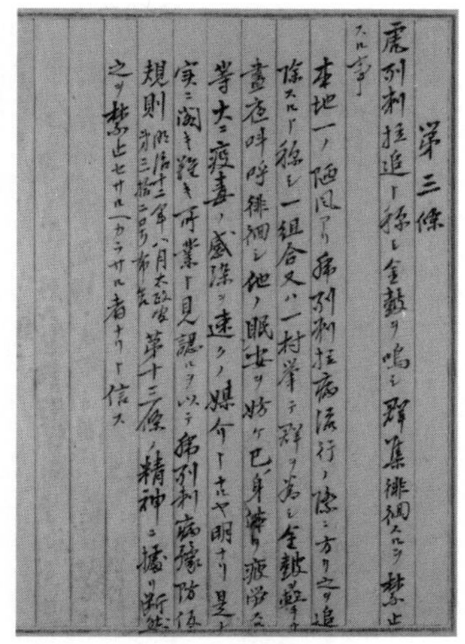

図2　『衛生協議会之義開申』原忠順文庫HA007（琉球大学附属図書館所蔵）

沖縄民衆が忌避したものは何か？

現代人の感覚からすると，感染症に罹（かか）ったら病院に行き，薬を服用し，場合によっては入院や隔離することが当たり前のように思われる。では，当時の沖縄の人々は医学的な知識に乏しく，着の身着のままで感染症に晒（さら）され，慣習的な治療法にすがっていただけなのだろうか。たしかに，経済的な事情から医療を受けるという行為そのものが特権的であり，首里・那覇などの都市部を除くと，基本的にはシマ（各集落）のなかで慣習的に継承されてきた民間療法や，ヤブと呼ばれる民間医による医療行為が長らく支持されていた。他方，沖縄県になる前の近世琉球の医療に目を向けると，必ずしも慣習だけに固執した社会であったわけではない。例えば，首里王府は中国や日本での感染症流行の情報をキャッチすると，今でいう「船舶検疫」などの水際対策を実施していた。また，外からの情報をもとに，独自の治験を踏まえて1868年に当時最新の医療行為であった牛痘種痘を公的に採用し，国内で広くこれを実施している。

この問題を考える上で重要となるのが，沖縄の統治や社会状況の問題である。例えば，1886年に天然痘とコレラが沖縄で流行した際の記録である「天然痘麻疹患者心得書」（『八重山文書』石垣長夫家文書六の一に所収）をみると，「大和人が人為的に流行を起こしている」という噂話が各地に広まり，県当局が噂話の対応にあたっている様子が記録されている。また，比嘉春潮の「翁長旧事談」によると，同年の天然痘流行に際し，西原間切（にしばる まぎり）の翁長では大和人が感染を広めているという噂に対して，井戸の横に見張小屋が建てられ，集落の青年たちが昼夜交代で見張りにあたったという。

これらの背景には「琉球処分」後に新たな統治者となった「大和人」に対する不信感が大きく影響していた。1880年代前半の沖縄では，旧王府士族層の抵抗運動や琉球列島の領有権をめぐる日清間の緊張関係のなかで，非常に不安定な状況が続いていた。また，沖縄民衆からすると，大和人そのものが畏怖の対象や社会のなかでの異質な存在として認識されており，彼らがもたらす新たな制度や秩序は，それまでの秩序を解体するものとして警戒の対象でもあった。このような王府の解体と新県の設置に伴う不安定な時期にコレラが侵入し，大流行の社会的な要因となったのである。

結果的に1879年は，明治期の沖縄における最大のコレラ流行年となったが，1年あまりで沈静化した。この当時，県当局が効果的な感染症対策をおこなったとは考えづらく，自然に沈静化したものと思われる。他方，沖縄社会において感染症対策の「近代化」の兆候がみられるのは，ここから15年ほど先の日清戦争後のことである。この背景には，日本への「同化」へと向かっていく世相の変化，沖縄出身「医師」の増加，新聞による情報の流通などの要因が考えられる。このように，明治期沖縄の感染症対策は，近代日本への「同化」の歴史と不可分な形で展開したといえよう。

では最後に，ここまでみてきた明治沖縄のコレラ流行の歴史を踏まえて，改めて現代の感染症流行について考えてみよう。感染症対策として医療技術や科学技術の進歩が第一であることに疑いはないが，重要なことはそれだけだろうか。政治や地域のコミュニティが力を失い，個人が孤立を深める現代において，感染症対策と個人をつなぐ社会や指導者，有識者の役割にも改めて目を向け直す必要があるのではなかろうか。

■参考文献

飯島渉「「医療社会史」という視角：二〇世紀東アジア・中国を中心に」『歴史評論』787号，2015

稲福盛輝『沖縄疾病史』第一書房，1995

前田勇樹『沖縄初期県政の政治と社会』榕樹書林，2022

ケニアのスラム街で教育が生む力

早川 千晶

スラム街で生きる人々

私はケニアのキベラスラムという貧困地区で「マゴソスクール」という学校を，スラムの貧困当事者たちと共に設立し運営している。キベラスラムはケニアの首都ナイロビの中心地から車でほんの15分ほどの場所にあり，約2.5㎢に100万とも200万ともいわれる人が暮らす人口過密地帯だ。地方からの貧しい出稼ぎ労働者とその家族が主に暮らしている。このスラムの歴史は古く，アフリカが植民地分割された19世紀末以降，イギリスにより徴兵され強制連行されたアフリカの他地域の兵士たちが，キベラスラムの最初の住民だった。その後，生活困窮者たちが流れ込み膨れあがっていった不法居住区である。

キベラスラムの住民は，狭い長屋の一室に平均10人前後の家族がぎゅうぎゅう詰めになって暮らしている。生活に必要不可欠の水は住民各自が自分で買いに行き，毎日運んでこなければならない。トイレはおよそ30世帯の長屋に共同便所が一つあるかないかで，下水の整備はなく，雨が降ればドブが溢れて家の中まで汚水が流れ込む。こうした過酷な生活環境でも，人々は助け合い，励まし合いながら絶望せずに毎日を懸命に生きている。空き缶から灯油ランプを，ドラム缶から鍋を，そして古タイヤからはサンダルを作るなど，世界最底辺のゴミのリサイクルも活発に行っている。

住民たちは今日を生き抜くために様々な工夫と努力を重ね，貧しい者同士の助け合いのシステムを生み出す。その絶大な生命力の強さには目を見張るが，一方で，多くの人々が病に苦しんでいる現実もある。朝から晩まで身を粉にして働いてもせいぜい1日1食しかありつけず，過酷な労働，

図1　キベラスラム（2000年撮影）

不衛生な住環境，十分な休息も取れない中で体を壊しても，医療費は高く，社会保障はない。今日働かなければ今日家族に食べさせる物がないから，無理をして働き続け，早くに命を失っていく。だからこのスラムには，親を亡くした子どもたちが溢れている。

故郷で親を亡くし，貧しい親戚の間をたらい回しにされた末にスラムに連れてこられた子どもも多い。また，厄介者扱いされて虐待を受け，労働させられていた子どもは逃げ出して浮浪児になる。そんな子どもたちがゴミ捨て場を歩き回り，売りにいける鉄くずや空き缶などを探す姿は，ナイロビではよく見かける光景だ。急速な発展を遂げるナイロビには高層ビルが建ち並ぶが，渋滞した車の窓辺に物乞いの子どもたちが群がり，排気ガスの中をひたすら徘徊する。汚い子ども，かっぱらいもする悪い子どもたちと嫌われる彼らは，街の人々から「チョコラ（拾って生きる子どもたち）」と呼ばれて蔑まれている。

スラムの中の学校

マゴソスクールは，そんな困窮した子どもたちを救済し，衣食住を提供すると共に，傷ついた心を癒し，愛情をそそぎ，教育を施す学校だ。私が30年以上前に出会った親友で，キベラスラム出身のケニア人，リリアン・ワガラさんと共同で設立し運営してきた。

リリアンは18人兄弟姉妹の長女で，両親を早くに病気で亡くし孤児になった。スラムで親を亡くした子どもがどれほどの絶望を味わうかは自分が一番よく知っていると，彼女は周辺にいる孤児を引き取り共に生活を始めた。それがマゴソスクールの始まりだった。ボロボロの長屋の一室に20人の子どもたちが集まって始まった寺子屋が，24年経ったいまでは幼稚園から中学生まで514人の生徒を抱える大きな学校に成長した。卒業生には高校，大学へと進学できる教育基金も設立した。そうして教育を受けるチャンスを得た卒業生たちが，いま新たな活動をスラムで始めている。

最初は，飢餓状態の孤児や貧困児童に，とにかく食事を与えたいという想いから，給食を作るところから始めた。古着，古靴，生活不用品など廃品回収をして，スラムの中でバザーをして安く売り，それを元手に食材を買って給食を作り始めると，食べ物を目掛けて空腹の子どもたちが大勢集まってきた。子どもだけでなく，子連れのシングルマザーや，DVから逃れてきた女性，身寄りのない高齢者，病者や障害者，失業者など，様々な生活困窮者たちも次から次へと集まってきた。マゴソスクールはそんな行き場のない人々の駆け込み寺にもなり，学校内に多くの人々が生活している。子どもたちに勉強を教えたいと，若者も集まってきた。すべてスラムの住民だ。最初は1年生，翌年には2年生と，毎年1学年ずつ増やすうちに，大きな学校になった。初めはただ空腹を満たしたい一心でやってきた子どもたちが，大人からの愛を受け，仲間を得て，学び始めることで，様々な変化が生まれていくことに私は気付いた。学ぶ子どもたちは，次第に夢を語り始める。その夢の一つ一つには人間が生きる姿の真実があり，その夢に耳を傾けているとスラムの暮らしの現実がはっきりと浮き彫りにされていった。

子どもたちの願いは，社会の役に立つ人間になりたいというものだった。最も多くの子どもが語るのは，医者になりたいという夢だったが，それは，身の回りで病に苦しみながらも医療の助けを得られない人を多く見てきたからだろう。だから自分が医者になり，病気で苦しむ人たちを助けたいと言う。

弁護士，教員，警察官，エンジニアというのも多く聞かれる夢だ。このスラムでは火事が頻繁に起きるが，狭い路地に消防車は入れない。そもそも火を消すための水がない。逃げる場所さえないスラムでの大火事の恐怖と被害を多くの人々が経験している。だから子どもたちは，自分が努力して学び，知識や技術を身に付け，ここで生きる人々がより良い暮らしをするための助けになりたいと願う。その夢が，困難を乗り越える力を与えて

図2　スラムの寺子屋として始まったマゴソスクール（1999年撮影）

くれる。誰もが同等の権利を得られ，安全な暮らしができる良い国を作りたい，学ぶことで自分たちがその力を生み出したいと彼らは願っている。それならば，そんな彼らを応援したいと私は思うのだ。彼らが自らの力で，自分たちの望む暮らしを手に入れることができるように，その学びの機会を生み出すことに私は尽力したい。教育は，困難な暮らしの中の輝かしい光であり，より良い世界を生み出すための希望の力なのだ。

スラムから世界へ

現在アフリカの国々が抱えている様々な問題の根本原因はどこにあるのか。それは世界の歴史を紐解いていかねば真に理解することはできないだろう。飢餓，貧困，内戦，テロ，難民，政情不安，暴動など，アフリカが背負わされている重苦は，そもそもは世界の大国がアフリカの人々を同じ人間として認めず，己の利益を追求するために侵略し，奪い，破壊し，支配したことに始まり，長きにわたる混乱の泥沼が生まれることになった。しかしこれからの時代には，これまでの時代には実現できなかった真の世界平和を実現しなければならない。私は，アフリカの最底辺のスラム街で，教育を通じてその可能性を生み出したいと思っている。何よりも大切なのは，その当事者である彼ら自身が未来に何を望むのかということだ。貧困の中で傷つき苦しんできた彼らと共に，私もそれを探っていきたい。

私がマゴソスクールで救済し成長していった子どもたちは，いま，大学生や社会人になり，新たな活動を開始している。2022年には新しくマゴソ・コミュニティセンターを設立した。そこには，IT・プログラミングの専門学校，洋裁学校，美容専門学校を作った。スラムの若者たちが思い思いの活動を展開していけるようミーティングホールや店舗も構え，ソーラー発電による電力を供給し，そこをベースに各自が起業することもできるようになっている。また，世界の人々と交流することで，新たなアイディアや技術を得たり，資金を調達したりすると共に，スラムからも世界に向けてSNSで独自に発信して貧困問題への啓発を行っている。そうした活動の中で，マゴソスクールに新たに生まれたスローガンは，「Magoso to the World —マゴソから世界へ」。

マゴソスクールを卒業した大学生たちは，いま国連ユース会議や，アフリカ各国で行われる国際会議に出席している。世界中の若者たちが出会い，学び合い，意見を交わし，交流することで，新しい時代に真の世界平和への道が開けていく希望を実感している。

世界中の誰もが人間としての尊厳を守り，同等の権利を得ることができる社会へ。奪い合うのではなく，共有し合う社会へ。持続可能な社会を実現するために，この世界で生きる誰もがその力となれるように，私たちは世界が抱える課題のすべてを全員で共有していければと思う。そのためには，まずは世界のリアリティに出会って欲しい。

ケニアのキベラスラムから世界へ。私もスラムの仲間たちと共に前進し続けていきたい。

■参考文献

小川未空『ケニアの教育における格差と公正—地域，学校，生徒からみる教育の質と「再有償化」』明石書店，2020

澤村信英・内海成治編著『ケニアの教育と開発—アフリカ教育研究のダイナミズム』明石書店，2012

松田素二『都市を飼い慣らす—アフリカの都市人類学』河出書房新社，1996

宮本正興・松田素二編『改訂新版　新書アフリカ史』講談社現代新書，2018

ジェンダー差は歴史のなかで創られる

植民地主義とガンビアの落花生栽培

井野瀬 久美恵

ジェンダーはすべての目標のベース

目標５のジェンダーは，SDGs のすべての目標と関係している。「女性（時に男性）であること」で被る不平等や差別は世界各地に存在し，それがさまざまな形で諸課題の達成を阻むからである。私たちが属する集団――国家や地域，民族や宗教，親族や家族に至るまで――には，程度の差こそあれ，どこか家父長的な性格があり，ゆえに，目標５を考えることは，それ以外の目標が求める課題解決を別の視点で探ることにつながるのである。

たとえば，ジェンダー平等への道はさまざまに模索されてきたが，今なお，男性は「外＝公領域」，女性は「内＝私領域」という考え方は日本内外で散見される。実際，家事全般や育児，介護といった報酬を伴わない家庭内労働を担っているのは，圧倒的に女性である。国際労働機関（ILO）の動向分析（2021）によれば，家庭内の無償労働に費やす時間は，１日当たり平均，女性は男性の 2.5 倍（世界全体の平均値計算）だという。ここに飢餓や紛争，災害といった非日常事態が加われば，ジェンダー格差はさらに拡大し，女性への負荷はその何倍にもなろう。昨今では，飢餓や災害の一因となる気候変動とジェンダーの関係性も問われるようになった。たとえば発展途上国の多くで水くみや薪集めは女性や少女の仕事とされているが，気候変動で水や森林資源へのアクセスが難しくなり，長距離を移動せねばならなくなると，事故の可能性も性暴力の危険性も増大する。また，洪水や豪雨で家が押し流されたり，干ばつで食料事情が悪化したりで貧困化がさらに進めば，娘を幼児婚に差し出すことも，性的搾取を目的とする人身売買に絡めとられることも起こりやすくなる。その結果，少女から教育の機会が奪われ，成人女性からは社会参加の場が失われる。

こうしたジェンダーに基づく悪循環を個人的な問題と捉えてはいけない。それは構造的に歴史のなかで創られ，それぞれの社会や地域，国家に埋め込まれてきたものである。それゆえに，今必要なことは，ジェンダー視点でSDGsと関わる「過去と現在の対話」を重ねていくことである。

植民地化とモノカルチャー――ガンビアの落花生

SDGsでは，とりわけアジアやアフリカの開発途上国の現状改善が意識されている。その根本には，農業をはじめとする現地産業が欧米諸国の植民地化で歪められたとする，いわゆる「経済のモノカルチャー化」の問題がある。スリランカの茶，キューバの砂糖，ガーナのカカオ豆などはいずれも，基本的に欧米諸国の需要を満たし，世界市場で売れる換金作物だ。欧米諸国は，これらの作物に特化した大規模な農園を植民地に作り，現地の安い労働力を使って栽培，収穫する仕組みを展開した。そのなかで，現地の社会・産業構造，労働体制は大きく変わった。なによりも，換金作物の導入は，自給自足を前提としてきた従来の農業のあり方を変化させ，ジェンダーによる労働分業，それと関わるジェンダー価値観を変質させた。その影響は現在にも続いている。一例として，西アフリカ，ガンビアの落花生栽培を見てみよう。

ガンビアは，ガンビア川に沿った細長い地形で，かつてはイギリスの植民地だった。周囲は旧フランス領のセネガルに囲まれているが，この2国は民族構成もほぼ同じであり，一つになってもおかしくない。実際，1860年代末から1880年代にかけては，ガンビアのフランス領編入が真剣に議論された。だが，英仏の対立を背景に，1960年代，ガンビアとセネガル

図1　ガンビアとセネガル

は別々に独立。その後も統合を模索する動きはあったが，実現しなかった。現在，ガンビアの公用語は英語，セネガルはフランス語であり，植民地化が現地社会に与える影響の根深さを考えさせられる。

セネガルとガンビアの一帯，いわゆるセネガンビア地域で落花生の栽培が本格化するのは，奴隷制廃止が議論される1830年代以降のことである。南米原産の落花生は，大航海時代，ポルトガル商人によって，ブラジルからヨーロッパ，及び西アフリカへと伝わり，アフリカ各地に広がり，奴隷の食糧として奴隷船に積まれ，北米大陸へも運ばれた。

ガンビアでは，トウモロコシ，キビ，米といった多様な穀物に混じって，18世紀のうちに落花生栽培が始まった。干ばつに強く風土馴化（じゅんか）が容易な落花生は，穀物の不作に対する「保険」のような，副次的な食材であり，当時その栽培を担ったのは女性であった。

この認識は，ヨーロッパにおける落花生需要の拡大によって大きく変わる。ヨーロッパで食材としては人気がなかった落花生が，産業化が進展する19世紀前半，工業油，食用油の原料として俄然注目を集めるようになったのである。特にフランスではピーナッツ・オイルへの需要が高かった。一方，イギリスが求めたのはアブラヤシからとれるパーム油。ここに，イギリスの植民地でありながら，主要産品である落花生の大半がフランスに輸出されるという，ガンビアのねじれ現象も生まれた。

金を生む落花生栽培に，ガンビアの男たちは飛びついた。

不可視化されるジェンダー分業化

植民地化が本格化する以前，ガンビアでは，男性が開墾や耕起を，女性はそれ以外の耕作・栽培・収穫の大半を担うという形で，ジェンダーによる分業が担われてきた。ところが，1840年代以降，換金作物として需要が拡大する落花生栽培を男たちが独占したため，女たちは家庭で消費する穀物（多くが米）を栽培せざるをえなくなった。かくして，ガンビア（広くはセネガンビア）では作物別のジェンダー分業が発生し，家族の食を支える女性の無償労働が市場経済から見えづらくなっていく。以後，男女が別々の農地で異なる作物を作るという分業体制が常態化して現在に至っている。

しかしながら，この認識――現在のジェンダー分業が植民地時代の過去を引きずっていること――が国連やNPOによる開発援助で共有されるのは，ごく最近のことでしかない。女性を「世帯主＝男性」に依存する存在と捉える欧米中心のジェンダー観では，農業労働に従事する女性たちは圧倒的に不利な状況に置かれてしまう。

図2　ガンビアでの落花生栽培技術の研修
（JICA）

たとえば，JICA（国際協力機構）が協力する「アフリカ稲作振興のための共同体」（CARD，2008年設立）をはじめ，サハラ以南のアフリカではいくつかの稲作灌漑プロジェクトが進められている。その多くは居住集団の長である男性を中心に実施されており，家庭内の権力構造と相まって，ガンビアのような家族の食を支える女性主体の稲作労働は不可視化されて，利益配分の埒外に置かれてしまう。肥料や農耕具の分配にもジェンダー不平等が発生することは容易に想像できよう。

さらには，稲作の普及とともに，水田近くではハマダラカが大発生し，マラリアの蔓延が数多く報告されている。WHOの報告書(2019)によると，マラリアの罹患率は女性が男性の2倍であり，特に妊娠中の女性の感染は，自身の重症化リスクのみならず，母子感染という深刻な事態をもたらしている。有効な予防策は殺虫剤処理された蚊帳の使用や抗マラリア薬の投与なのだが，これらにアクセスする女性の優先順位は低い。感染防止の知識不足にも，女性個人ではなく，ジェンダーをめぐる家族制度や広く地域社会の権力構造が関わっている。

モノカルチャー経済の罠

もうひとつ，ガンビアの落花生栽培について，ジェンダーと関わる興味深い事実がある。専門家によれば，ガンビア東部には女性が落花生を栽培し，男性が自給用穀物を生産する地域がある。この「逆転」には，1980年代の構造調整（発展途上国における債務の悪化から，国際通貨基金〔IMF〕と世界銀行が融資と引き換えに要請した経済構造の改革）が関係している。調整によってガンビア産落花生の輸出価格は大幅に下落し，換金性の低くなった落花生栽培から男性が手を引き，そのあとを女性が引き受けたのである。その結果，それまでほぼすべてが市場出荷されていた落花生は，自家消費する日常食材ともなった。ジェンダーの差は換金作物への対応ともつながっている。

価格変動の幅が大きいことは，モノカルチャー経済の欠点でもある。ガーナでもカカオの栽培は男性が独占したが，1970年代，カカオの国際価格の急落に伴い，男たちの多くはカカオ栽培を放棄して出稼ぎ労働を選んだ。残された女たちは，自給自足の農業に加えてカカオ栽培も担ったがゆえに，労働過重という新たな問題を抱えることになった。インドネシアのジャワでは，稲の品種改良により，収穫に刈り取りナイフではなく鎌を使うことが一般化したが，伝統的にナイフは女性の，鎌は男性の道具とされていたため，女性たちが収穫から締め出され，特に貧農世帯の女性にさらなる地位低下をもたらしたという報告もある。

このように，ジェンダーの差は「地雷」のようにあちこち埋め込まれ，とりわけ女性たちの存在をかき消す方向へと作用する。この「地雷」を踏まないためには，ジェンダー差が歴史のなかで創られてきたことを意識する必要がある。女性が，そして未来を担う子どもたちが，適切な教育を通して自分たちの「過去と現在の対話」に参加する――そこからSDGs実現の新たな見方が生まれることを，目標5のジェンダーは教えてくれる。

■参考文献

高木茂・小林弘明・丸山敦史・小泉浩郎「ガンビア東部における落花生栽培と女性の役割」『農村生活研究』第571号，2013

高木茂・小林弘明・丸山敦史「開発途上国における農業・農村開発とジェンダー問題の国際比較」『食と緑の科学』第69号，2015

田中雅一・中谷文美編『ジェンダーで学ぶ人類学』世界思想社，2005

正木響「英領ガンビアの対仏割譲交渉とその社会経済史背景」井野瀬久美惠・北川勝彦編『アフリカと帝国―コロニアリズム研究の新思考にむけて』晃洋書房，2011

水と衛生を求め続けた歴史

杉田 映理

現在，日本での日常生活においては，水やトイレがあることを私たちは当たり前だと感じている。しかし，SDGs の目標の一つに「安全な水とトイレを世界中に」があることは，つまりは，それが満たせていない地域が多く存在することを意味している。歴史的に見ても，人類は水と衛生的な環境を得るために様々な奮闘をしてきた。本項では，水と衛生に関わるいくつかの歴史的場面を振り返りながら SDGs 目標 6 を考えてみたい。

古代文明と水・トイレ

古代四大文明のすべてが大河の流域で発展したことは，水と文明のつながりの深さを示している。水資源が豊富にあり，水を操る技術を持つことにより，灌漑（かんがい）で農業を広げ，人々の生活用水を確保することが可能になる。これらは，人口の集中を支える要件である。大河のほとりで水路があり，河を下って海を通じて交易ができたことも，文明の発展に寄与したといわれている。

その四大文明の一つ，インダス文明のモエンジョ＝ダーロ（モヘンジョダロ）の遺跡の写真を思い出せるだろうか。多くの世界史の教科書や資料集に掲載されている写真が捉えているのは，都市の大沐浴（もくよく）場である。長辺 12 m, 短辺 7 m, 深さ 2.5 mの大沐浴場は儀礼の場だったと推測されているが，市街地の家にも沐浴室があり，排水溝は下水道につながっていた。世界で最も古い下水道はモエンジョ＝ダーロのものだといわれている。この下水道に家のトイレの汚物も流れ込む仕組みになっていたようだ。

メソポタミア文明のテル・アスマル遺跡でも，レンガ造りの水洗トイレ（トイレの下は水が流れている）の遺構が見つかっている。人々が集まって暮ら

図1　ローマ水道の遺構（著者撮影）

す上で，トイレがあって，人の排泄物が生活環境から除去されることは非常に重要である。古代文明を築いた先人たちは，その重要性を認識して都市を計画していたのであろう。そして，その基本条件は今日のSDGsの目標6の「安全な水とトイレを世界中に」にも反映されている。

四大文明より時代は下るが，ローマ帝国の水道施設は，水を供給するために多くの叡智が結集され，技術が駆使されたことを物語っている。古代都市ローマにつながる11本の水道の一つ，ウィルゴ水道は，皇帝アウグストゥスの時代に完成し，修復を経て現在も利用されている。その最終地点が，現在，観光地として有名なトレヴィの泉である。やはり現在は観光地化されているポン・デュ・ガール（図1）は，現在のフランス南部がローマ帝国の一部であった時代（西暦50年頃）に建設された。高さ49 mのこの水道橋は，山間部のきれいな湧き水を50㎞も先の都市ニームに供給するための水路の一部だった。古代文明の偉大なる構造物は，人々にとっての水の重要性を顕著に示している。

産業革命時代がもたらした不衛生な環境

時代を飛んで18世紀にイギリスから始まった産業革命は，世界史における大きな転換点だったといわれている。機械や動力などの新しい技術が生まれ，工場制度が導入されると，工業化と都市化が進んだ。商工業都市や港町が繁栄して華やかな面があった一方，資本主義の強化で貧富の差が拡大し，工場や港湾で働く労働者の生活環境は劣悪なものであった。労働者が住む各住宅には水道やトイレはなく，共同のものを利用しており，汚水は適切に処理されていなかった。工場から出る煙や排水などによる公害も発生していた。

こうした都市で19世紀に流行した伝染病（感染症）が，コレラである。コレラは現在の公衆衛生学でも「水系感染症」――すなわち病原微生物が含まれ汚染された水が原因で感染する病気――の代表例とされる伝染病である。1830年代にコレラがイギリスに入ると，ロンドンなどの都市でたびたびコレラが流行した。コレラの主な感染経路は，コレラ感染者の排泄物（便）が水に混入し，その水が煮沸などされないまま飲み水などとして口から摂取されることである。

1854年，ロンドンの一地区で発生したコレラの集団感染では，わずか10日間で500人以上が死亡したという。コレラがどう感染するのかまだ解明されていなかった時代に，水が主犯格だと確信して現在でいう疫学調査をしたジョン・スノウ医師は，この地区の人々が共同利用していたブロード・ストリートの井戸が原因だと考えた。この井戸のポンプの柄を外して水を使えなくしたところ，感染拡大は収まった。後に井戸のすぐ近くには，コレラ感染者が使った汚水溜めがあったことも把握された。ジョン・スノウは，疫学の父と評され科学史上の重要人物となっているが，コッホがコレラ菌を発見し，水が媒介することを細菌学の面から証明したのはその約30年後のことであった。日本の明治時代に近代下水道が建設された契機が，コレラの流行であったことは，上記の史実をふまえれば偶然ではないのである。

SDGsの目標6

ここで改めて，「安全な水とトイレを世界中に」の標語で知られるSDGsの目標6について見てみたい。SDGsは，17の目標と，それぞれの目標を達成するためのターゲットから成るが，目標6も表1のとおり，主となる目標と8個のターゲットがある。

人間が生きていく上で，水が必要不可欠な資源であることはいうまでもない。特に飲み水は，1日たりとも欠かすことができず，また病原体や有害な化学物質が含まれない「安全な水」でないと命を落とすことにもなる。目標6にある「衛生施設」（衛生と表記される場合もある）とは，トイレや下水道など，人々の生活環境から人間の排泄物を除去する施設を指す。前節

目標6：すべての人々の水と衛生施設の利用可能性と持続可能な管理を確保する	
ターゲット：	
6.1	2030年までに，すべての人々の，安全で安価な**飲料水**の普遍的かつ公平なアクセスを達成する。
6.2	2030年までに，すべての人々の，適切かつ公平な**衛生施設・衛生行動**へのアクセスを達成し，野外排泄をなくす。その際，女性及び女子，ならびに脆弱な立場にある人々のニーズに特に注意を向ける。
6.3	2030年までに，水汚染を減少させ，有害な化学品や物質の放出の最小化と投棄廃絶を図り，未処理の排水の割合を半減させて再生利用と安全な再利用を世界的規模で大幅に増加させることにより，水質を改善する。
6.4	2030年までに，全セクターにおいて水の利用効率を大幅に改善し，淡水の持続可能な取水と供給を確保して水不足に対処するとともに，水不足に苦しむ人々の数を大幅に減少させる。
6.5	2030年までに，国境を越えた適切な協力を含みながら，あらゆるレベルでの統合水資源管理を実施する。
6.6	2020年までに，山地，森林，湿地，河川，帯水層，湖沼などの水に関連する生態系の保護・回復を行う。
6.a	2030年までに，集水，海水淡水化，水の効率的利用，排水処理，リサイクル・再利用技術など，開発途上国における水と衛生分野での活動や計画を対象とした国際協力と能力構築支援を拡大する。
6.b	地域コミュニティが水と衛生の管理向上に参加することを支援・強化する。

表1　SDGs6の目標とターゲット（外務省「我々の世界を変革する」を参考に一部著者訳）

の19世紀のロンドンの例のように，衛生施設が整えられていない状況では，「安全な水」の確保が脅かされるのである。

ターゲット6.2では，「衛生施設」に加えて「衛生行動」という言葉が見られる。英語では前者がsanitation，後者はhygieneである。衛生行動とは，衛生状態を保つための行動を指すが，SDGsでは特に石鹸による手洗いと，衛生的な月経対処が重視されている。石鹸による手洗いの重要性は，コロナ禍を経験した私たちにとって，自明になったのではないだろうか。コレラなどの水系感染症の多くも，清潔な飲料水の利

図2　ウガンダの小学校のトイレと手洗い設備（著者撮影）

用だけではなく，石鹸による手洗いが予防策となる。病原体が付着した手から経口感染するのを防ぐためである。また，当然手洗いには水が必要となる。

月経衛生対処は，一見，水やトイレとの関係が見えにくく，なぜ目標6の下にあるのか不思議に思う読者がいるかもしれない。月経衛生対処が国際開発において課題視され始めたのは，2015年のSDGsの採択に先だって，その目標設定が国際社会で議論された最近のことである。プライバシーのあるトイレが学校に整備されていないことで，思春期を迎えた女子生徒が月経中は学校を欠席する事例が認識されたことが要因のひとつである。また，月経中は手洗いなどのニーズも高まる。女性の，しかも月経という隠された事象は，世界史でも言及されることがないまま来たのではないだろうか。

水・衛生から考える歴史のゆくえ

冒頭で述べたように，世界には，安全な水やトイレにアクセスができない人々がまだ多くいる。給水施設やトイレ，下水処理施設などの社会基盤を今後整備していく必要があるが，くわえて，ターゲット6.3から6.bにあるように，公害などによる汚染減少や，水利用の効率化，水資源の管理・保護なども，急務である。特に，今後さらに地球温暖化が進むと，ヒマラヤなどの高山の氷河が融け，降雨パターンが変化して，水不足が加速することが予想される。国際的な水争いの増加も懸念されている。SDGs目標6とそのターゲットは，単に2030年が目標年限のものとして捉えるのではなく，これからの歴史を築いていく私たちの道標として理解する必要があるのではないだろうか。

■参考文献

外務省「我々の世界を変革する：持続可能な開発のための2030アジェンダ（仮訳）」，2015
杉田映理・新本万里子編『月経の人類学―女子生徒の「生理」と開発支援』世界思想社，2022
中川良隆『水道が語る古代ローマ繁栄史』鹿島出版社，2009
原田英典・山内太郎編著『講座サニテーション学4　サニテーションと健康』北海道大学出版，2023
見市雅俊『コレラの世界史』晶文社，2020

石炭・石油・原子力・再生可能エネルギーをつなぐ

山本 昭宏

産業社会を支えた石炭と蒸気機関

エネルギーの歴史は文明の歴史である。

それは人類が火を手にしたときに始まる。正確な年代はわかっていないが，少なくとも約70万年前には，人類は火を手にしていたと推察されている。以後，人類は様ざまなエネルギーを利用してきた。火以外では，移動や輸送のための牛や馬の利用，水上移動のための風の利用なども広義のエネルギーの歴史に入る。ただし，本項では主に石炭・石油・原子力・再生可能エネルギーに絞って記述することにしよう。

さて，エネルギー源としての火に注目するならば，人類が長きにわたって使用してきたのは木材（木炭）だったが，17世紀のイギリスで石炭への移行が進んだ。当時，工業化の初期段階にあったイギリスでは木材が枯渇し，輸入に頼らざるをえない状況だった。そこで，石炭の利用が進むことになる。17～18世紀のイギリスの人びとは，石炭をいかに効率よく使うか——つまり，いかに掘り出し，いかに運び，いかに燃やすのがよいのかという問題に直面していた。この問題を解決するために，様ざまな発明が生まれる。その代表が，石炭を使用した蒸気機関であり，これが産業革命の起爆剤となった。蒸気機関は，製鉄工場や織物工場だけでなく，製粉所，アルコールの醸造所，製紙工場などにも導入されたが，その負の側面として深刻な大気汚染を生んだ。近代産業社会におけるエネルギーの利用は，利便性や効率性の向上をもたらすとともに環境破壊や健康被害のリスクをも浮上させたが，石炭はその端緒として位置づけられるだろう。

さて，石炭の利用による蒸気機関が定着すると同時に，改良も加えられた。

A PAIR OF THE EARL OF DUDLEY'S THICK COAL PITS IN THE BLACK COUNTRY

図1　産業革命期のイギリスの炭鉱の様子

従来の蒸気機関は，蒸気をいったん冷却して，真空と大気圧の圧力差を利用していたが，それには膨大な石炭が必要でエネルギー効率が悪く，装置自体も巨大なものだった。ワットたちは18世紀末に高圧の蒸気と直接連動する機関を発明し，効率を上げ，機関を小型化することに成功した。これにより，水源から離れた場所にも水を引くことが可能になり，工場の数はさらに増える。

蒸気機関の小型化は，移動手段にも応用された。19世紀初頭，蒸気機関を使った車が発明されると，それが鉄道を走る蒸気機関車に実用化されるまで，そう長い時間はかからなかった。1814年にスティーヴンソンが蒸気機関車を完成させ，1830年には紡績業の中心地だったマンチェスターと貿易港があるリヴァプールを結ぶ鉄道が営業を開始すると，鉄道建設が一気に進んだ。一連のイノベーションは，イギリスを「世界の工場」へと押し上げることになる。

電気と石油の時代

エネルギーの歴史を振り返るとき，18世紀と同様に，19世紀もまた非常に重要な時期である。その理由は，以下の2点である。第一に，発電機の実用化。第二に，石油の利用である。

発電機から確認しよう。電気の利用は，イギリスのファラデーが電磁誘導現象を発見して電気の原理を解明した1831年に遡る。ファラデーはすぐさま銅製の円盤を使った発電機を発明し，力学作用を電気に転換する道を開いた。これにより，理論上は，蒸気機関でも，水力でも，風力でも，発電が可能になったのである。

次に石油を確認する。電気と異なり，人類は古代から石油を利用してきた。紀元前4000～3000年頃には，シュメール人が立像の接着にアスファルトを用いたとされる。また，古代エジプトでは，ミイラの防腐用にアスファルトが使用されていたことが知られている。さらに，古代ペルシアや古代中国でも，礼拝用や製塩，灯火，炊事用に天然ガスが用いられていた。そのほかにも，多様な地域で広義の石油を使用してきた。日本の例を挙げるならば，『日本書紀』には668（天智7）年，越の国（現在の新潟県）から燃える水・燃える土が近江大津宮に献上されたという記録が残っている。しかし，これらはあくまで例外的な事象だった。

石油の利用が一般化するのは19世紀後半以降である。19世紀末，ドイツ人のディーゼルが石油を燃料とした内燃機関を発明し，これにダイムラーによるガソリン機関の発明が続いた。石油は石炭よりも効率がよかったため，動力源として注目されるのは当然だった。こうして，電気と石油は，第二次産業革命を推進する原動力となった。

ただし，石油にはやっかいな問題が付いて回った。資源ナショナリズムである。19世紀末にはメキシコやインドネシアで油田が開発されたが，20世紀に入ると中東の存在感が増した。1930年代に，バーレーン・クウェート・サウジアラビアで大規模な油田が発見されると，ペルシア湾岸の油田地帯が世界的な産油地帯として浮上した。中東の石油は，石油の安定供給と価格低下に寄与したが，米英の中東への政治的関与も深まることになる。そもそも戦後世界では，アジア・アフリカを中心に独立が進んでいた。資源もまたナショナリズムの重要な支柱だった。国際石油資本（メジャーズ）が，石油価格の決定権を握っていることに反発した産油国は，石油輸出国機構（OPEC），アラブ石油輸出国機構（OAPEC）を結成して国際石油資本に対抗する。これにより，1973年と1979年の2度のオイルショックに代表されるように，産油国が世界経済に与える影響は増した。石油依存のリスクを自覚した先進国は，エネルギー源の多様化を進める。こうした文脈から天然ガスや原子力の利用がいっそう推進されるようになるのだった。

そして原子力へ

1942年12月，シカゴ大学で，世界で初めて原子核分裂の連鎖反応実験が行われた。この実験の成功により，核分裂連鎖反応が実証され，新たなエネルギーとしての展望がえられた。この実験は，のちに「マンハッタン計画」と呼ばれることになる極秘研究プロジェクトの一部だった。人類が手にした新たなエネルギーは，国家の意思によって予算と人員がつぎ込まれ，急ピッチで「実用化」が目指された。そして，1945年7月には世界で初めて原子爆弾を爆発させる実験が行われ，翌月には広島・長崎に原子爆弾が投下された。この原子爆弾は，戦後国際政治の焦点となっていく。

戦後世界では，核エネルギーを軍事目的ではなく，発電に使おうという機運が高まった。1953年の国連総会でアメリカのアイゼンハワー大統領が原子力の平和利用を訴えると，先進国は「Atoms for Peace」の掛け声のもと「原子力の平和利用」を推進していった。日本では1954年に国会で初めて原子力予算が成立するが，奇しくも同時期にはアメリカの水爆実験に遭遇した日本の漁船第五福竜丸の被ばく問題が起こっていた（ビキニ事件）。日本は核エネルギーの民生利用と軍事利用の両面に深く関わる国家だということは強調しておかねばならない。そこには，「核の負の側面をよく知っている被爆国・日本こそ，平和利用を推進すべきだ」という論理があった。

その後，1955年に原子力基本法が成立し，原子力開発が本格化する。この法律は，日本の原子力開発を平和目的に限ると掲げられている。以後，世界は原子力発電の実用化を進めたが，同時に世界は原子力災害という新たなリスクを抱え込むことになった。1979年にアメリカ・ペンシルヴェニア州のスリーマイル島で起こった原発事故，1986年に当時のソ連で起こったチェルノブイリ（チョルノービリ）原発事故，2011年に日本で起きた福島第一原発の事故など，苛酷な事故は社会に大きな影響を与え，原発に反

図2　福島第一原子力発電所　2023年1月。汚染水を処理した後の水を保管するタンクが並ぶ。(提供　朝日新聞社)

対する世論を喚起した。

しかしながら，世界的な規模でみれば，原発が重要な電源として位置づけられるという傾向は変わっていない。その背景には，もうひとつの重大なリスクが存在する。それは，気候変動（地球温暖化）だ。発電の際に温室効果ガスを排出しないとされる原発が，「クリーンなエネルギー」として，一定の期待を集め続けているのである。

原発への評価とは別に，気候変動の問題は，再生可能エネルギーへの関心へもつながっている。再生可能エネルギーとは，太陽の光と熱，風力，水力，地熱，さらにバイオマス（動植物に由来する有機物）などを指す。再生エネルギーをいかに利用していくのか。それは現代世界の課題のひとつである。

■参考文献

山本昭宏『核と日本人』中公新書, 2015

ローズ, リチャード(秋山勝訳)『エネルギー400年史：薪から石炭, 石油, 原子力, 再生可能エネルギーまで』草思社, 2019

ワート, スペンサー・R.(増田耕一・熊井ひろ美訳)『温暖化の〈発見〉とは何か』みすず書房, 2005

海外からの出稼ぎ労働者と日本

澤田 晃宏

人類の歴史上，人的資源はより豊富なところから欠乏するところへと移動してきた。またその移動にはより貧しい地域から豊かな地域，あるいは高い賃金が得られる地域へというベクトルも存在した。世界史上の奴隷貿易や移民などがその最たる例である。ここでは「現代の奴隷」と言われながらも，実際にはその実態がほとんど知られていない「技能実習生」に焦点をあて，彼等を取り巻く状況を日本国内，さらにはグローバルな視点から簡潔に紹介したい。

人身売買の国ニッポン

2022年に米国務省が発表した人身取引報告書は，4段階のうち，日本を上から2番目にあたる「第2階層」の評価をつけた。課題として指摘されたものの一つが，「技能実習制度」だ。報告書では，この制度下で多額の借金をして来日した技能実習生が労働を搾取されているにもかかわらず，政府は仲介業者や雇用主への責任追及を行っていないとされた。

出入国在留管理庁によれば，来日前に借金をしている技能実習生（以下，実習生と表記）は全体の約55%。借金の返済額は54万7788円だった。国別に見ると，実習生の約54%を占める約17万7000人が在留（2022年末時点）する，実習生最大の人材供給国であるベトナムが67万4880円と最も高かった。

ベトナムの最低賃金は地域により，4区分に分かれている。最も高いハノイ市やホーチミン市を含む地域でも月額468万ドン（約2万7千円）だ（ベトナム政府政令38号）。どうして，50万円をも超える借金ができてしまうのか。その背後には，「労働力輸出」を掲げるベトナム政府の姿もある。実習生として日本に行くことが決まると，国営銀行などで容易にお金を借りることはできるのだ。経済成長著しい国だが，まだまだ地方農村部は貧しい。国としても，若者に海外に出て，外貨を稼いできてほしいのだ。

日本側も，この東南アジアからやってくる「出稼ぎ労働者」を利用してきた。

実習生の前身である「外国人研修生」受け入れの目的は，現行の技能実習制度と同じく知識と技能移転だった。1981 年に在留資格「留学」のもとで，海外に支店や関連会社のある企業が外国人を 1 年間受け入れられることになった。

その外国人研修生が本来の目的を失い，現在に至る「労働力の需給の調整の手段」となる契機となったのが，1990 年に施行された改正入管法だ。ブラジルなど南米系の日系人を受け入れる在留資格「定住」が新設されるのに加え，外国人研修のための独立した在留資格「研修」ができた。そして，これまで大企業に限られていた研修生の受け入れが，海外企業との関係がない中企業団体にまで拡大した。毎日新聞は 1990 年 6 月 10 日の朝刊に「改正入管法が一日施行　「研修」拡大，人手確保へ柔軟解釈」という見出しを打ち，こんな記事を書いている。

> 外国人不法就労者の締め出しを狙った改正入管法が一日施行されたが，これまで不法就労者を雇ってきた首都圏などの中小，零細企業の間では「経営危機」への懸念が高まっている。特に「きたない」「きつい」「危険」の 3K 業界では求人難の中，外国人労働者に代わる人手の確保が難しい情勢だ。そこで浮上してきたのが「技術・技能研修生の受け入れ拡大案」。産業界の強い要請を受け，政府・自民党は受け入れ基準を緩和，中小企業などへの「研修生」導入の道を開いた。しかし技術・技能習得を目的とした研修を人手不足対策に利用することに対する疑問も出ている。

コンビニで働く技能実習生

その後，まさに「失われた 30 年」とともに，外国人の受け入れが進んだ。出版不況が叫ばれるなか，2018 年に出版された『コンビニ外国人』（芹澤健介著，新潮新書）は，累計約3万部の話題になった。今でこそ外国籍のコンビニ店員に違和感を覚える人は少ないだろうが，首都圏を中心にレジ対応に就く外国籍のスタッフの姿が急速に増え始めた時期であり，多くの人の関心を集めたのだろう。

ただ，人手不足を外国人で補う状況は目に見える範囲だけではなく，その下層部にまで広がっていた。コンビニ店員のみならず，販売されている商品自体も外国人なしには成り立たない。たとえば，2022年4月に佐賀県鳥栖市で話を聞いたベトナム出身の技能実習生（女性，21歳）によれば，彼女が働く大手コンビニエンスストアに向けた総菜工場の製造ラインの様子は次のようなものである。

空のプラスチック容器が次々と流れてくる製造ラインには，女性と同じベトナム出身の技能実習生が10人並ぶ。最初の2人が麺を計量し，3人目が容器に入った麺をならす。4人目がナポリタンのソースをかけ，5人目と6人目の2人がカットされたソーセージ，7人目がピーマンを入れる。8人目が容器にふたをし，9人目がシールを貼る。そして，10人目が梱包作業をするレーンに容器を流す。これが，コンビニエンスストアに陳列されるナポリタンスパゲティの製造現場だ。

勤務時間は午後8時から，午前7時まで。筆者の取材に応じたこの女性はこう話した。

「昼間は日本人アルバイトの方の姿もありますが，深夜や年末年始などの長期休暇期間は，私たち外国人ばかりですね」

コロナ禍で入国制限がかかり一時的に技能実習生の数は減少しているが，コロナ前には最大約42万人（2019年末時点）いた。技能実習制度は開発途上国への技術と知識の移転を目的とする国際貢献のための制度だが，実態は人手不足対策に利用されている。

日本経済新聞の「外国人依存度，業種・都道府県ランキング」によれば，最も外国人依存度の高い業種が食料品製造業で，その割合は11人に1人だ。コンビニのみならず，スーパーマーケットの総菜や菓子パンの製造現場も，もはや技能実習生なしには成り立たない。本音と建前が乖離した技能実習制度への批判から，2019年に人手不足対策を目的に新設された在留資格「特定技能」でも，食料品製造業はその対象職種に入っている。

コンビニに毎朝，新しい商品が並ばなくとも直ちに困ることはないかもしれないが，農業や漁業同様，高齢化が深刻化する建設業界でも外国人依存が進んでいる。特に現場作業に就く技能者の高齢化は深刻で，60歳以上の割合が全体の26%に達する一方，29歳以下は12%に過ぎない（2020年）。建設現場に携わる外国人数は，11年の約1万2830人から，2020年には11万898人まで増えている（国土交通省「最近の建設業を巡る状況について」・「建設分野における外国人材の受入れ」より）。高齢化する技能者だけではなく，現場監督などの技術者も不足している。

優秀な外国人はすでに売り手市場

栃木県宇都宮市にある，建設業に特化した人材派遣会社は2019年，ベトナムの大学と提携。卒業後に現地の日本語学校で日本語とビジネスマナーなどを身に付けさせ，同社が雇用し，現場の施工管理に就く「ベトナム現場監督」として派遣する。

コロナ禍でプロジェクトはいったんストップしたが，2022年4月時点で8名が現場監督としてゼネコンで働いているという。まだまだ日本語力は十分ではなく，職人に指示を出すなどのコミュニケーションには苦労するが，進捗状況を管理する写真撮影などの業務に就いているという。同社の専務はこう話す。

「若手の技術者が不足するなか，当社が派遣する社員の平均年齢が50代中盤となり，外国人の雇用を考えました。真面目に働くと評判で，今年も15人を採用する予定です」

ただ，こんな懸念も口にした。

「ベトナムの経済成長と円安の影響もあり，日本に来る魅力が薄れてきています。コロナ前と比べても，募集の反応が弱まっています」

いわゆる単純労働分野で働く技能実習生全体の約56%，特定技能全体の約60%がベトナム出身者だ（2022年6月末時点。出入国在留管理庁資料）。賃金が上がらない日本とは逆に，2022年のGDPは前年比8.02%増と経済成長を続けている。国民の平均年齢は31歳と若く，中間層が拡大している。

ベトナムの首都ハノイの大手送り出し機関幹部はこう話す。

「10年前は寮費を抜いた手取りが10万円以下でも募集すれば人が集まった。今は，建設などの不人気職は15万円以上じゃないと集まらない」

目下，外国人労働者比率が急速に高まるのが介護だ。山梨県南アルプス市にある特別養護老人ホームは2021年，ネパールから初めて技能実習生を受け入れた。施設長は外国人労働者の採用を考えた経緯をこう話した。

「以前は県内の専門学校から新卒学生を採用できていたが，介護実習に来る学生もいなくなった。人手不足を派遣社員で補っていたが，40代以上の無資格の人が中心で，コストは高く，1年も続かない。そうして外国人採用を考えた」

施設長は海外の複数の日本語学校などを訪れるなか，ネパールからの受け入れを決めた。

「これから10年，20年，定着して一緒に働く人材を考えたとき，経済成長著しいベトナムは難しいと感じました」

同施設の判断同様，目下，ベトナム離れが起こっている。各業界でインドネシアやミャンマー，カンボジアの実習生が増えている。

だが，人手不足は日本だけの問題ではない。外国人の受け入れが進む介護だが，高齢化も日本だけの問題ではない。ドイツでは，ベトナムからの介護士の受け入れが進む。介護業種の最低賃金は全産業より3割ほど安く，1500～1600円ほどである。

一方，日本の介護従事者の平均時給は常勤で1020円だ（2020年度厚生労働省調査）。多くの外国人労働者の目的が「出稼ぎ」である以上，より稼げる国を目指すのは当然のことだ。日本人の賃上げは，外国人労働者の受け入れにも直結する問題である。

■参考文献

澤田晃宏『ルポ技能実習生』筑摩書房，2020

澤田晃宏『外国人まかせ　失われた30年と技能実習生』SAIZO，2022

科学技術と倫理

石浦 昌之

科学と技術の蜜月

技術［technology］の語源は，ギリシア語のテクネー［technē］にあり，芸術［art］の語源はラテン語のアルス［ars］にある。アルスはテクネーのラテン語訳であり，どちらも技芸全般を意味する言葉である。一方，近代西欧に生まれた科学［science］はラテン語で知識を意味するスキエンティア［scientia］が語源で，自然観察に基づいて仮説を立て，実験により検証し，数学的記号で記述するスタイルをとる（「科学」という訳語は「科挙之学」の略で中国起源)。科学的真理は絶えず検証し続ける必要があり，その検証可能性が科学的命題の特徴とされ，現代では自然科学のみならず人文科学，社会科学とあらゆる学問に科学的な方法論が採用されている。

16～17 世紀のガリレオやニュートン，デカルトに代表される西欧近代科学の登場は，バターフィールドらの言葉を借りれば「科学革命」という産業革命級の意義をもち，クーンがいうところの「パラダイム・シフト」であった（パラダイムとは，その時代の「当たり前」を支えるしくみ)。具体的には，近代に入り，自然界は中世のキリスト教神学で説かれたような意味や目的をもたず，原因―結果という因果関係で動く精巧な機械でしかないとする機械論によって自然をまなざすことが「当たり前」となった。従って，自然と切り分けられた人間の理性はその因果関係を合理的に追究し，それを数学的に記述できるようになった。神が理性的に創造した世界を，神の似姿として造られた人間が神の視座から把握する「科学教」を信じることで，キリスト教の「神は死んだ」（ニーチェ）のである。

そんな技術と科学は 1870 年代頃，第一次産業革命（石炭中心）を終えた工業国において，国民国家の軍備増強や産業発展のために「科学技術」となって結託する。大学や研究所は研究の場とされ，巨大資本を有する独占企業によって生産された工業製品は人々の生活を物質的に豊かにした（重化学工業の発展をもたらした石油・電力中心の第二次産業革命）。さらに，政府と結びついた独占資本は原料供給地や市場，資本の投下先を求めて植民地を拡大し，欧米列強による世界分割が進んだ（帝国主義）。第二次世界大戦後に問題視されたグローバル・ノース（北の先進国）とグローバル・サウス（南の途上国）の経済格差（南北問題）の淵源もそこに求められる。

モダンという時代

広義のモダン［modern］は，理性的な個人（デカルトのいう「考えるわれ」）を主人公とし，近代西欧キリスト教世界でおこった市民革命・産業革命・科学革命を機に民主主義・資本主義（アンチテーゼとしての社会主義）・科学を用いるようになった時代をいう。民主主義・資本主義・科学を啓蒙することは善とされ，それらは今なお多くの国々を動かすしくみであり続けている（モダンには近代のみならず現代の意がある）。しかし，経験論の祖ベーコンの「知は力なり」のように，経験による知識の獲得が自然を支配する力になるという価値観はモダンの人間中心主義そのものである。理性的な個人（観察する主観）が自然や社会（観察される客観）を操作・制御することで社会は発展するという近代西欧の楽観的な進歩主義・人間（理性）中心主義の結末が20世紀の二つの世界大戦や原爆投下・ホロコーストをはじめとする大量殺戮だったこと，そして右肩上がりの経済発展の代償として，自然の自己治癒力を

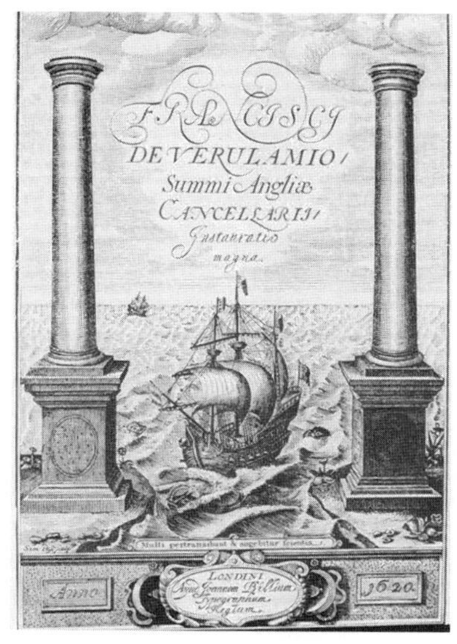

図1　ベーコン『ノヴム・オルガヌム』の表紙

上回る勢いで地球の有限資源を収奪し尽くしてしまったことを，いかに省みればよいのだろうか（先進国の利害である「サステイナビリティ」と途上国の利害である「開発」は両立しうるのか？　人類の進歩とは有限資源の消費により実現した一過性の現象ではないのか？）。21 世紀以降の中国・ロシアの民主主義を蹂躙する動向や，フロンティアの消滅により資本主義経済の機能不全が指摘される現代，そうしたモダンのしくみの自明性が疑問視されている。リオタールが，誰もが信じたモダンの成長神話「大きな物語」の信憑性の失効，ポスト・モダン（脱近代）への突入を宣言したのは 1979 年のことであった。

科学技術と倫理

ここで改めて考えたいのが科学技術と倫理の関係だ。そもそもテクネーはアリストテレスが述べたように，善なる目的のための手段を見出し，制作する営みである。ポリスという共同体で生きる上での「善い」目的のための手段を生み出す技術は，倫理と不可分だったのである。現に，核兵器や原子力発電などリスクがあまりにも大きい科学技術，遺伝子工学の発展による生命の人為的操作，軍事研究などに関しては，倫理的歯止めを慎重に設けることが望ましいとの声がある。一方で，軍事技術を民生転用（スピンオフ）した原子炉，半導体，無線，レーダー，GPS，インターネット，ドローンなどが日常生活の利便性を高めた事実は無視できず，科学の不可逆性を鑑みても，軍事研究や原発も含め，科学技術の進歩を止めることはできないと考える向きもある。

第三次産業革命と称されるコンピュータの発達によりもたらされた 20 世紀後半の情報通信（IT）革命は，シュンペーターが定義したイノベーション（新技術の開発を意味する「技術革新」は誤訳で，生活を根底から変える大変革を指す）に相当する。トフラーが『第三の波』（狩猟・採集生活から農業革命がおこった第一の波，産業革命がおこった第二の波に次ぐ）で情報社会の到来を指摘したのは 1980 年のことだ。今，高校生に「無くなったら困るモノ」を問えば，多くが「スマホ」と答える。これはスマートフォンという有形の「モノ」ではなく，インターネットでアクセスできる無形の「情報」に価値を置く時代になったことを意味する。SDGsの目標9「産業と技術革新の基盤をつくろう」では「強靭（レジリエント）なインフラ構築，包摂的かつ持続可能な産業化の促進及びイノベーションの推進を図る」ことが謳(うた)われ，水道・ガス・電気などに加え，開発途上国においてインターネットにアクセスできるインフラ整備を行うことが達成目標に掲げられている。インターネットにアクセスできる環境にない国や地域もいまだ存在し，医療・福祉・金融などのサービス利用や，働き方や生産プロセスに関するイノベーションが阻害されている。

2011年にはドイツ政府が産官学連携でスマート工場を中心とするエコシステムの構築を目指す「インダストリー4.0」構想を発表し，第四次産業革命と謳われた。マイスター制度が存在し，ものづくりが盛んなドイツにおいて，機械をIoT（Internet of Things，モノのインターネット）化し，AI（Artificial Intelligence，人工知能）の活用によりビッグデータを収集分析，自動化する「賢い工場」を作ろうという試みだ。日本では2016年に，狩猟社会（Society 1.0），農耕社会（Society 2.0），工業社会（Society 3.0），情報社会（Society 4.0）に次ぐ「Society 5.0」が内閣府の科学技術政策として打ち出された。これは，「IoTで全ての人とモノがつながり，様々な知識や情報が共有され，

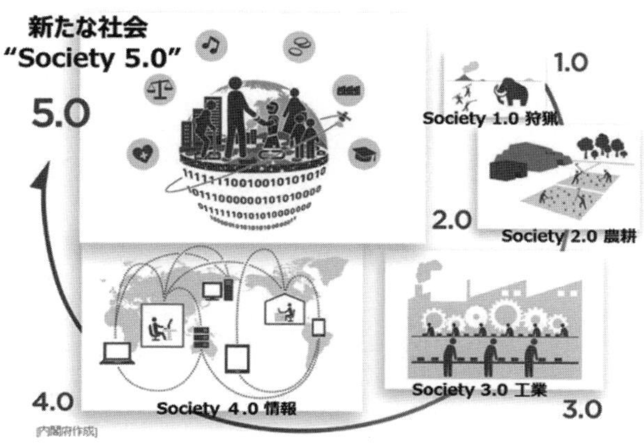

図2　「Society 5.0」（内閣府ホームページより）

今までにない新たな価値を生み出すことで，これらの課題や困難を克服し」，「人工知能（AI）により，必要な情報が必要な時に提供されるようになり，ロボットや自動走行車などの技術で，少子高齢化，地方の過疎化，貧富の格差などの課題が克服され」ることを目指すものだ。

近年，これらの社会構想で活用が推奨されるAIについて倫理的な議論も盛んだ。2013年には，アメリカの702の職種の約47％が，機械学習とロボット工学の進歩によるコンピュータ化により今後10～20年で危機にさらされるとするオズボーンらの「雇用の未来」と題する論文が衝撃を与えた。人間の知をアルゴリズムで再現するAIは，深層学習（ディープ・ラーニング）という，ビッグデータをコンピュータに多層的に読み込ませる機械学習の手法により，画像や音声データの分析，未来予測（株価，天気，需要），翻訳などが可能となっており，カーツワイルが指摘するように，2045年には人間の知を凌駕（りょうが）する土台が生まれる技術的特異点（シンギュラリティ）を迎えると予想される。とはいえ，自然な文章などを作成できる生成AIについては2023年現在，欧米では規制を求めるEUの動きもある。「人間の仕事を奪う」というAI脅威論もあるが，医師・レクリエーション療法士・小学校教員・振付師などAIに代替しがたい分野は存在する。ただし，現状AIによる再現性が低い芸術などの創造的営みもいずれ代替される可能性はある。クリエイターの権利を守る法の未整備，自動運転による事故責任の所在，AIアルゴリズムが人間の人種差別意識を再現する点など国内外に課題は山積している。人間とAIが協働する時代となり，人間のあり方を再考することや，AIが生成する情報の吟味やフェイクを見破るリテラシーはますます重要になるだろう。技術革新は倫理的課題と常に向き合う必要がある。

■参考文献

鬼頭葉子『技術の倫理』ナカニシヤ出版，2018

内閣府ホームページ「Society 5.0」https://www8.cao.go.jp/cstp/society5_0/

新田孝彦・蔵田伸雄・石原孝二編著『科学技術倫理を学ぶ人のために』世界思想社，2005

所得格差の是正が目標となるまで

武内 進一

SDGs のゴール 10「人や国の不平等をなくそう」ではあらゆる不平等の是正と包摂的な社会の実現が謳われている。ただし，そこで主たる焦点が当てられているのは経済的な不平等，すなわち所得格差である。

一国内の，あるいは国家間の所得格差を是正すべしという考え方が広く受け入れられたのは，それほど昔のことではない。産業革命以降，所得格差是正に向けた政府介入を求める声と，そうした介入を嫌い自由な経済活動を求める声とが繰り返し立ち現れてきた。一方，国家間の所得格差が「南北問題」として関心を集めるのは 1960 年代以降で，それ以来経済開発や貧困削減の様々な処方箋が提示されてきた。この二つの流れが合わさり，「不平等の是正」という形で問題が焦点化されるのは，ごく最近のことに過ぎない。

以下では，「人や国の不平等をなくす」取り組みがどのように進められてきたのかを振り返り，それがこのゴール 10 へと結実した歴史的背景を描きたい。

貧困と不平等

貧しい人々を救う取り組みは，近代とともに始まる。イギリスで最初に救貧法が制定されたのは 17 世紀初頭のことだが，当時は中世農村社会の解体が進んで，土地を失った農民が都市に流れ込んでいた。政府は当初こうした人々を浮浪者として取り締まるだけだったが，救貧法の制定によって寡婦や独居老人など働けない人々を教区単位で支援する仕組みが作られた。長い間，貧困は怠惰や道徳の欠落といった個人の問題だと考えられ，社会的な問題だとは認識されなかった。王や貴族が政治権力を握る体制にあっ

図1　1890 年代のイギリスのスウェットショップ／Alamy

て，身分をはじめとした様々な不平等，そして所得格差は当然のことと見なされたのである。

貧困が社会の問題だという考えが広まるのは，19 世紀半ば以降である。産業革命によって一部の資本家が富を集積する一方で，多くの人々が過酷な条件で労働に従事した。低賃金で悪条件の工場を指す「スウェットショップ」（sweatshop）という言葉が広がるのも，この時期である。王や貴族に代わって政治権力を握った資本家階級は，自由と平等（機会の平等）をスローガンに富を蓄積した。

こうした状況下，労働者の貧困を資本家による搾取の結果と捉え，政治体制の転換によって不平等の是正を目指す思想が登場する。マルクスは『資本論』（第一部刊行 1867）のなかで，労働力の搾取こそ資本蓄積の中核的メカニズムだと論じた。彼は，資本家と労働者の不平等は資本主義体制下では必然だとして，労働者が政治権力を握る共産主義体制への移行を唱えた。

マルクスの思想はロシア革命へとつながり，ソヴィエト連邦をはじめとする共産主義，社会主義諸国の成立を促した。しかし，これらの国々で不平等が解消されることはなかった。政治的自由が厳しく制約されるなかで，国家権力に近い特権階級が経済的にも優遇されたからである。結局，20 世紀末になって，政治的自由を求める人々の要求の前に，共産主義陣営は崩壊を余儀なくされた。

マルクスの思想は欧米や日本にも大きな影響を与えたが，こうした国々では資本主義体制の枠組みを維持したまま，労働者の処遇改善によって格差の是正や社会的包摂が図られた。西側先進国では福祉国家へ移行するなかで不平等の問題に取り組み，労働者の不満を一定程度抑え込んだのである。

貧困と開発

第二次世界大戦は国際秩序を大転換させ，数多くのアジア，アフリカの国々に独立をもたらした。こうしたなか，発展途上国の貧困――すなわち，国と国との不平等――が注目されるようになる。これを端的に示すのが「南北問題」という言葉である。駐米大使の経験を持つ英国人オリバー・フランクスは，1959年の講演で「南北問題は西側先進世界の課題」だと述べた。冷戦のただ中にあった当時，国際問題の主要な関心は「東西問題」にあった。そうしたなかでフランクスは，発展途上国の貧困や先進国との格差に目を向ける重要性を訴えたのである。

「南北問題」への取り組みは，1960年代以降本格化する。国連は1961年の総会で，1960年代を「開発の十年」と位置づけた。1961年に発足した米国のケネディ政権は，国際援助庁（USAID）を設置し，国連開発計画（UNDP）の設立を支援するなど，「南」の開発に熱心に取り組んだ。日本を含め先進国では，この時期に発展途上国支援の仕組みが整備された。

こうした「南北問題」への関心は，実のところ，かなりの程度「東西問題」の文脈に発していた。第二次世界大戦後，アジア，アフリカ，ラテンアメリカの発展途上諸国は国際政治上の一大勢力となり，これらの国々との関係構築は東西両陣営にとって大きな関心事になっていた。そして，「南」への接近に関しては，東側陣営が先んじていた。ソ連が一貫して植民地解放を支援し，アジア，アフリカの指導者と緊密な関係を作ったのに対し，米国はアイゼンハワー政権が発展途上国支援に無関心だったこともあって，関係構築が遅れていた。ケネディ政権は，その巻き返しを図ったのである。

東西両陣営からのアプローチに対する「南」の国々の対応は様々だが，特筆すべきは「非同盟運動」である。米ソのいずれにも接近せず，発展途上国独自の利益を追求する立場で，100を超える数の国々がこの運動に加わった。非同盟運動が国際政治において最も存在感を示したのは，1970年代前半であった。1973年10月に勃発した第四次中東戦争をきっかけに石油輸出国機構（OPEC）が石油価格の大幅引き上げを実施し，世界経済に大きな衝撃を与えた（オイルショック）。そして1974年の国連総会では，発展途上国の利益を反映した「新国際経済秩序」(NIEO) を目指す決議採択を成功させた。

しかし，1970年代後半以降，非同盟運動の影響力は急速に失われた。その理由は複数あるが，特に重要なのは発展途上国の多様化である。「南」と一口に言っても，その内実は様々である。加えて，1970年代には，韓国，香港，台湾，シンガポールのアジア新興工業経済地域 (NIEs) が急速な経済成長を遂げた。また，オイルショックは途上国のなかでも産油国に巨額の富をもたらす一方，非産油国には深刻な経済危機をもたらした。1980年代になると，資源価格の激しい変動によって多くの途上国が債務危機に陥り，国際金融機関の要求に沿って経済自由化政策へと転換せざるを得なくなった。

グローバリゼーション下の貧困と不平等

冷戦期，「国家間の不平等」(南北問題) に関心が向けられることはあっても，「国内の不平等」が国際的に問題視されることはほとんどなかった。社会主義や共産主義を標榜する東側陣営は国内に格差はないという建前を主張したし，自由競争を前提とする資本主義陣営は経済格差の存在自体を問題とは考えなかった。しかし，時代は変わった。SDGsのゴールに「人や国の不平等をなくそう」が盛り込まれたのは，それが放置できないほど深刻だとの認識が広く共有されたからである。

そうした極端な経済格差が顕在化するのは，1980年代以降である。この時期，新自由主義政策が各国のスタンダードとなり，金融自由化が急速に進展した。多国籍企業の世界展開が加速し，先進国では産業が空洞化した。いわゆるグローバリゼーションの深化である。

グローバリゼーションは多様かつ甚大な影響を世界に与えた。先進国では人口の高齢化と相まって，福祉国家的政策を手厚く展開する余裕が失われた。金融資産を蓄えた超富裕層が出現する一方，産業空洞化のあおりを受けた中間層が没落した。製造業の移転によって中国が「世界の工場」と呼ばれるようになり，新興諸国の国民所得は急速に増加した。中国とインドの急成長によって，「世界の貧困人口を半分に」というミレニアム開発目標（MDGs）の第一目標は達成されたが，サハラ以南のアフリカ諸国では貧困削減がほとんど進まなかった。一国のなかでも，国家間でも，目が眩（くら）むような経済格差が顕在化している。

図2 中国・深圳のビル群／Alamy

不平等の弊害は，様々な形で現れている。過度な経済格差が経済成長に負の影響を与えることは，既に多くの研究者が指摘している。いっそう深刻なのは，その政治的影響である。近年の米国やヨーロッパでは，国内で分断が進み，没落した旧中間層の支持を得た急進政治勢力が一国中心主義や移民排斥を打ち出す事態が目立っている。

SDGsのゴール10では，経済格差への処方箋として，グローバル金融市場への監視と規制を強め，人々の移動や移民の送金に対する障害を減らすことを提案している。いずれも政策的にセンシティブな要素を含んでおり，実効的方策の実現には幅広い議論が必要になるだろう。

■参考文献

ピケティ，トマ（山形浩生他訳）『21世紀の資本』みすず書房，2014

ミラノヴィッチ，ブランコ（立木勝訳）『大不平等―エレファントカーブが予測する未来』みすず書房，2017

ロレンツィーニ，サラ（三須拓也・山本健訳）『グローバル開発史―もう一つの冷戦』名古屋大学出版会，2022

GOAL 11 住み続けられるまちづくりを

［関連］ 3 すべての人に健康と福祉を　4 質の高い教育をみんなに
10 人や国の不平等をなくそう

これからのまちづくり

博物館などを中核に

岩下 哲典

資料館をまちづくりの中核に

岡山県津山市の津山洋学資料館（図 1）は，津山城下を東西に走る出雲街道の，東側の宿場町（城東地区）の中にそれとなく溶け込んで存在している。町並みから奥に進むと，明治の和洋折衷式の学校をイメージした白い建物（内部は洋学史関係の図書室）があり，その横を回って入館する。最初の展示室が西洋医学受容史の展示，次が津山洋学の中心人物の一人箕作阮甫（みつくりげんぽ）（蕃書調所初代教授）の展示コーナー，天然痘との闘いや在村医家の調剤室の復元展示が続く。意外と奥行きがあるが，外観からはこれほど広いとはわからない。

津山市では箕作阮甫の旧宅（町屋）など城東地区の歴史的景観を守りながら，資料館をまちづくりの中核のひとつに据えた。物品販売のショップ・軽食処も資料館の外側に宿場の雰囲気に合うように建てている。周辺の飲食店や和菓子店も景観をそこねないように町屋をリノベーションしたり，外観を周囲になじませる格子を設置するなどかなりの努力をしている。それはどこか，ヨーロッパの諸都市と博物館の関係を思わせる。

図1　岡山県津山市津山洋学資料館（写真提供 津山洋学資料館）

たとえば，スペインの古都トレドの歴史博物館は，町はずれではあるが，古い建物の中にリノベーションされており，看板も目立たず，それとなくたたずんでいる。コペンハーゲンの国立博物館でさえも，「国立」であることを自己主張せず，町と一体化していた。あるいは，ポーランドの首都ワルシャワのように，空襲で破壊されても，それ以前の資料や写真で復元されて元の姿を取り戻した都市も多数ある。ヨーロッパには，文化的景観を大切にし，文化財を保護しようという気運が当たり前に存在している。それこそ，歴史の賜物であろう。

城（文化財）をまちづくりの中心に

日本の歴史的建造物・文化財として貴重な近世城郭に関していえば，現存天守は12しかない。城郭の中には沼津城のように町中に飲み込まれて跡形もなくなった例もある。明治維新後，城郭は前近代の封建的遺物として売却や取り壊しの対象となった。しかし，現代では，城郭のある町は，それを中心にしたまちづくりを模索し，伝統工法による櫓（やぐら）の再建も進められている。冒頭の津山城でも，明治維新以後，天守以下すべての櫓が取り壊され，石垣のみになっていた。明治後期には桜が植樹され町民の憩いの場になり，さらに近年では美しい備中櫓が再建され，春には桜とともにライトアップされた姿を見に多くの観光客が訪れている。

古いものはすべて取り壊すのではなく，未来を見据えた再開発を行うべきなのはいうまでもない。こうしたまちづくりはそこに住む人々に自信と誇りを与えるものだ。

例を示そう。たとえば，栃木県壬生（みぶ）町の壬生城は，本来土塁の城であった。しかし，整備の際，崩落の危険もあってあえて石垣を新築した。近世城郭は石垣のイメージが強いので石垣があるべきだとの思いもあったという。そのままを継承することを旨とする歴史学や文化財学からは異論もあろうが，町住民の自信と誇りのために自らの税金を使うことを決断したのであれば，批判すべきではなかろう。

最近では宮崎県都城（みやこのじょう）市の市立図書館が，撤退した商業施設の中に新装オープンして，乳幼児から高齢者までのそれぞれの居場所をつくり，あえて厳しいルールをあてはめずに多くの本好きやそうでない人も受け入れる仕掛けとした。広い年代にわたる，多くの市民が集うことになり，全国から視察団が訪れ，全国的なニュースで取り上げられた。それは市民の誇りになっているという。文化施設が，市民をそしてまたよその人をつなぐ，まちづくりの重要な施設であることの表れだろう。

ところで，市民が学ぶ場所をつくるとき，行政はどうしても質の高い教育を提供しようと焦るかもしれない。しかし，焦らず，時に市民にゆだねることも必要だ。都城市では事前に市民からアイデアを募り，関東で図書館運営を展開する民間企業の協力を求めた。行政には市民と市外のアイデアをコーディネイトする力が求められる。津山市でも市民・住民の要望やアイデアをよく知った，そこに住む学芸員が，その豊富な人脈をいかして，全国の洋学研究者の知恵や，全国展開するが大手ではない建築家や展示業者をしっかりグリップしてあのような資料館の開館にこぎつけた。内外の知恵をどのようにそこにいかすのか，実現するのか，そうした手腕と人脈が行政サイドにはどうしても必要だ。外部のコンサルタントに依存するだけではしっかりしたまちづくりは難しい。

ところで，行政が十分な広報をしなかったことや文化施設への無理解がひとつの要因となって，町が二分する騒動になったところもある。

博物館建設で対立した町

1998年，浦安市に「箱もの」は不要，建設中の博物館は福祉施設に転用すると公約した候補が市長選で当選した。建設工事は外装6割が完成，展示を含む内装は未着工だった。新市長は，早速業者に中止を申し入れ，違約金の支払いを条件に業者側は中止に応じた。新市長の与党は少数派で，ねじれ状態の議会は新市長の方針に猛反対。今後の市政に支障がでると，新市長は，建設是非の議論を市民100人

図2　浦安郷土博物館（写真提供　浦安郷土博物館）

委員会（以下，委員会）にゆだね，委員を公募した。委員会では博物館の概要や新市長の福祉施設転用計画も説明された。活発な意見交換がなされ，博物館と福祉施設の重要性が次第に明らかになった。概して，古くから住む住民（旧住民）は博物館で「漁師町浦安」が後世に伝えられていくのを期待し，新住民は，自分たちが将来入居する可能性が高い福祉施設の建設を望んでいた。

結局，議論は意外な形で終結した。もともと博物館仕様の建築物を福祉施設に転用するのは，建築基準からして不可能であった。転用の場合，補強に膨大な費用を要し，補正予算案が議会を通る見通しはゼロ。その結果，新市長は，建設再開を議会に報告，工事再開となった。かくして工事が進められ，2001年「晴れて」開館に至った。中止期間約2年，違約金約2億円，加えて，当時の博物館関係者の精神的な疲労は察するに余りある。なぜ，選挙以前にわからなかったのか。

民主主義，地方自治の精神から，公約の実現は当然だ。だが，時間も労力も費用も節約できた。まず，市長候補者（新市長）は公約を十分に練り上げるべきであった。また，市は博物館建設の諸情報をもっと開示すべきだった。委員会で多く聞かれたのは「初めて博物館の中身を聞いた」という声だった。特に新住民にそうした声が多く，博物館の良さが圧倒的多数を占める新住民に伝わっていなかった。転用公約の新市長当選は，新住民の「箱もの」は不要，福祉施設は必要という思いを実現するものだった。

完成後の博物館は想定を大幅に超える，年間10万人という入館者を毎年記録し，早21年，今年2023年には展示を一新した。学校教員2名を博物館常勤職員として配置し，市内の修学前の子供や小学生・中学生の学習受け入れを積極的に行い，博物館の学校活用推進を図っている。また，博物館ボランティア組織に高齢者を積極的に受け入れ，健康な高齢者の福祉施設ともなっている。また，本来の福祉施設入所者が博物館やその資料を見学して自分の幼少期などを思い出し，認知症の症状進行が弱まったり，問題行動がおさまったりすることも報告されている（博物館資料による想起法）。

まさに博物館は，まちづくりや教育・生涯学習と福祉を兼ね備えた人をつなぐ文化施設なのである。

未来からの挑戦

2022年は，1872年に東京上野に「博物館」が設置されてから150年だった。上野は戊辰戦争の激戦地のひとつで，「博物館」は，彰義隊戦争で焼失した，徳川将軍家の祈禱所・菩提寺寛永寺の跡地に建設された。戦争で破壊された徳川の文化にかわり，明治政府の西洋化，脱東洋化，つまり「文明開化」政策の象徴のひとつとして建設された。「博物館」初代館長は，薩摩藩出身で，1867年のパリ万博にも派遣された町田久成。大英博物館などをモデルとした「博物館」はその後，帝室博物館を経て，現在，東京国立博物館となった。また「博物館」の一部は教育博物館など名称を変えながら，現在自然科学資料を総合的に扱う国立科学博物館にもなっている。「博物館」は産業育成のため博覧会も主催した。それが地方博覧会の開催と地方博物館の誕生につながり，地方博物館の一部は物産陳列館にもなり，現代産業博物館の源流となった。広島の世界遺産・原爆ドームはかつて，広島県物産陳列館，同産業奨励館であった。

「博物館」は多様な要素を含み，今日，5000を超える国内の博物館（美術館・資料館・文化館など）の源流なのである。「博物館」から始まった「文明開化」は今日多くの文化施設が設立される状況を生み出した。しかし，これらをまちづくりや教育・生涯学習・福祉施設としてとらえ展開することは十分とはいえない。津山市はまだ少数派なのだ。文化施設をまちづくりにどのようにいかすかは行政側のみならず，それら文化施設を有する自治体に住む一人一人の市民に課せられた，未来の市民社会からの課題である。わたしたちは文化という面でも未来からの挑戦を受けている。

■**参考文献**

岩下哲典「浦安市郷土博物館の開館によせて」『「歴史科学」と教育』20・21合併号，2002
岩下哲典『シリーズ藩物語　津山藩』現代書館，2017
金山喜昭『日本の博物館史』慶友社，2001

プラスチックごみ処理のアウトソーシング

つながる国家間の不平等と，国内のジェンダー不平等

赤藤 詩織

そのプラスチックごみ，分別した後どこへ行くの？

プラスチックごみに対する関心は近年急速に高まり，今や地球規模の環境問題になっている。そのような中，アメリカに次いで世界第２位のプラスチックごみ排出国である日本の責任は重い。

こうした現状を踏まえ，家庭レベルおよび個人レベルでの行動の転換が，国内の廃棄物管理戦略において喫緊の課題となっている。2020 年にレジ袋が有料化されたり，プラスチックごみの一括回収を開始する自治体が現れたりと，消費者の意識改革を促す政策が次々と出されてきた。

ところで，こうして家庭で丁寧に分別されたプラスチックごみは，「その後」どうなるのだろうか。

残念ながら，分別されて家庭を出たプラスチックごみの多くは，必ずしもプラスチック製品として家庭に戻ってくるわけではない。国内でリサイクルされ，新しいプラスチック製品として生まれ変わるプラスチックごみの割合は，2020 年の段階でわずか 4％だった（プラスチック循環利用協会『プラスチックリサイクルの基礎知識』）。

では，いったい残りのプラスチックごみはどこへ行ってしまったのか？

その答えを知るために，実際に家庭から出されたプラスチックごみを追いかけてみることとしよう。そのためには，国境を越えることになる。

マレーシアの首都クアラルンプールから車で 40 分。地元の環境活動家の案内で橋を渡ると，そこは荒れ地だった。現地語で「美しい島」という意味のインダ島は，その名前とは裏腹に，さびれた灰色の島だった。

「ほら，ここだよ。」

(左)図1　マレーシア，インダ島で投棄される海外のプラスチックごみ(著者撮影)
(右)図2　インダ島で破棄されている日本のペットボトル(著者撮影)

島の入り口付近の廃倉庫の前で車を止めると，彼は私に言った。「ここが，外国のプラスチックが投棄される場所なんだ」。

すぐに見覚えのあるパッケージが目に入った。

ここに「不都合な真実」が隠されていた。

実は，日本は世界有数のプラスチックごみの輸出大国であり，「輸出先」のほとんどが，マレーシア，インドネシア，ベトナムなどの東南アジアの国々である。

日本は，2020年の時点で86%と高いプラスチックリサイクル率で知られているが，その大半はプラスチックごみを燃やした際に得られる熱エネルギーの再利用であり，純粋にモノからモノ（プラスチック製品）として再利用される割合は21%に留まっている（プラスチック循環利用協会『プラスチックリサイクルの基礎知識』）。

しかも，その「21%」のうち78%が国内でリサイクルされず，国外へ輸出されている（プラスチック循環利用協会『プラスチックリサイクルの基礎知識』）。国内でかかる設備費や人件費のコストを抑えようと，東南アジアの国々等にリサイクルの場を見いだしているのだ（環境省『プラスチックを取り巻く国内外の状況』環境省，2019）。つまり，家庭で分別された後のプラスチックごみの大半は，国内でモノに再生されることなく，熱エネルギーになるか，または海外へ送られているのである。

海外へ輸出されているプラスチックはリサイクル可能な再生材料だけではない。2014年には167万tの廃プラスチックが海外に輸出され，処理されてきた。廃棄物の国境移動を国際的に規制している「バーゼル条約」が2019年に改正され，2021年より廃プラを輸出する際には事前に相手国の同意が必要とされるようになったが，それでも2020年には，日本から例えばマレーシアへ26万1000tもの廃プラスチックが送られた（JETRO『ビジネス短信』JETRO，2021）。現地では，処理能力を超えて集められた廃プラスチックが不法投棄されたり，野積みのまま燃やされたりしている。

それが，現在のインダ島である。

マックス・リボイロン氏が「廃棄物の植民地主義」（Liboiron『Pollution Is Colonialism』）と呼ぶように，日本や他の先進国が環境にやさしいリサイクル国家を実現するために，ごみの処理はグローバルサウスの人々へと「アウトソーシング」されている。

日本と東南アジアの不平等

このグローバルサウスへの「アウトソーシング」は，今日のプラスチックごみ問題に始まったことではない。その不平等な関係は，歴史的に何度も形を変えながら繰りかえされてきた。

1940年代以降の日本とマレーシアの関係について振り返ってみよう。1941年，日本はマラヤ（現マレーシア）に侵攻し，占領後は敗戦を迎える1945年8月まで地元の人々を非人道的に扱い，資源等の収奪を続けた。

戦後，国力を回復させた日本政府はアジアの国々にODAを通して有償資金協力を始めたが，これらの融資はかえってアジアの政府に対して，債務返済のために木材等の天然資源を開発するよう圧力をかける要因となった。

日本は1960年代以降，実に，世界最大の熱帯木材の輸入国となっている。1964年から1980年にかけて，日本は木材の半分以上をインドネシア，マレーシア，フィリピンから輸入している。ドーヴェルニュ氏はマレーシアのコラムニストの言葉を引用してこう批判している。「日本は安いからということで，我々の木を食い物にしている。何百年もかかって育った熱帯雨林の木が，20年で育った針葉樹の松より日本では安い。だから，日本はマレーシアの木材を安物の家具や使い捨ての建築フレームに使っているのだ」（Dauvergne『Shadows in the Forest』）。

占領から開発援助，貿易と，その姿を変えて，2国間の不平等な関係は何度も露わになってきた。第二次世界大戦後，日本は自身が高度経済成長を享受する一方で，その糧となる天然資源は，かつて占領した東南アジアから搾取してきたのだ。プラスチックごみ処理の「アウトソーシング」もまた，これまでの不平等の歴史の延長線上におきている。

ドーヴェルニュ氏は，「ある国の経済が他の国や地域の資源管理に与える環境影響」を「影の生態系」という概念を用いて表す。「緑の国」になるためにリサイクル率をあげようとする日本から，東南アジアへ送り続けられるプラスチックごみも，そのような「影の生態系」の一例と考えられるだろう。

つながる国家間の不平等と，国内のジェンダー不平等

プラスチックごみ処理に関する「アウトソーシング」は，国家間に限り行われているわけではない。実は国内でも政府から家庭へと行われているのだ。

家庭でのプラスチックごみについて，政府は新しく以下の二つの行動を消費者に求めることとした（2022年「プラスチックに係る資源循環の促進等に関する法律」）。

（1）プラスチックの消費を減らす。

（2）より厳格な分別システムを導入する。

一見，個々の意識改革による主体的な取組を促すかに見えるこの政策は，実は本来政府が負うべき環境保護義務の各家庭への責任転嫁，つまり家庭への「アウトソーシング」とも呼べる一面を持つ。これらは二つとも，家庭へ環境保護の責任を押し付ける政策だからだ。

しかも，「家庭」と一括りに表現しても，実際，家庭内で買い物などの消費活動や料理，後片付けなどのごみの処理を主にしているのは女性である。つまり，家庭へ環境保護活動の「アウトソーシング」を行うことは，ワンオペ家事や，ワンオペ育児に苦しむ現代女性の負担をさらに増やすことにつながりかねない。

また，軽く，安く，丈夫で，掃除のしやすいプラスチック製品は，それ

らが日本の家庭の台所に普及した1950年代から，家事労働の軽減になくてはならないものとなっていた（遠藤徹『プラスチックの文化史―可塑性物質の神話学』）。2019年には，女性の労働参加率が53％まで上昇し，手軽に食べられる食品や冷凍食品を包むプラスチック容器，または作り置きの惣菜を保管するフリーザーバッグやラップも，現代日本の家庭の家事を軽減する上で重要な役割を果たしている。

そんな中，プラスチックの消費を減らすと同時により厳格な分別を求めるという政策は，日常の家事を担う多くの女性にとって，環境に配慮するためとはいえ，「名もなき家事」の増加につながる。家庭での消費と廃棄における「グリーン化」の圧力は，すでに家事と賃労働の「二重の負担」に耐えている女性に，より大きな重荷を負わせることになる。

今となっては地球規模の環境問題となったプラスチックごみだが，国家間の不平等や，国内でのジェンダー不平等から生じる「弱者」に問題解決をゆだねてきた「アウトソーシング」の手法もそろそろ限界を迎えている。

行き詰まった現状を打開するのに必要なのは想像力だ。誰も取り残さないためには，つくるだけ，つかうだけ，に留まらず，つくった後，つかった後，について，想像しなければならない。

国家間の不平等やジェンダー不平等は，ほんの一例に過ぎない。環境を守るには，環境以外の社会の様々な不平等を解決していかなければならない。なぜなら，それらはすべてつながっているからだ。

■参考文献

遠藤徹『プラスチックの文化史―可塑性物質の神話学』水声社, 1999

プラスチック循環利用協会『プラスチックリサイクルの基礎知識』プラスチック循環利用協会, 2022

Dauvergne, Peter. *Shadows in the Forest: Japan and the Politics of Timber in Southeast Asia*, MIT Press., 1997

Liboiron, Max. *Pollution Is Colonialism*. Durham: Duke University Press. 2021

ブラジルの熱帯雨林と先住民政策

岡 美穂子

2022年10月30日，世界はブラジルの大統領選挙のゆくえを注視していた。「ブラジルのトランプ」とも呼ばれ，2019年1月から大統領を務めてきた右派ジャイール・ボルソナーロ現職に，2003年から2010年まで大統領職にあった左派のルイス・ルーラ・ダ・シルバが挑む戦いであった。事前の世論調査では二人の支持票は拮抗し，互いの醜聞の暴露合戦がメディアを賑わせていた。ブラジルがいかに大国とはいえ，中南米の大統領選が世界中のメディアに注目されることは珍しい。なぜ世界はブラジルの大統領選にかくも注目していたのか。その最大の要因は現在先進国の大きな関心の的である「気候変動」と関係がある。いわずもがな，ブラジルは世界最大の熱帯雨林——アマゾン——を抱える国だからである。

アマゾンの発展と現状

アマゾンの熱帯雨林の総面積は550万㎢に及び，9か国にまたがって存在するものの，その60％はブラジルにある。世界の熱帯雨林の約半分に相当すると言われ，ミドリの星地球上のあらゆる生物に欠かせない酸素を供給し二酸化炭素を吸収する地上最大の装置である。しかしながら近年アマゾンは農耕地造成のための野焼きで急速に失われつつあり，それにともなって気候変動の一因である二酸化炭素などの温室効果ガスが大量に排出されていることが懸念されている。2019年1月にボルソナーロ政権が発足して以来，ブラジルではアマゾンの環境破壊を指摘する研究者らが要職から解任される事態が相次いだ。環境破壊を懸念するG7などの先進国からはボルソナーロ政権の批判が相次いだが，ボルソナーロ自身はこれらの意見を「自分たちの利益だけを考えるヨーロッパ植民地主義の再来」として退けていた。

広大なアマゾンの開発が本格的に着手されたのは 19 世紀のことである。当初は天然ゴム産業が盛んとなり，河口のマナウスやベレンなどが繁栄した。その他には目立った産業はなく，アマゾン全体は未開発のまま 20 世紀半ばまで比較的平穏で，そこに存在する動植物や先住民たちは古来の生活を守ることができた。ブラジル社会文化研究所（ISA）の「ブラジル先住民プログラム」では，2021 年の時点で 255 の部族が確認されている。同調査グループによれば，アマゾンには未接触部族がまだ多数存在するという。ブラジルの FUNAI（国立先住民保護財団）は先住民保護のために設立された国の機関であるが（1967），先住民の生活と熱帯雨林の保全は大きく相互関連することから，近年は環境保護においても大きな役割を果たしてきた。しかしながらその活動内容はボルソナーロ政権下で大いなる危機にさらされることになった。

ボルソナーロの先住民政策とアマゾン

ボルソナーロは政権をとるといち早く，先住民政策において FUNAI に与えられてきた先住民保護区の監督権や政府内での発言権の弱体化に着手した。FUNAI の機構長は従来国家公務員から任命されてきたが，当時の機構長を解任したボルソナーロは先住民の改宗を積極的に進める福音派キリスト教団体に所属する宣教師を FUNAI 機構長に任命した。この行為はキリスト教布教を植民地支配の正当化に使用した過去の人類のあやまちを彷彿とさせるもので，歴史的逆行にも見えた。ブラ

図1　ツピ・ナンバ族による敵の処刑（テオドール・ブライの版画）

ジルでは16世紀中頃にイエズス会がポルトガル人の入植者らと共に入ってきて以来，先住民を「神の栄光の下に文明化」する目的で集住政策が始まり，インディオの一部は都市民として他人種と混交していったが，アマゾンのより深い奥地に潜住するようになった人々はさらに多かった。

ボルソナーロがFUNAIを政権の意のままにできる組織に変革する目的はアマゾンの開発促進と大きく関係していた。これまでFUNAIが厳しく管理してきた先住民保護区における土地の所有が大幅に緩和され，新たに多数の大規模農園の開設申請が承認された。これらの大規模農園主（企業）はボルソナーロ政権の強い支持者であった。またこの時期にアマゾンでの開発に起因すると推定される大規模火災が急増した。2019年8月に開催されたG7サミットではアマゾンの大規模火災消火支援が決定されたが，ボルソナーロ政権は「内政干渉」としてこれを退けた。

ボルソナーロはFUNAIの各地域事務所責任者の政治思想調査を秘密裏に命じ，自身の政権に批判的な責任者を解任し，先住民保護政策に全く経験のない公務員や軍人に入れ替えていった。そのような中で，ブラジルで進む先住民政策に関して，国際社会のメディアが大々的な報道を始める契機となる事件が発生した。2022年6月ボルソナーロ政権下で起きている先住民の人権蹂躙（じゅうりん）・生活環境破壊を調査していたイギリス人ジャーナリストのドミニック・フィリップスが，解雇されたFUNAI職員で先住民保護活動家のブルーノ・ペレイラと共にアマゾンの奥地で殺害されたのである。自首してきた犯人は自身も先住民の先祖を持つ漁師で，薬物中毒者であった。国際メディアはこの貧しい漁師の背後に大規模な組織が存在する可能性を指摘したが，ブラジル連邦警察はその「背後」にまで踏み込むことはなかった。先住民の現状と環境破壊を調べていたイギリス人フィリップスがアマゾンの奥地で殺害されたという事実を先進国メディアは連日大きく報道し，ひいてはボルソナーロ政権下で起きている「全人類に関係する環境破壊」への国際的な強い関心を引き起こした。さらにはアマゾンの農地化や鉱業を進める業者とも結びつくとされる麻薬カルテルによる先住民社会の薬物汚染の実態も世界的に知られることになったのである。

ボルソナーロの支持者たちと敗北

冒頭に述べた選挙ではルーラが辛勝し，ボルソナーロは敗北した。各国メディアはトランプが敗北を認めなかった時のように，ボルソナーロもまた同様の言動をする可能性を指摘していたが，その意趣に反すかのごとくボルソナーロはすぐには反撃には出ず，その支持者たちに冷静であることを求めた。しかしながら，2023年1月8日，ボルソナーロ支持者たちのデモが首都ブラジリアで暴徒化し，大統領府などになだれ込む事件が発生した。その後このデモの暴徒化にボルソナーロ自身が関与している可能性が指摘され，現在（2023年1月）捜査が進められている。それはトランプの敗北時にアメリカで発生したトランプ支持派による合衆国議会議事堂襲撃事件（2021年1月）を彷彿とさせるものであった。民意において敗北した政治家が民衆の暴徒化を煽(あお)るという行為は「民主主義に対する挑戦」ともとらえられるが，「民主主義」は当たり前のものではない，ということを私たちは自覚する必要がある。ブラジルは多民族社会ではあるが，それぞれが帰属する社会には，分断とまでは言えないまでもそれなりの棲(す)み分けがある。そこには歴史が作り出してきた人種の階層化が影響を与えているだけではなく，優越性を与えられた人々であるはずの白人階層（ボルソナーロ支持者の多数派）もまた社会への不満を抱えており，その不満への何らかの解決策を示しうるポピュリストが支持を得やすいという現実を見ることができる。SDGsのゴールで掲げられるようなことは，多くの国の指導者や日々の困窮にあえぐ人々にとっては「先進国の価値観の強要＝新しい植民地主義」としか見なされず，それらに対するアンチ・プロパガンダが政治的成功をおさめる可能性は大いにあるという現実を，ボルソナーロの登場によって我々は思い知らされることになった。

2022年5月15日のAFP通信には「ブラジル先住民インフルエンサー」として羽飾りを頭につけ，伝統衣装を着た美しい先住民女性サメラ・アウィアさんが取り上げられていた。これはまだボルソナーロ政権下のことであったが，彼女はボルソナーロ政権下で進むアマゾンの環境破壊と先住民搾取の実態を世界中に知ってもらうためにSNSを活用しており，世界中に

図2　ブラジル先住民省初代大臣ソニア・グアジャハラ（左）**とルーラ大統領**／Palácio do Planalto. Foto: Ricardo Stuckert/PR

多くのフォロワーがいると記されていた。SNSの影響力にはネガティブな面もともなうが，何世紀にもわたって抑圧され，声を上げることのできなかった人々がSNSという手段で自ら社会的に広く発信できるようになったという事実は，現代社会やその先にある未来にとって決して少なからざる意味を持つ。また，ルーラ大統領の再就任によって，新たにブラジル先住民省が創設され，ブラジル政府初の先住民の連邦議会議員ソニア・グアジャハラがその大臣に任命された。先住民省の直轄下に置かれたFUNAIはその新機構長にやはり先住民のジョエニア・ワピシャナが任じられた。同時にルーラ政権では従来の「環境省」が「環境・気候変動省」に改名され，マリーナ・シルバが大臣に就任した。これらはいずれも女性である。ブラジルは今，新しい時代に向かって進んでいる。

■参考文献

伊藤秋仁・岸和田仁編著『ブラジルの歴史を知るための50章』明石書店，2022
西沢利栄・小池洋一『アマゾン 生態と開発』岩波新書，1992
ヤーギン，ダニエル（黒輪篤嗣訳）『新しい世界の資源地図―エネルギー・気候変動・国家の衝突』東洋経済新報社，2022

海の豊かさを守ることは，生命の豊かさを守ることだ

小川 輝光

マグロから考える

中トロ，赤身，ネギトロ……。「寿司にはマグロは欠かせない」という人は多いだろう。しかし，一方でマグロの数が減っていて，持続可能性に向けた努力が必要なことを耳にした人もいるだろう。マグロはいつまでも食べられるのだろうか。

図 1 は太平洋で獲れるクロマグロ（親魚）の資源量を評価したものである。20 世紀後半，遠洋漁業が発達し，その量は減少の一途をたどってきた。背景には，経済成長のなかでマグロの消費量が増えたことがある。近年は他国の漁獲も増えているが，依然として日本は最大の漁獲国である。ようやく国際的な資源管理が進められ，グラフは上向きになってきた。

マグロがこれからも食べ続けられるかは，資源量の問題だけではない。図 1 の 1950 年代後半に資源量が一度回復している点に着目しよう。どの

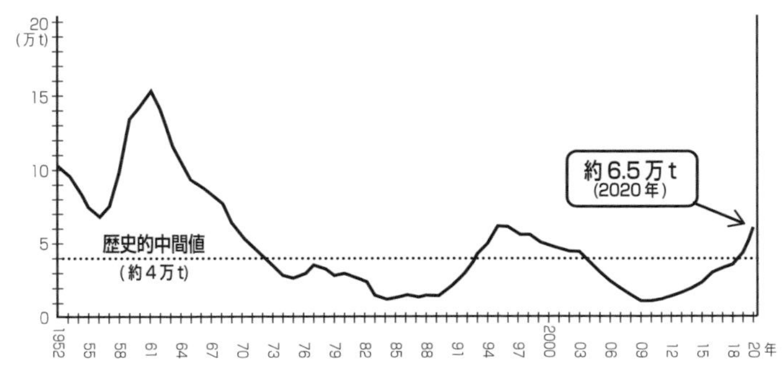

図1　太平洋クロマグロ（親魚）**の資源量推移**（水産庁資料）

ような背景があるか想像できるだろうか。この時期には日本では第五福竜丸事件で名高いビキニ環礁での水爆実験が繰り返され，漁獲量に影響が出たことが考えられる。また近年も，厚生労働省が妊婦のマグロ摂取量について注意を呼び掛けている。理由は，大型魚には比較的水銀が多く含まれており，胎児への影響が懸念されるからである。以上は，食の安全や安心にかかわる問題である。

魚(いお)湧く海と水俣病

「海は生命の母」といわれることがあるが，海の豊かさが続くことは，すべての生命にとって必要不可欠なことである。そのことを教えてくれる歴史の一つに水俣病がある。

水俣病が起こった不知火海(しらぬい)（八代海(やつしろ)）は，九州の西部にある内海である。かつて，この沿岸に暮らした漁民たちは，豊かな漁場であることから「魚湧く海」と呼んだ。代々，イワシの稚魚であるシロゴ（シラス）を獲ってきた杉本肇氏・実氏の兄弟は，船の上から豊かな漁場になった理由を教えてくれる。不知火海の沿岸には，豊富なミネラルを含んだ水が湧き出ておりプランクトンが豊富だ。プランクトンを捕食する小さな魚，小さな魚を捕食する大きな魚と，豊かな食物連鎖が成り立っていた。

その豊かな海が一転するのが，1930 年代から高度成長期にかけてである。チッソ水俣工場の排水が水俣湾へと注ぎ込み，メチル水銀化合物が生成され，生き物の体内に蓄積され，死んでいった。食物連鎖の最上位にいる人間が，魚などを摂取し，脳の機能が破壊されることで，水俣病は発症する。最初に発症したのは，海の豊かさを享受して生きてきた漁師たちだった。1956 年に「奇病」として公式確認され，1959 年には漁師たちが工場に詰めかけたが，企業城下町の水俣では，被害は長い間放置されることになる。その間，被害は多くの人びとに及ぶようになっていった。

ひとりの人間にとって，海と同じように生命を生み出し，守り育てる環境となるのが，母親の胎盤である。その胎盤を，毒物が通過し，胎児に被害を与えることも水俣病によって明らかになった。水銀被害を受けた胎児の多くは死産・流産となるなか，強い生命力で生き延びた存在が胎児性患者たちである。現在，彼らの多くが高齢の障害者となった。彼らが，どのように豊かな生を全うできるのかは，現在なおもやまない水俣病訴訟とともに，人間社会の課題として存在している。

では，なぜこのような環境汚染が長期間続いていたのだろうか。チッソが排水を流していたころは「希釈すれば,毒でも薄まる」という感覚や,「経済成長の犠牲は仕方がない」といった感覚が存在していたといわれる。水が豊富にある日本では,「水に流す」という言葉があるように，有害物質でも工場から水に流してしまうことがあったそうだ。また，チッソの排水が原因と疑われても，当時の通商産業省は日本の経済成長を優先して，排水を止める指示を出さなかった。原因が政府によって特定されるのは，チッソが排出を止めた1968年になってからである。

初期に見られた死に至るような劇症型水俣病患者の数は確かに減った。しかし，脳機能が破壊されることによる様々な健康被害，就労をはじめとした生活破壊，差別などの人間関係の破壊が不知火海の周辺で暮らした人びとを広範囲に襲った。わずかな量であっても,いったん地中から産出され,地上で放棄された水銀はなくなることはない。微量な水銀でも，生物濃縮を重ねることで人体に影響を与える。いまだに水俣病認定訴訟が続いている背景には，環境汚染の結果である水俣病の全体像が，よくわからないという現実がある。そして，微量汚染の問題は，厚労省が妊婦に魚類の摂取量制限を呼び掛けているように，水俣だけの問題ではなく，人類みな当事者である。産業活動の犠牲は，残念ながら未来に残されていく。

図2　不知火海の海を泳ぐタツノオトシゴ（提供　朝日新聞社）

現在の不知火海は，魚を獲って食べられるように環境が回復している。水中の生き物のようすがカメラマンによって撮影されたり，新種のタツノオトシゴ（ヒメタツ）が発見されたりするなど，海の豊かさを感じさせる。ここまで至るにも長い歴史があった。1974年に仕切り網が設置され，1977年から水俣湾の埋め立てが行われた。湾の底にあるヘドロや，水銀に汚染された魚介類たちは，埋立地の下に埋められた。埋め立て完了後，一帯はエコパークという公園になった。しかし，不安はつきない。埋立地を支える鉄筋コンクリートが老朽化したらどうなるのだろうか。再び水銀が水中に漏れることはないのだろうか。ここでも問題は未来に残される。

生命と環境を守る運動

水俣病の歴史からは，環境汚染と向き合う人びとの歩みも見て取ることができる。

日本では，高度成長期に各地域で起こった環境汚染を捉える「公害」という言葉がひろく知られるようになった。特に1970年前後には四大公害訴訟が起こされ，公害問題に取り組む市民運動や革新自治体が登場するなど，時代を表す社会問題となった。水俣でも，企業城下町のなかで孤立していた患者たちを支える市民が現れ，公式確認から10年以上たって訴訟が起こされた。水俣病闘争は公害に取り組む全国的なネットワークのなかで，その最前線に位置づいた。

公害闘争の結果，水俣病患者たちに対する補償制度ができた。しかし，どのような患者を「水俣病」と認定するか，という新たな問題が浮上する。次第に増加する患者たちに対応するため，政府は厳格な認定基準を設けた。その結果，申請しても棄却される患者たちが増えていった。水質汚濁防止法のような規則法なども整備され，「公害は終わった」という認識も広まる。1970年代後半以降，日本のなかで水銀汚染の問題は，典型的な水俣病に限定される問題だと認知されるようになってしまう。

そのような国内状況の一方で，水俣病患者たちが世界の環境問題とつながることで，「MINAMATA」は国際語になった。1972年にスウェーデンのストックホルムで開かれた，最初の国際的な環境会議である国連人間環境会議に，浜元二徳氏・坂本しのぶ氏という二人の水俣病患者が参加した。わが身をさらすことで日本の「公害」を訴え，世界の環境問題に取り組む人たちとつながった。たとえば，アジアと水俣を結ぶ会という団体を立ち上げ，アジア各地の環境汚染で苦しむ地域とつながりをもった。インドネシアのジャカルタ湾で起こった水銀汚染に取り組む市民団体との連携では，技術協力や政府との交渉などを行っている。アジアとの交流を通じて見えてくるのは，公害規制が強化された日本から，廃棄物や生産工程などを海外に移転する「公害輸出」の問題だった。あるいは，カナダでの河川の水銀汚染に苦しむ先住民たちとも交流を行っている。先住民など社会的な弱者に環境汚染が集中するという，現在では「環境正義」という考えが問題とする構図が見えてきた。2011年の東日本大震災の後には，福島の人びととの交流も行われた。水俣から見える環境問題は，その被害が弱者に集中するという構造的な格差だった。

水俣病問題に取り組んできた人びとは，水俣病事件が起こる以前からの，人間と自然の関係に関心を寄せていく。研究者による不知火総合学術調査団や，それを受け入れた現地の人びとによる百年の会は，自然と一体化した人びとの生活の歴史とようすを明らかにした。杉本兄弟の母・栄子氏は，埋立地エコパークで開かれた火のまつりで，水銀汚染に苦しみながらも祈りの言葉として「ありがとう」という魚の気持ちを代弁した。水俣市職員としてもやい直しを進めた吉本哲郎氏がはじめた地元学では，家から出た水のゆくえを追い，水に責任をもつことの重要性を伝えた。

このように，水俣が守ろうとしている海の豊かさとは，資源量の豊かさだけではない。漁師である杉本兄弟は，温暖化でシロゴが獲れなくなったという。ここにも生命の側から見た海のつながりの豊かさと，その危機を見出せる。未来の海は，生命にとって過ごしやすい場所であり続けるのだろうか。

■参考文献

小川輝光『歴史総合パートナーズ7　3・11後の水俣／MINAMATA』清水書院，2019
尾﨑たまき『みなまたの歌うたい』新日本出版社，2021
小松正之・遠藤久『国際マグロ裁判』岩波新書，2002
豊﨑博光『世界のヒバクシャ1　マーシャル諸島住民と日本マグロ漁船乗組員』すいれん舎，2020
吉永哲郎『地元学をはじめよう』岩波ジュニア新書，2008

［関連］ 11 住み続けられるまちづくりを　13 気候変動に具体的な対策を

近代フランス南部山岳地における荒廃・対応・地域経済

伊丹 一浩

オート＝ザルプ県の山岳地の荒廃問題

フランスの首都パリから新幹線と在来線を乗り継いで6時間前後でオート＝ザルプ県の県庁所在地ギャップに到着する（当県の位置は図1参照）。オート＝ザルプ県は南フランス・アルプ山脈に位置する山岳県で，地中海性気候の影響を受け，乾燥が卓越する。よって，その山岳地の植生は日本のように旺盛ではない。実際，ギャップからさらにアルプ山脈に分け入ったアンブランという小都市を訪れたことがあるが，その周辺では荒廃した山岳を見ることができ（図2参照），県内他地域でも同様の箇所が多くある。

それでも近代とりわけ19世紀に比べると植生は回復しつつある。当時は地域経済や住民の生活の成り立ちを目的とした山岳地の森林や放牧地の利用が過剰傾向を見せており，陸の豊かさの保全や持続的利用が危機に晒（さら）されていたのである。

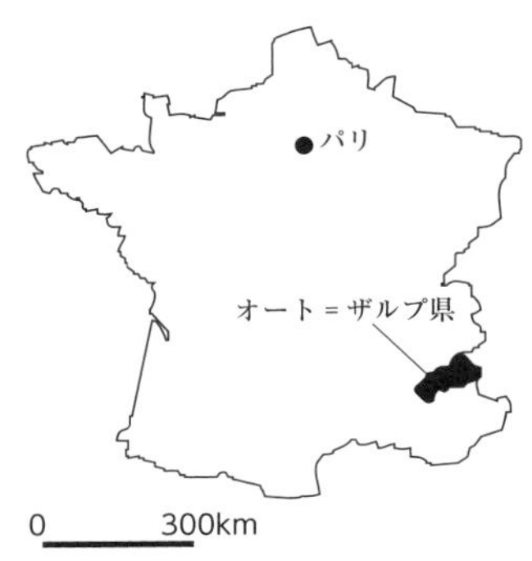

図1　オート＝ザルプ県の位置

図2　アンブラン付近の山岳風景（フランス・オート＝ザルプ県，著者撮影）

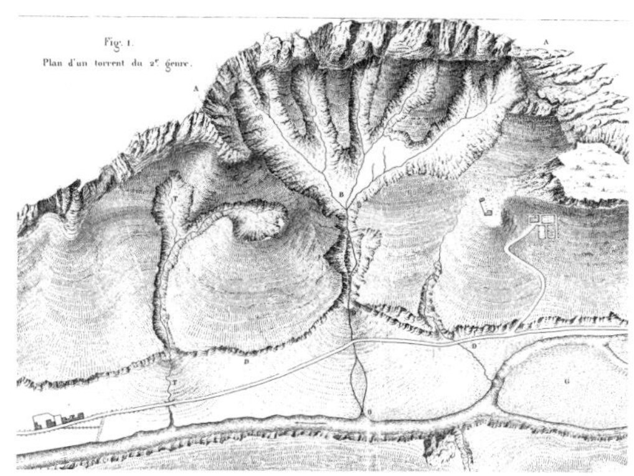

図3　オート＝ザルプ県の渓流の模式図（Alexandre Surell, *Étude sur les torrents des Hautes-Alpes*, deuxième édition, tome premier, 1870, planche I, Fig. 1.）

こうした山岳地の荒廃は水害の原因として問題視されていた。特にオート＝ザルプ県では短小急傾斜の渓流が多く山岳地に存在しており（渓流の模式図は図３参照），森林や放牧地の荒廃が土壌保持力を減退せしめ，その発達を促したとされていた。特に春季の融雪時や夏季の暴風雨時に土石流を伴いながら激越な様相を見せる増水氾濫が渓流にて多発し，ひいては流入先の河川流域の住民や農地，財産にまで被害を発生させた。

山岳地荒廃の要因

19世紀前半のフランスでは産業革命が進行しつつあったが緩慢で，よって農村部から都市部への人口流出も緩慢であった。というよりも，むしろ農村部でも人口が増加し，過剰の傾向が見られた。オート＝ザルプ県では1801年に11万2500人であった人口が，1846年には13万3100人にまで増加している。県内に都市は存在するものの，住民の多くは農村部に居住し，穀作やヒツジの放牧を営んでいた。

当時，人々の生活の中で山岳地に存在する森林は薪炭などエネルギー源や用材，日用品の原材料などを供給する必要不可欠の存在であった。ゆえに，地域の人口増加に伴い，それへの利用圧力が増大したと考えられる。

また，山岳地に存在する放牧地は当県の主要産業であるヒツジの放牧業に不可欠であった。自給用の羊毛や肥料，貴重な現金収入源となる販売用の羊毛生産に欠かせず，さらには，冷涼気候下にある当県山岳地の放牧地は，夏季の暑熱が厳しい地中海沿岸部より移牧のヒツジ群を受け入れており，その利用料金収入も重要であった。そして，農村部の人口増加や都市部の需要増大に伴い，ヒツジの飼育頭数も増加し，ひいては当県放牧地への利用圧力も増大したと考えられる。

そして，このような森林や放牧地の利用圧増大のスピードが自然の循環における植生再生産のスピードを上回り，山岳地の荒廃が進行したとして批判がされたのである。いわば，住民の生活を支える地域経済の拡大に伴い陸の豊かさが後退したとされたのである。

とはいえ，実際には，森林や放牧地は管理や規制なく野放図に利用されていたわけではなかった。森林は，王権による影響を躱しながら，すでにフランス革命前から地域住民による厳格な管理がされていた。革命期における経済の自由主義的傾向により，森林濫伐が進んだとの批判もされるが，1827年の森林法典により再び厳格な管理がされることとなった。放牧地は，放牧家畜頭数に応じた料金を住民に課すなどして，これもすでに革命前から地域により管理がされていた。しかし，こうした管理をしてもなお，人口増加や都市の需要拡大に起因する森林と放牧地への利用圧増大はとどまらず，山岳地の荒廃が進行し，渓流や河川の氾濫被害を惹起したと問題視されたのである。

荒廃への対応と地域経済への影響

このように山岳地の荒廃が問題にされていたところ，1856年にフランスで大規模な河川氾濫被害が発生した。事態を重く見た皇帝ナポレオン3世はそれへの対策を指示した。それを受けて，1860年に山岳地の植林に関する法が制定された。本法は，山岳地にて植林が必要と公的に認定された荒廃地で植林事業を実施することを，その荒廃地の所有者に義務付けるものであった。しかし，事業実施に伴いヒツジの放牧など地域住民の生活を成り立たせる経済活動に一定の支障が出ることが懸念された。よって，その後，植林ではなく草地造成を認めうる山岳地の草地化に関する法が1864年に，そして両法を発展的に解消し，公用収用により国の事業実施を可能とする山岳地の復元・保全に関する法が1882年に制定された。が，いずれにせよ地域経済や住民生活の成り立ちへの支障は免れえなかった。

とりわけ，その食性により放牧地荒廃を促進するとされたヒツジの放牧は困難になった。かわりに収用補償金を受け取っても，その投入先が限定されている当県では，それを回転させ増殖させることは困難であった。植林事業により，自然の循環の中で持続的な生活の基盤となっていた放牧地の利用が不可能になり，生活と地域経済の成り立ちを危うくされた住民の間から関連法制度への反発が生じた。

こうした反発を受け，農村部の支持を重視していたフランス第三共和制の政府は早くも1870年代より対策を打ち出した。ヒツジの放牧のかわりに植生への影響がより軽微とされた雌ウシの放牧を奨励し，地域の産業として酪農や牛乳加工（製酪）を促進しようとした。特にグリュイエール・チーズを生産するための製酪組合の結成を支援するべく，施設や備品の整備，技術者の招聘に向けた補助金を交付した。しかし，先進地のスイスや東部フランスに比べると後進地オート＝ザルプ県では自然的条件不利もあいまって，その製品は競争力に劣り，市場での競争はいわばフィックスト・ゲームの様相を呈した。補助金交付が途切れると多くの組合は経営が立ち行かなくなった。確かに，一部の事業家は利を手にすることができたが，地域住民への恩恵は限定的であった。すでに当県では人口流出が19世紀半ばから始まっていたが，荒廃山岳地への対応を目的とした法制度は，それを促進する作用を及ぼした。住み続けられる地域づくりは妨げられ，むしろ，住み続けることが困難な地域へとオート＝ザルプ県の山岳地は方向付けられたのである。

SDGsへのメッセージ

オート＝ザルプ県の山岳地における陸の豊かさは，人口減少，エネルギー源等の漸次的転換とともに植林事業によって回復への道筋がつけられた。しかし，それは地域経済の犠牲を伴ってのことであった。製酪組合の導入とそれへの補助により，新しい経済活動の確立に向けて住民を支援しようとしたが，自然的条件不利を抱える当県の組合は先進地との市場競争に巻き込まれ，結局のところ後退を余儀なくされた。

そして同様のことは現代でも生じている。例えば，砂漠化が進行する発展途上国では現地の農業生産が制限されるケースが見られるが，その場合，そうした対応が地域住民の生活への支障となり，ひいては持続可能な地域づくりを困難にする。気候変動への対策を十全に実施しようとする場合にも，発展途上国における経済成長への抑制が懸念されている。これらについてSDGsは両立解を見つけなければならない。

しかし，今から200年程前の近代フランス南部山岳地ではそれを見つけることができず，地域の持続性は毀損された。植林事業が地域住民の経済活動を抑制し，住み続けがたい地域へと山岳地を方向付けたのである。そして，今もなお，その歴史的経験を繰り返すようであれば，むしろ我々には社会や経済のあり方そのものの再考が迫られているのである。

SDGsは優れて現代的な問題を対象としているように見えるが，実は，同様の問題はすでに歴史の中で発生していた。そして，そうした歴史的経験を踏まえることなく適切な解を見つけ出すことは我々にはできない。地域の持続性を削り取りながら陸の豊かさを回復しようとした経験は，我々の経済や社会のあり方の再考を促している。その来し方を遡りつつ問題の核心を把握することが求められているのであり，感覚や感性や思いにだけ頼るのではなく，歴史学の知見を踏まえつつ，より客観的な分析や考察に基づいた将来社会の進路選択が求められているのである。

■参考文献

伊丹一浩『堤防・灌漑組合と参加の強制』御茶の水書房, 2011

伊丹一浩『環境・農業・食の歴史』御茶の水書房, 2012

伊丹一浩『山岳地の植林と牧野の具体性剥奪』御茶の水書房, 2020

伊丹一浩『製酪組合と市場競争（フィックスト・ゲーム）への誘引』御茶の水書房, 2022

宮下直・西廣淳編『人と生態系のダイナミクス1～5』朝倉書店, 2019～2021

インターネットが変える世界

周縁に置かれた人たちのBlack Lives Matter運動

徳原 拓哉

2020年，Black Lives Matter運動（以下，BLM）はSNSを介して世界中で注目を集めた。日本でもデモが起こり，#BlackoutTuesdayという#（ハッシュタグ）を介して，著名人やインフルエンサーもSNS上に黒い画像を相次いで投稿した。同時に，安易な行為は運動への「タダ乗り」ではないのか，「なぜ#AllLivesMatterではないのか。」との批判や疑問も耳にする。そこで，BLMの歴史的想像力を知り，私たちが向き合うための課題を考えたい。

#BlackLivesMatterの形成

BLMの発端は，2012年2月26日に遡る。フロリダ州サンフォードで，17歳の黒人高校生，トレイボン・マーティンが，地元の自警団に所属していた白人男性に射殺された。地元警察は白人男性の正当防衛と判断し，裁判でも本人以外の証言がなく，正当防衛が認められて無罪となった。

この報道を受け，2013年1月13日，カリフォルニア在住の黒人クィアで，アクティヴィストでもあったアリシア・ガーザがFacebook上に「黒人たちへのラヴ・レター」と題して以下のメッセージを投稿した。

> いつものことだ，なんていうのはやめましょう。とても恥ずべきことです。私は，黒人の命と生活がなんと瑣末（さまつ）な問題にされているのかということに，驚き続けます。そして，これからも驚き続けます。私たち黒人の命と生活を諦めるのはやめましょう。みなさん。私はみなさんを愛している。私は私たちを愛している。これは，私たちの命と生活の問題なのです。

同じくアクティヴィストのパトリッセ・カラーズは，ガーザのメッセージに「#BlackLivesMatter」とつけて“シェア”し，これを見たオパル・トメティがふたりとBlacklivesmatter.comのサイトを立ち上げた。BLMは，インターネット上で3人の女性・クィア——従来の運動の中で周縁に置かれた人々——が始めた運動であった。

その後，SNSが警官暴力を可視化させる事例が続き，BLMへの人々の関心は高まった。いずれも近隣の住民やその場に居合わせた人々が，事件の動画や情報をSNSに投稿することによって社会に広く知れわたった。

SNSは，一般の人々がストリートで生じる警官暴力を撮影し公開することを可能にした。その結果，本来「すべての人」に関わる刑事・司法が，黒人社会に対する制度的な不平等と暴力を生んでいる現状が世界中に可視化された。“Black”という言葉は，その点で「黒人だけ」の問題ではなく，“Black”という言葉に凝縮された社会制度全体の歪みを問題にする言葉なのだ。

“All”が覆い隠すアメリカの歴史

「人種」という視点からアメリカ合衆国の歴史を見ると，建国期からすでに，“All”という言葉は人種の問題を覆い隠してきた。1776年，アメリカは独立宣言の中で，“All men are created equal”と宣言したが，合衆国憲法は，先住民と黒人奴隷をひとりの市民として数えなかった。女性もまた政治や社会の公共空間から排除されていた。当時“All men”という言葉が実質的に意味していたのは，白人男性だった。

1861～1865年にかけての南北戦争では，共和党のリンカンが奴隷解放宣言を出し，戦後の再建期には共和党を中心として「肌の色に関係ない（カラー・ブラインドな）」社会の実現が試みられた（大森一輝「「アメリカ」を追い求めて」『アメリカ史研究』28，2005）。しかし，同時期に南部では白人至上主義団体KKKが復活し，合衆国の各地で意図的に黒人を取り締まる，いわゆるブラック・コードが相次いで成立した。投票所では恣意的な識字テストが用いられ，黒人は実質的に公的空間から排除された。1896年には，最高裁がこうした社会を「分離すれども平等」と正当化した。アメリカの繁栄の時代と呼ばれる1920年代以降になっても，この状況は続いた。“すべて（All）の人間が平等に創造されている”という煌びやかなメッキは，アメリカ社会の人種の問題を覆い隠した。

黒人自由闘争の苦悩

黒人たちの抵抗運動も内部にジレンマを抱えた。運動を主導したのは，黒人男性を中心とした組織だった。その中のひとつ，全国黒人地位向上協会（NAACP）は，法定闘争を主軸にすえていたが，人種隔離撤廃は遅々として進まなかったため，より世論の支持を喚起できる裁判の事例を探していた。そこで注目されたのが，1955年にバス車内の人種隔離に反対して逮捕された，ローザ・パークスという女性活動家だった。NAACPはパークスを支援し，公民権運動の盛り上がりを象徴する大規模なバスボイコット運動が組織された。

しかし，NAACPが支援を考えていた女性は本来もうひとりいた。彼女はパークスよりも9ヶ月前に，同様の理由で逮捕されていた。しかし未婚で妊娠していたという理由で，NAACPは彼女を運動の象徴として「ふさわしくない」と評価した。男性たちにとって「共感しづらい」と判断された女性はなかったことにされ，パークスもNAACPの書記官としての経歴は無視され，「かよわい」女性の受難と忍耐の物語として，情動的な側面ばかりが強調されたのだ。黒人であり，女性であるということは，二重に社会の公的空間から除外されることを意味した。

制度的レイシズムと刑罰国家

1964年に公民権法が成立すると，「もう人種不平等は存在しない（カラー・ブラインド）」という声も生まれた。公民権法は，法律上の差別を否定はしたが，しかし黒人の置かれた貧困や居住空間，司法制度や警官暴力など，命や生活に直接に関わる問題を解決しなかった。1960年代末には，都市暴動が頻発した。民主党のジョンソン政権は，暴動の原因はアメリカ社会に存在する人種間の分断と不平等だという報告を受けながら，黒人への警察の対応，黒人の失業・居住環境の問題に対する介入を最低限にとどめた。それどころか，生活改善のための施策は留保されたまま，都市暴動や荒廃

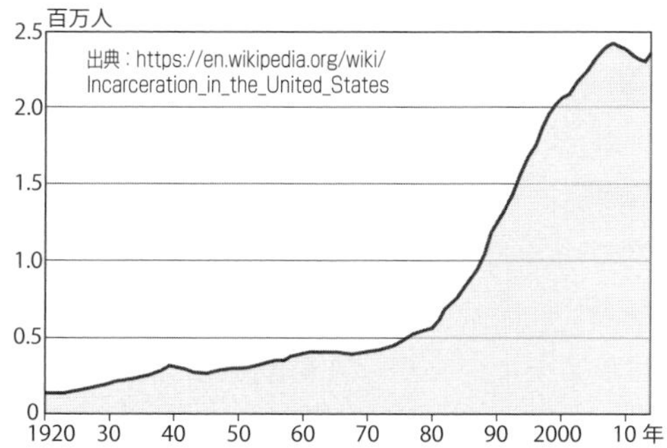

図1　アメリカ合衆国の収監人口の推移

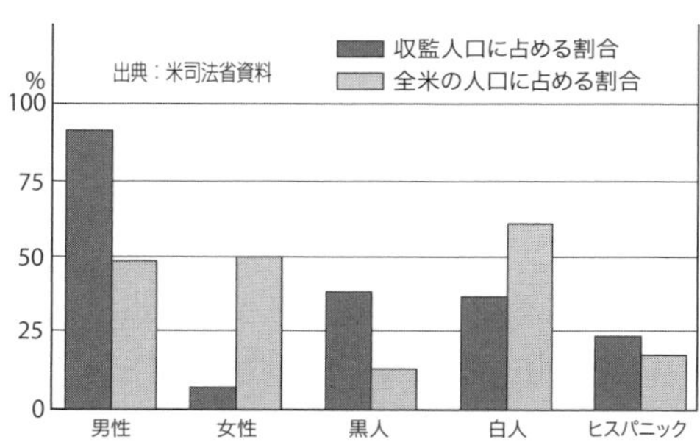

図2　アメリカ合衆国の収監人口の内訳(2015年)

だけが問題視された。黒人が置かれた貧困状態の原因を，社会構造ではなく黒人たち自身に問題があるとする論調も見られた。

70年代に入ると，共和党のニクソン政権は福祉の削減を始めた。80年代のレーガン政権期には，母子家庭は福祉を不正に受給している「福祉の女王」であり，男性たちは家庭を顧みない自堕落な男か犯罪者であるという，人種的にもジェンダー的にも誤った偏見が広がり，さらなる司法の厳罰化，警官の権限強化が行われた。貧困地域や黒人居住地域で重点的に取り締まりが行われ，大量の逮捕者を出す結果となった。この大量拘禁は，黒人に対する偏見をさらに助長した。そして1996年，民主党のクリントン政権は，家庭への公的扶助を完全に打ち切った。その結果，アメリカでは貧困と人種的不平等が，刑務所の人口に如実に反映されることとなった。

#BlackLivesMatterと私たち

BLMとは，こうした問題に鋭く抵抗する運動だった。そして，その運動の中心には，女性やクィアの人々がいる。命や生活の格差が厳然とある現実を可視化し，「黒人の命／生活も他の人々と同様に重要なのだ」と訴え，誰もが尊重される社会を目指す動きである。“Black”を用いるのは，“All”が覆い隠してきた，“Black”に凝縮された社会全体の歪みを可視化するためだ。

このことはまた，私たちがこの問題を考えるときの課題も示している。例えば冒頭に取り上げた #BlackoutTuesday について，運動を考案したふたりの黒人女性が警鐘も鳴らしている。彼女たちによれば，元々この運動は仕事を中断し，人種の問題について話したり，寄付や運動へ実際に参加したりすることなどを目的としていた。しかし，真黒い画像を投稿するだけの運動に変質したことで，本来伝えられるべき情報が大量の黒い投稿に覆い隠されているという。

日本に暮らす私たちが，この運動に容易に参加することができるのは，私たちにとって遠くの出来事だったからという側面もある。韓国系移民ラッパーの Moment Joon は，『現代思想』（2020 年 10 月臨時増刊号）のインタビューで，自身が日本で経験するレイシャル・プロファイリングを例に挙げながら，日本で起きている問題にも声を上げることが，こうした運動に対する歴史的想像力を引き受けていく上で必要であると語っている。

「平和と公正をすべての人に」といったときには，その「すべて」によって捨象されてしまう事柄や，「すべて」という言葉が何を指すのか，といった点に目を向けることが必要になろう。

■参考文献

上杉忍「アメリカ合衆国における産獄複合体(Prison Industrial Complex)の歴史的起源：南部の囚人貸出制・チェインギャング制のメカニズム」『北海学園大学人文論集』50, 2011

土屋和代「刑罰国家と「福祉」の解体：「投資―脱投資」が問うもの」『現代思想』2020年10月臨時増刊号, 青土社, 2020

マグガイア, ダニエレ（藤永康政訳）「講演録ラディカル・ローザ・パークス」『異文化研究』7巻, 2013

Moment Joon「複数の日常　日本でBLMを叫んだ貴方へ」『現代思想』2020年10月臨時増刊号, 青土社, 2020

ランスビー, バーバラ（藤永康政訳）『ブラック・ライヴス・マター運動誕生の歴史』彩流社, 2022

モザンビークとのパートナーシップ

合田 真

モザンビーク米で造ったSAKE YASUKE

2023年5月，日本国内閣総理大臣の岸田文雄氏がモザンビーク共和国を訪問した。モザンビーク共和国のニュシ大統領との首脳会談後に昼食会が催され，そこでは大統領から日本側へモザンビーク米で造った醸造酒“YASUKE”が振る舞われた。そのネーミングのもとであるYASUKE（弥助）は，アフリカ人で戦国時代の日本にイエズス会士らと共に渡り，かの有名な織田信長の家臣に取り立てられた人物である。イエズス会士に出会った頃は「奴隷」であったろう。近代以前の歴史があまり知られていないモザンビークでは，遥か昔に日本に渡航し，「奴隷」から侍の身分に取り立てられたYASUKEは，彼らの偉大な祖先の一人として憧れの存在である。私はこの酒が製品として完成するまでのプロセスに深く関わってきたが，そもそもなぜモザンビークで米作りをすることになったのか。その背景となる私の人生の一部をご紹介しよう。

エネルギー資源と世界の歴史

私が生まれ育った長崎県内の学校では，8月9日は毎年原爆被害を学ぶ機会に充てられている。世界の国々が戦争をする理由の一つに，エネルギー資源の奪い合いがある。第二次世界大戦においてもそれは大きな理由の一つであった。天然資源は有限であり，それをできるだけ多く手に入れる行為は産業革命以後の人類社会が追求してきたことなのではないか，と子供の頃から漠然と感じていた。

長崎の高校から京都大学に進学し，憧れの探検部に入部した。この探検部で南米ペルーにある標高 7000m ほどの山に登ることになった。4 か月間ほど標高 3000m を超す麓の町に滞在し，山に登って下山しては飲み歩く生活を送った。ある日，酔っぱらって町を彷徨う私に，少女が菓子を売りにきた。こうして学生生活を謳歌できるのは自分が勉強を頑張ったから，こうして海外旅行できるのも自分がアルバイトを頑張ったから，と考えていた。しかし，彼女と比べて自分が自由を謳歌できるのは，自分の努力だけが理由ではなく，そもそも恵まれた環境にあったからだとその瞬間思い至った。それ以来，困難な環境で努力している人たちの役に立ちたいと思うようになった。

その後，サスティナブルな地球環境を作る上での植物燃料の可能性に気づき，25 歳の時，日本植物燃料株式会社を設立した。植物を栽培して燃料を作ることができるのであれば，その植物の生産を増やせばよい。天然資源がある土地を奪い合うのではなく，農作業によって必要なエネルギーを作ることができるのだ。そして資源のないところでも，農産物によって豊かになることが可能であると考えた。アジアを主なフィールドに植物燃料を製造・販売する事業を展開した後，2006 年，植物燃料を栽培するのに適したアフリカのモザンビークに拠点を拡大することにした。

モザンビークでの事業とテロによる撤退

植物燃料とはいわゆる化石燃料ではなく，植物から得られるアルコール成分や油などのことである。現代では再生可能エネルギーの一つとして注目されている。

モザンビークでは北部のカーボデルガード州で約 1 万人の農家に，植物燃料の原料作物ナンヨウアブラギリ（図 1）を栽培してもらい，収穫した種子を買い取って搾油し，燃料に精製して，州内の村々にあるトウモロコシの製粉機用の燃料として販売する事業を進めた。農家はナンヨウアブラギリだけでなくトウモロコシ，米，豆など様々な作物を作っており，それらの作物も買い取るようになった。モザンビークではトウモロコシが主食で，粉に挽いて湯を加えて練ったものを食べる。

土壌に恵まれ比較的豊かな農業生産が可能であった北部ではあるが，も

図1　ナンヨウアブラギリの果実

ともとモザンビークの農業は自給自足型の小規模農家が多かった。モザンビークは16世紀にポルトガル人が交易のために進出してきて，その後中南米への奴隷労働の輸出元となり，19世紀から20世紀初頭にかけてのヨーロッパ列強によるアフリカ分割，ポルトガルによる正式な領有宣言（1891），第二次世界大戦後の独立運動やポルトガルの民主革命（1974）を経て，1975年に独立した国である。独立後，社会主義国であったため，土地は国家のものとされ，農家は国から土地を無償で借りることで自由に農作物を栽培することができた。他にも歴史的な背景から少数ながらポルトガル系の大農園主もいた。

日本政府主導で2009年に主にナンプラ州で始まった，モザンビークに一大穀倉地帯を作るという「プロサバンナ計画」もあり，モザンビークの農業は新たな局面を迎えた。私たちの事業も少なからずこのプロジェクトの影響を受けつつ発展した。収穫後，農作物の買い取りをおこなうと村全体の収入が増える。その結果として，消費も増えて村は賑やかな雰囲気になる。少しずつ村人の生活向上に役立っていることを実感できていた頃であった。2017年10月，最初のテロ集団による襲撃が起こった。このテロ集団にはイスラム国（ISIL）との関連が指摘されている。その後テロはエスカレートしていき，2018年5月，私たちはカーボデルガード州から退避することを決断した。現在はカーボデルガード州の隣のナンプラ州に拠点を置いているが，テロは現在も続いている。

撤退前，カーボデルガード州にはすでに400以上の村々に植物燃料の販売先があった。多くの社員がカーボデルガード州からナンプラ州について来てくれたが，カーボデルガード州に残った社員もいれば，家族や親類の多くをカーボデルガード州に残している人もいる。今は彼らと共に将来カーボデルガード州での事業を再開することを目標に活動している。

酒造りへの挑戦

図2　カーボデルガード州の米農家　穂摘みで収穫している様子。

モザンビークで少しずつ栽培が始まっていた輸出用商品作物である綿花・カシューナッツ・ゴマ・米などの買い取りをしていた外国企業も，安全が保障されないカーボデルガード州から撤退した。2022年に入るとテロが減少してきたため，カーボデルガード州の復興の可能性が見えてきた。とはいえ世界は新型コロナウイルス感染症であらゆる経済活動や海外渡航が影響を受けていた。そこで私は日本でできることを始めようと思い，一般社団法人馬搬振興会の方々の協力で人工エネルギーが不要の馬耕で米を育て，カーボデルガード州に残った元社員にも協力してもらい，モザンビーク米で酒を造ることにした。

モザンビークでは国民の８割が農家で，食べ物は自給自足に近い暮らしとはいえ，生活必需品を全て自給できるわけではないので，生活再建には現金が必要である。モザンビークの米を少しでも高く仕入れるなら，高く売却せねばならない。しかし日本人は国産のジャポニカ米以外はほとんど食べないから，いくらテロ被害に遭った地域の支援とはいえ，高価で食べ慣れない種類の米を買ってくれるとは思えなかった。そこで，食米としてではなく酒にすることで日本人にも喜んで飲んでもらえ，食米よりも高く売れるのではないかと考えた。京都の伏見にある招徳酒造に依頼し，試行錯誤の末，ついには酒米ではなくジャポニカ米でもないモザンビークの米を使って美味しい酒を造ることに成功した。米はアジアのイメージが強い農産物であるが，その原産地は二つあり，一つはアジア，もう一つはアフリカである。米のルーツの一つであるアフリカの米と日本の醸造技術で酒を造れたことは非常に嬉しく，未来に向けての希望も湧いてきた。モザンビークで日頃交流がある交通通信大臣のマテウス・マガラ氏にこの新酒のネーミングを依頼したところ，ニュシ大統領にも相談して，“YASUKE”という名前を提案してくれた。ニュシ大統領はカーボデルガード州の出身で，“YASUKE”を大変気に入ってくれ，岸田総理を歓迎する昼食会で日本とモザンビークのパートナーシップを象徴するものとして使われることになった。

パートナーシップ構築へ——一歩踏み出してみよう

2023年の岸田総理大臣による短いアフリカ訪問の日程の中にモザンビークが入ったのは，第一にはカーボデルガード州にある天然ガス田がその背景にある。日本はロシアから天然ガスの約10%を輸入していたが，2022年のウクライナ侵攻によりロシアとの取引が不安定になっている（2023年6月現在）。ロシア以外の輸入元の確保も喫緊の課題である。しかし，貴重な資源である天然ガス田の開発には，まずテロを収束させなければならない。そのためにはモザンビークの人々の暮らしが安定するのが第一である。なぜなら，テロは貧しく生活に不満を抱えた人々が起こしてきたからである。

貧困削減のために私たちができることは，村人が作る商品作物を少しでも高く買うことで，そのためには良い商品を作ること，その価値をしっかり宣伝することである。カーボデルガード州では，米作りだけでなく植物燃料事業も今年から再開する予定である。小さな民間企業にできることは限られているが，何もできないわけではない。小さなことでも一歩進むことには意味がある。誰もが今自分にできる小さな一歩の力を信じて踏み出すことのできる世界であって欲しい。一歩踏み出した人たちがパートナーシップを組むことで，大きな変化を生み出すことは可能なのである。

■参考文献
合田真『20億人の未来銀行』日経BP社，2018
竹下大学『日本の品種はすごい―うまい植物をめぐる物語』中公新書，2019
ロックリー・トーマス『信長と弥助　本能寺を生き延びた黒人侍』太田出版，2017

生徒にとって「自分事」となる歴史授業とは

二井 正浩

子どもにとっての「歴史を学ぶ意味」とは何か

「先生，紫式部のこと知って何の役に立つん？　うち（私）には関係ないもん。」25年以上も昔，教壇の私に子どもが投げかけた怨嗟（えんさ）の声である。生徒時代，歴史の授業に同様の思いを抱いた読者も多いのではないか。また，読者の中には歴史の授業を担当する先生方もおられるかもしれない。歴史の授業中，そんな冷めた眼差しの子どもたちに気づき，苦しい思いをした経験はないだろうか。教室の子どもたちは「学ぶ意味」を求めている。

子どもたちの目線に立ってみて欲しい。受験や内申点といった外発的動機，または先人の生き方や国民としての自覚といった道徳的動機を除けば，中学校や高等学校の歴史学習は多くの子どもにとって退屈な「他人事」の昔語りに過ぎないのではないか。義務教育だから，単位が必要だから教室に座っているのではないだろうか。「そんなことはない。例えば，戦国や安土桃山時代の学習は子どもたちにも大人気だ」と思われる先生もおられるかもしれない。でも，それは登場人物の逸話に子どもたちが魅せられているだけではないか。そうであれば，授業はもはや講談や歴史ドラマ，桃太郎や金太郎といった昔話や伝説と大差ない。徳川家康や紫式部は大河ドラマを見た方がよほど楽しい。秀逸な語り口の講釈師のような先生が子どもに評判と聞くと，その思いはさらに強くなる。それって本当に歴史の学びなのだろうか。

一方，歴史の授業はどの子どもにとっても等しく必要であり，欠くことは決してできない。なぜなら，生徒の周囲には歴史があふれているからである。服部一秀氏は「歴史ドラマ，歴史映画，歴史小説……，歴史展示，記念碑，記念日，記念行事，記念演説など，社会には様々な歴史があふれている」と指摘しているが，子どもたちは社会の中で，様々な意図を持った歴史や歴史観に晒され，知らぬ間に歴史の意図的利用の影響を受ける当事者・市民として生きていかなければならない。プーチンがウクライナ侵攻の正当化に歴史を利用しているのも然りである。だから，授業を通じて歴史とのつきあい方を身につけなければ，危険ですらある。

では，一体，どうすれば子どもが「学ぶ意味」を実感できる授業になるのだろう。どのような授業ならば，子どもは歴史とのつきあい方を身につけることができるのだろう。結論から言おう。導入やエピソードの挿入などの工夫で生徒の興味を引くというレベルではなく，学びの内容と方法自体が子どもにとって真に「自分事」であるものにし，生徒自身が「歴史する（Doing History）」（L.S.Levstik & K.C.Barton）授業を実現することである。

新科目「歴史総合」の挑戦

ここではまず，2018年告示の高等学校学習指導要領地理歴史科に誕生した「歴史総合」の試みに着目したい。この科目はすべての高校生を対象とする必履修科目であり，それ故この科目は興味・関心，進路などが多様なすべての高校生一人ひとりにとって，学ぶ意味の実感できる科目でなければならない。また，後継科目として新設された「日本史探究」「世界史探究」は自由選択科目であるため，少なからぬ生徒にとって「歴史総合」は小・中・高等学校での最後の歴史学習となり，社会に出る前の総仕上げも求められる。

表1に示すのは「歴史総合」の大項目と中項目である。これを見ると，「A 歴史の扉」の「⑴歴史と私たち」，「B 近代化と私たち」「C 国際秩序の変化や大衆化と私たち」「D グローバル化と私たち」といった項目タイトルに，従前の歴史科目では見慣れない「○○○と私たち」という文言が使用されており，「歴史総合」が，生徒自身と歴史学習との間に関係性を構築することを重視していることが分かる。「歴史総合」は従来の歴史科目よりもいっそう「教室の子どもと歴史をつなぐ」ことを意識している。

A　**歴史の扉**
- ⑴歴史と私たち
- ⑵歴史の特質と資料

B　**近代化と私たち**
- ⑴近代化への問い
- ⑵結び付く世界と日本の開国
- ⑶国民国家と明治維新
- ⑷近代化と現代的な諸課題

C　**国際秩序の変化や大衆化と私たち**
- ⑴国際秩序の変化や大衆化への問い
- ⑵第一次世界大戦と大衆社会
- ⑶経済危機と第二次世界大戦
- ⑷国際秩序の変化や大衆化と現代的な諸課題

D　**グローバル化と私たち**
- ⑴グローバル化への問い
- ⑵冷戦と世界経済
- ⑶世界秩序の変容と日本
- ⑷現代的な諸課題の形成と展望

表1　「歴史総合」の内容項目

具体的に見てみよう。図1は国立教育政策研究所が作成した「B 近代化と私たち」の構造図である。学習指導要領解説によれば，「B 近代化と私たち」は「⑴近代化への問い」「⑵結び付く世界と日本の開国」「⑶国民国家と明治維新」「⑷近代化と現代的な諸課題」という四つのパートで構成され，最初の「(1)近代化への問い」では，生徒にとって身近な生活や社会の変化を表す近代化に関連した資料を様々に取り上げ，生徒に興味・関心を持ったこと，追究したいことなどについて，自分の「問い（疑問）」を見つけさせる。次の「(2)結び付く世界と日本の開国」「(3)国民国家と明治維新」では，(1)で生徒が見つけた疑問をふまえながら，教師は生徒たちの見つけた「問い（疑問）」を深化させたり，新たな「問い（疑問）」の発見につながったりするよう，学習内容を工夫しながら授業を進める。そして「(4)近代化と現代的な諸課題」では，(1)から(3)までの学習をふまえ，現代的な諸課題が近代化とどう関わっているのかについて生徒が自分事として捉えられる主題を設定し，学習を展開することになっている。

このように，B・C・Dの各大項目は，生徒自身が抱いた「問い」を，近現代史の学習を通じて成長させ，「近代化」「国際秩序の変化や大衆化」「グローバル化」それぞれに起因する現代的な諸課題に関する「問い」を作り，歴史的に考察させるようになっている。これは，多様な生徒それぞれに歴史を学ぶ意味を実感させるための具体的なプロセスであるとともに，生徒にとって身近な生活や地域にある課題，さらには現代的な諸課題に対して歴史的に考察するプロセスや手続きを学ばせることにもなっている。こうして「歴史総合」は，社会の形成者として歴史と向かいあい，将来直面するであろう諸課題について歴史的な状況をふまえて考察・判断する術（すべ）を身につけさせようとしている。これこそが，小・中・高等学校での歴史学習の総仕上げとしての「歴史総合」の意義と言える。

図2は中央教育審議会で示された「歴史総合」の構造図である。これを見ると，「近代化と私たち」「大衆化と私たち」「グローバル化と私たち」は包含関係にあり，

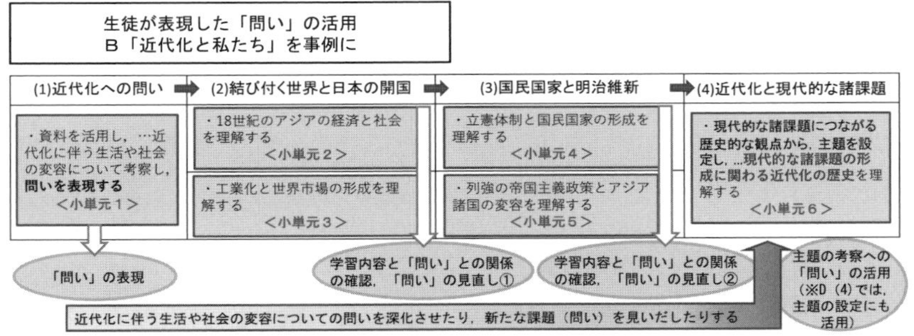

図1　大項目Ｂ「近代化と私たち」の構造（国立教育政策研究所『「指導と評価の一体化」のための学習評価に関する参考資料』）

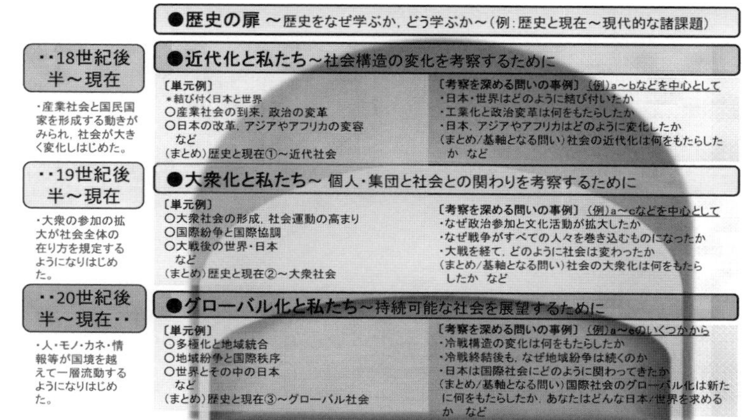

図2 「歴史総合」の構造図（中央教育審議会資料より。審議途中で作成された資料であり，その後告示された学習指導要領とは項目タイトルが一部異なっている）

それぞれ現在までを範囲とする主題学習となっている（図の左部分に注目）。つまり，「近代化」「大衆化」「グローバル化」は時代区分ではないし，よもや通史でもない。勿論，日本史でもないし，世界史でもない。それらは，現代的な諸課題の形成に関わる歴史を考察するための独立した主題学習のテーマなのである。

これまでの歴史の授業は，歴史家や歴史教師といった歴史のプロが構築してきた歴史，つまり教科書の歴史を教師が解説し，生徒が理解するといった構図が多く見られた。これはいわば，鑑賞ばかりの芸術科，名選手の模範演技を映像で見るだけの体育科の授業に等しい。歴史の授業にも，拙くても良い，生徒が自ら「問い」を抱いて過去に向かいあい，史資料をもとに考察し，説明し，議論する主体的な学びが必要である。そういった視点がこれまで決定的に不足していた。「歴史総合」は主題学習のためのテーマを追究させることを通じて，生徒自身による「Doing History」を実現し，「主体的・対話的で深い学び」を叶えようとしている。そして「Doing History」によって生徒が歴史の構築性に気づき，歴史とのつきあい方も身につけられるよう設計されている。

拙くても子どもにやらせてみよう

図３は「歴史総合」における生徒の探究のイメージ図である。生徒は，現在の自己の直面する課題について「問い」を構築し，その「問い」について時間軸を基本にして探究する。探究の時間的範囲は一応近代以降に設定されているが，「問

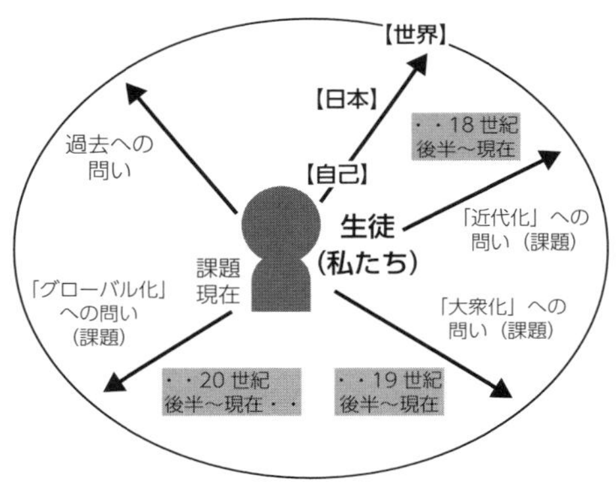

図3 「歴史総合」の探究イメージ図（筆者作成）

い」によってはそれ以前に遡るかもしれない。探究の空間的範囲も「問い」によっては生徒の生活圏や日本にとどまるかもしれないし，東アジアや世界に広がるかもしれない。「歴史総合」の探究は国境に拘泥しない。その意味で「歴史総合」もグローバルヒストリーの一つとも言える。

「一体，そのような探究が生徒にできるのか」という疑念も生じるかもしれない。確かに，子どもの探究は歴史家や教師のレベルには及ばないかもしれない。だが，拙くても良いのではないか。現代において，歴史は一部の人間の専有物ではない。「Doing History」は，子どもがこれまでの与えられるだけの歴史から脱却し，「歴史を自らに取り戻す」第一歩である。また，歴史的な思考や追究のスキルだけでなく，歴史とのつきあい方も身をもって知る経験になるだろう。その意義は大きい。子どもが拙いからこそ，教師には指導する甲斐もあるはずだ。

40 年以上も昔の話で恐縮だが，私は広島市内の中学校（広島市立翠町（みどりまち）中学校）に通う中学生で，生徒会の役員をしていた。その時，生徒会活動の一環として，原爆投下当時の学籍簿をもとに，生存者を探し出し，その体験を聞き取って記録し，学校で座談会や講演会を催すという活動をした。消息不明だった同窓生の中には，原爆で亡くなったことがあらためて確認できた方もいた。この活動は中学生の私にとって強烈なインパクトがあった。私は自分が育ってきた広島の事実の重みに驚くと同時に，過去を問う意味や意義を実感したのだと思う。この活動は歴史の授業として行われたものでもないし，歴史の探究と言うには稚拙なものかもしれない。しかし，戦争や核兵器という現実世界の課題を自分事として受け止め，過去にアプローチした体験は，私のその後にもどこか大きな影響を与えている。

また，数年前，カナダの高校を訪問した際に知りあった歴史教師 R. フロスマン氏のホロコーストの実践も紹介したい。彼のホロコーストの単元は「あなたが他者にレッテルを貼った（貼られた）時のことを思い出してください。そしてそのことがレッテルを貼られた（貼った）人やあなた自身に及ぼした影響について説明し，話し合って下さい」という問いかけから始まる。この作業を通じて，生徒は各自が他者からいじめられたこと，他者をいじめたこと，そしてその時の気持ちを数時間かけて振り返り，語りあい「レッテル貼り」を自分事の問題と捉えるようになる。次に，フロスマン氏はホロコーストに関する諸事実を数時間かけて紹介した後，ナチスに同調してジェノサイドに加担した人物を挙げ，彼ら／彼女らが加害者へと変容した契機・動機を数時間かけて調べさせ，その結果を生徒に授業でプレゼンテーションさせる。この活動を通じて，生徒は「ホロコーストの加害者も決して異常な人物ではないこと，自分と同じような普通の人間が加害者に変容していったこと」を知り，最初の「レッテル貼り」問題と関連づけながら，生徒自身も加害者に変容する可能性を持つ一人の人間であることに気づかされる。そしてその上で，自分事の問題として，いじめからホロコーストのようなジェノサイドに至る様々な問題状況に自分はどう向かいあえるのかを考えさせ，次の作業として「ホロコーストやジェノサイドに抵抗し行動した人物や集団 (Upstander) の調査」に取り組ませていた。

このような私の体験やフロスマン氏の実践は確かに自分事となっていた。「歴史総合」は教室の子どもと歴史をつなぐ場を提供しようとしており，それは教師にとっても腕の見せ所だ。子どもが自分事として取り組める「問い」について「歴史する (Doing History)」ことを実現するための教師の力量がこれまで以上に求められるだろう。

■参考文献

二井正浩編著『レリバンスの視点からの歴史教育改革論―日・米・英・独の事例研究―』風間書房, 2022

二井正浩編著『レリバンスを構築する歴史授業の論理と実践―諸外国および日本の事例研究―』風間書房, 2023

服部一秀「社会の中の歴史に関するメタヒストリー学習の意義」社会系教科教育学会『社会系教科教育学研究』第28号, 2018

広島市立翠町中学校生徒会報告書編集委員会『空白の学籍簿―第三国民学校の被爆実態をたずねて―』1980

J.S.Bruner, *The Relevance of Education*, 1971（邦訳は, 平光昭久訳『教育の適切性』明治図書, 1972）

Linda S. Levstik, Keith C. Barton, *Doing History: Investigating with Children in Elementary and Middle Schools*, 1997（第5版の抄訳：松澤剛・武内流加・吉田新一郎訳『歴史をする生徒をいかす教え方・学び方とその評価』新評論, 2021）

おわりに

今年6月27日朝の，パリ郊外にあるフランス国内最大のアルジェリア移民居住区ナンテールでのことである。17歳の少年が無免許運転で検問を振り切ろうとしたところ，至近距離から警察官に発砲され，死亡した。その夜から，パリ郊外で若者たちが，「ナエル（死亡した少年の名前）のために正義を」と叫びながら，建物を破壊し，車に放火し，警察官に物を投げつけるなどして暴徒化していった。

彼らアルジェリア系の若者たちは，パリをはじめとする主要都市の郊外で貧困家庭に育ち，高等教育機関へ進学することもできず，フランス社会の下層階級として劣悪な日々を送る。自由と平等を国是とするフランス社会に溶け込むこともできず，非行に走る者が多いという。その結果，彼らは，取り締まる警察の態度に「差別されている」と憤りを募らせることになる。

またフィンランドには，ロシアやウクライナなど様々なバックグラウンドを持つ人々が存在する。昨年2月にロシアがウクライナに侵攻してから，首都ヘルシンキのロシア料理店やロシア語の書籍を扱う書店が攻撃の対象になり，学校でもフィンランド人の子供がロシア人の子供を「いじめ」ているという。フィンランドでは，容貌だけでは相手がロシア人かフィンランド人か見分けがつかないが，名前を聞いて相手がロシア人だとわかると，「ロシアへいつ帰るんですか」と言ってからかうという。

このからかいの言葉は，日本でも同様に「朝鮮へ帰れ」と言って，大阪の鶴橋や神奈川県の川崎などで，日本人が在日コリアンに投げつけるヘイトスピーチの言葉と同じだ。

今日，世界は人種，民族，性別，経済格差など，様々な形で亀裂が入っている。20世紀末米ソ冷戦が終結し，世界の人々は，やっと平和が訪れるものと思っていた。しかし，それまで地中で眠っていた宗教的，民族的対立の芽がふき始め，それが大きなうねりとなって世界を覆った。

これらの対立の根にあるのは，目を覆いたくなるような過去の虐殺や支配の歴史だった。

1990年代のユーゴ紛争の時，セルビア人，クロアチア人，双方が民族意識を煽るのに使われたのは，1930年代の民族間の殺し合いの歴史であった。確かに人間は，連綿と過去からつながる歴史にとらわれやすい。祖父母の時代には，民族的対立や宗教的対立もあっただろう。しかし，それから約60年間，違いを超えて共存してきたのではないか。中にはセルビア人とクロアチア人が結婚し，一つの家族になった人も多く存在した。それにもかかわらず「セルビア人の誇りを持て」「クロアチア人の先祖の恨みを忘れたのか」という言葉に，過去の陰惨な史実がよみがえり，目の前のありふれた日常が忘れ去られてしまう。

2002年，北朝鮮の日本人拉致問題が発覚した直後，山口県周南市の中学校でこんなことがあった。その年，その中学校は秋の文化祭で市内の朝鮮初・中級学校と交流することが決まっていた。拉致問題の発覚直後の職員会議で，教員から「朝鮮学校との交流は，中止した方が良いのではないか」という意見が出された。これに対し校長が「あの子たちが拉致をしたわけではないのに，なぜ，中止しなければならないのか」と一喝し，行事は滞りなく行われたという。数年後，私が知り合いの朝鮮学校の校長に話したところ，彼が涙ながらに「私は，あの時，まさか祖国が拉致をするはずはないと信じていたので，あまりのショックで1か月間，誰とも口をききませんでした。そんな人が日本の中学校の校長にいたんですね」と語った。また私が，県内東部の高校で郷土部の顧問をしていた頃，高校の授業料無償化が決定されたが，朝鮮学校は除外された。部員たちは，「おかしい。授業料無償化の対象外にしていいのか，自分たちの目で確かめたい」と言って，広島の朝鮮高級学校を訪問し，直に生徒と交流した。帰り道，生徒たちは，誰もが口々に「全然，自分たちと変わらないじゃないか。僕らよりも生き生きと学校生活を送っている。対象から外すのはおかしい」と話していた。自分たちの目で見たリアルな事実から判断したわけである。

今日，子供たちは，リアルよりもSNSを通じたバーチャルな情報や，YouTubeやインスタグラムに日々を費やし，同じ考えを持った者同士で群れている。そして群れから外れまいと汲々とし，うわべだけの「つながり」や「いいね」という承認のサインを求めてSNSに多くの時間をさく日々を送っている。彼らは，リアルなコミュニケーションは，面倒でかったるいものと言い，そうした「つきあい」を求める者を，空気が読めていない奴として「いじめ」や排除の対象にする。そのため，子供たちはそうなるまいと，周囲に気を配り，疲労困憊する。

こうした子供たちの現実とは裏腹に，新学習指導要領は，社会との連携をうたい，生徒や教師に学校から出てリアルな体験を中心にした「学び」を提唱している。私が住む山口県でも本年度から3年間をかけて，高等学校の「総合的探究」の時間に地域と連携したプロジェクトを実施する学習を規定している。また昨年度から始まった高等学校の「歴史総合」では，自分ごととして歴史を考えさせるべく，身近な地域の歴史を内容として扱うことを提唱している。バーチャルではなくリアルな体験を歴史学習の中ですることで，SNSで流される情報の真偽を見極める力を養い，体験の中で様々な人々と出逢うことで，自分が存在することの意味を確かめることもできるだろう。このことからも，実際に社会に出て「つながる」ことが，人生にとっていかに重要か，声を大にして言いたい。

『つなぐ世界史』全３巻は，古代から現代まで，連綿とつながる国境を越えた「ヒト・モノ・コト」のつながりの歴史を描いたものである。この本を作るにあたり，最も重要だったことは，３巻にこめられた多くの史実もさることながら，執筆者の様々なつながりであった。

一度も会ったことのない執筆者の皆様とこの本を通じて，つながった。「こんな史実があるのか」「こんな研究があるのか」。初稿を見る度に発見と驚きの連続であった。全３巻の刊行が終わり，ある一つの山の頂にいる。しかし，その向こうには，新たな山がそびえたっている。太古の昔から人は様々な「ヒト・モノ・コト」をつないできた。その先に何があるかは見えないが，少なくとも分断ではなく平和であることを願っている。

全３巻を完成に導いたのは，それぞれの巻を責任を持って編集した岡美穂子，岩下哲典，井野瀬久美惠の３氏と清水書院編集部の佐野理恵子氏である。また，３巻を通じて，各章の最初にイラスト入りの世紀ごとの地図を掲載した。そのイラストが同時代を見ていく上で重要な要素になった。イラストを描いていただいた岡本祐子，岡部尚子両氏には，敬意を表したい。このように６氏には完成に至るまで，随分とたいへんな思いをさせてしまったと思う。改めてお詫びし，心から感謝したい。

全３巻が，分断の渦中で呻吟している人々を「つなぎ」，平和への道筋を示唆する書になることを祈る。

2023 年 7 月

編集委員代表　藤村泰夫

編者・執筆者紹介　◎は本巻責任編集者，○は編集委員

◎井野瀬　久美惠（いのせ　くみえ）

1958 年生まれ。甲南大学文学部教授。専門はイギリス近代史・大英帝国史。サントリー文化財団理事。

主な著作は『大英帝国はミュージックホールから』（朝日選書），『子どもたちの大英帝国』（中公新書），『植民地経験のゆくえ』（人文書院），『大英帝国という経験』（講談社），『イギリス文化史』（編著，昭和堂），『「近代」とは何か』（「わたしたちの歴史総合」第 4 巻，かもがわ出版）など。

○岩下　哲典（いわした　てつのり）

1962 年生まれ。東洋大学文学部教授。専門は日本近世・近代史。

主な著作は『江戸の海外情報ネットワーク』（吉川弘文館），『「文明開化」と江戸の残像』（ミネルヴァ書房），『江戸無血開城の史料学』（吉川弘文館），『見る・知る・考える　明治日本の産業革命遺産』（勉誠出版）など。

○岡　美穂子（おか　みほこ）

1974 年生まれ。東京大学史料編纂所（大学院情報学環兼任）准教授。専門は16・17 世紀の日本史と海域アジア史。

主な著作は『商人と宣教師　南蛮貿易の世界』（東京大学出版会），『大航海時代の日本人奴隷』（共著，中央公論新社），*The Namban Trade*（BRILL）など。

○藤村　泰夫（ふじむら　やすお）

1960 年生まれ。山口県立西京高等学校教諭。日本列島各地と世界を結ぶ史実の教材化を提唱している。「地域から考える世界史」プロジェクト代表。

主な著作は『地域から考える世界史　日本と世界を結ぶ』（編著，勉誠出版），『見る・知る・考える　明治日本の産業革命遺産　日本と世界をつなぐ世界遺産』（編著，勉誠出版），『世界史から見た日本の歴史 38 話』（共著，文英堂）など。

執筆者（50 音順）

蘭　信三（あららぎ　しんぞう）

大和大学社会学部教授，上智大学名誉教授。専門は歴史社会学。

石浦　昌之（いしうら　まさゆき）

東京都立上野高等学校主任教諭。主な担当科目は公共，倫理。

板垣　竜太（いたがき　りゅうた）

同志社大学社会学部教授。専門は朝鮮近現代社会史。

伊丹　一浩（いたみ　かずひろ）

茨城大学農学部教授。専門は近代フランス農業史。

稲生　淳（いなぶ　じゅん）

元和歌山県立和歌山商業高等学校校長。主な担当科目は世界史。

井野瀬　久美惠（いのせ　くみえ）

編者紹介を参照。

岩下　哲典（いわした　てつのり）

編者紹介を参照。

惠谷　敏規（えたに　としき）

東洋大学大学院文学研究科史学専攻博士後期課程単位取得満期退学。専門は近世琉球史。

大津留　厚（おおつる　あつし）

神戸大学名誉教授。専門はハプスブルク近代史。

岡　美穂子（おか　みほこ）

編者紹介を参照。

岡本　隆司（おかもと　たかし）
京都府立大学文学部教授。専門は近代アジア史。

小川　輝光（おがわ　てるみつ）
神奈川学園中学高等学校教諭。専門は歴史教育，社会科教育。

小川　唯（おがわ　ゆい）
明海大学外国語学部准教授。専門は中国近代史。

小川原　正道（おがわら　まさみち）
慶應義塾大学法学部教授。専門は日本政治思想史。

貴堂　嘉之（きどう　よしゆき）
一橋大学大学院社会学研究科教授。専門はアメリカ合衆国史，移民史。

栗本　英世（くりもと　えいせい）
人間文化研究機構理事，大阪大学名誉教授。専門は社会人類学，アフリカ研究。

合田　真（ごうだ　まこと）
日本植物燃料株式会社代表取締役。植物を使ったバイオ燃料生産の事業に従事。

小浜　正子（こはま　まさこ）
日本大学文理学部教授。専門は中国近現代史，東アジアジェンダー史。

佐藤　文香（さとう　ふみか）
一橋大学大学院社会学研究科教授。専門はジェンダーの社会理論・社会学，戦争・軍隊の社会学。

澤田　晃宏（さわだ　あきひろ）
ジャーナリスト，「高卒進路」（ハリアー研究所）編集長。

赤藤　詩織（しゃくとう　しおり）
シドニー大学人類学科講師。専門は日本社会のジェンダー，国際移動。

杉田　映理（すぎた　えり）
大阪大学大学院人間科学研究科教授。専門は水・衛生の国際協力学，開発人類学。

鈴木　淳（すずき　じゅん）
東京大学大学院人文社会系研究科・文学部教授。専門は日本近代史。

鈴木　均（すずき　ひとし）
東洋文庫研究員。専門はイラン近現代史。

高田　実（たかだ　みのる）
甲南大学文学部教授。専門はイギリス近現代史。

武内　進一（たけうち　しんいち）
東京外国語大学現代アフリカ地域研究センター教授。専門はアフリカ研究・国際関係論。

田城　賢司（たしろ　けんじ）
和歌山県立熊野高等学校教諭。主な担当科目は世界史。

德原　拓哉（とくはら　たくや）
神奈川県立横浜国際高等学校・国際科・国際バカロレアコース教諭，東京大学大学院情報学環修士課程。専門はパブリック・ヒストリー。

中塚　久美子（なかつか　くみこ）
朝日新聞専門記者。主に子ども，貧困を取材。

成田　龍一（なりた　りゅういち）
日本女子大学名誉教授。専門は近現代日本史。

二井　正浩（にい　まさひろ）
成蹊大学経済学部教授。専門は社会科教育・歴史教育。

濱口　裕介（はまぐち　ゆうすけ）
法政大学第二高等学校兼任講師。専門は日本近世・近代史，地理学史。

早川　千晶（はやかわ　ちあき）
撮影コーディネーター，通訳，アフリカを深く知る旅案内人。ケニアに定住し，マゴソスクールを主宰。

原田　昌博（はらだ　まさひろ）
鳴門教育大学大学院学校教育研究科教授。専門はドイツ現代史。

福家　崇洋（ふけ　たかひろ）
京都大学人文科学研究所准教授。専門は近現代日本社会運動史・思想史。

前田　勇樹（まえだ　ゆうき）
琉球大学附属図書館一般職員。専門は琉球沖縄史。

山本　昭宏（やまもと　あきひろ）
神戸市外国語大学准教授。専門は日本近現代文化史。

油井　大三郎（ゆい　だいざぶろう）
一橋大学・東京大学名誉教授。専門はアメリカ現代史・現代世界史。

來田　享子（らいた　きょうこ）
中京大学スポーツ科学部教授。専門はスポーツ史，スポーツとジェンダー。

渡辺　延志（わたなべ　のぶゆき）
ジャーナリスト・元朝日新聞記者。歴史をめぐるニュースを手がける。

78 頁図 1　小林きよし『漫文漫画／豚の臍』鴻文社，1928，会津若松市立会津図書館所蔵　画像提供　国文学研究資料館　近代書誌・近代画像データベース

137 頁図 1 は，2023 年 6 月 26 日に著作権法第 67 条の 2 第 1 項の規定に基づく申請を行い，同項の適用を受けて収録しました。

イラスト：岡部尚子・岡本祐子

つなぐ世界史　3　近現代／SDGsの歴史的文脈を探る

定価はカバーに表示

2023年 8 月 28 日　　初　版　第 1 刷発行

責任編集　井野瀬（いのせ）　久美恵（くみえ）
発行者　野村　久一郎
印刷所　法規書籍印刷株式会社
発行所　株式会社　**清水書院**
〒102－0072
東京都千代田区飯田橋3－11－6
電話　03－5213－7151(代)
FAX　03－5213－7160
https://www.shimizushoin.co.jp

乱丁・落丁本はお取り替えします。　ISBN978－4－389－22603－9